D1180228

Primera vista

PRIMERA

ALLYN AND BACON, INC.

VISTA

A FIRST–YEAR COURSE

RUTH R. GINSBURG
California State College
at Los Angeles

ROBERT J. NASSI

Boston Rockleigh, N. J. Atlanta Dallas Belmont, Calif.

Illustrations by: Constance Heffron
David Niles

Maps by: Donald Pitcher

Cover by: Robert MacLean

Printed in the United States of America

PREFACE

Primera Vista, Revised Edition, is intended primarily for beginning students of Spanish in the junior or senior high schools. It is also adaptable for use with students who have had some informal instruction in elementary school, or who have completed an introductory course in conversational Spanish. For such students the early lessons in the text will constitute a review of vocabulary and language structures presented in new context, and at the same time will provide familiar material for training in reading and writing.

Primera Vista is designed to help students develop the basic language skills of listening, speaking, reading, and writing within a language content which meets the needs and interests of young people. It also gives students some concept of the cultural background, daily life, customs, and traditions of Spanish-speaking people, particularly those of the Latin-American countries.

Sixty-four lessons and eight review, or Test Your Progress, sections comprise the text. Lessons based on conversations alternate with lessons based on cultural material, thus providing variety for greater student interest. In the present revised edition, the sequence of the first sixteen lessons has been changed; four lessons, based on situational dialogues are followed by four lessons introducing brief narrative material. Beginning with lesson seventeen, the sequence continues as in the previous edition: that is, a dialogue lesson alternates with a reading lesson.

The changes in the revised edition are, for the most part, directed toward providing increased emphasis on the audio-lingual skills of listening and speaking. True-false exercises (**Sí o No**) and series of short questions (**Preguntas**) test aural comprehension of this basic material.

In the Language Patterns section which follows, examples of the new language structures appearing in the lesson are presented and briefly explained. These examples are followed by a variety of pattern drills designed for intensive oral practice of both the structures and vocabulary introduced in the lesson.

Concluding exercises such as "original" dialogues, personalized questions, and occasionally an English translation combine the new material with that of previous lessons. These drills involve the student in making correct choices of structure, form, and vocabulary. Many of the lessons end with a Spanish poem, proverb, riddle, anecdote, or a unit on Word Study.

The photographs, drawings, and maps which appear throughout the text have been selected for their cultural interest. Illustrations of festivals, folk arts, schools, market places, and modern cities complement the lessons.

The Appendix includes a list of given names; a section on pronunciation with accompanying exercises; a reference list of verb forms; and a *Spanish-English, English-Spanish* vocabulary. A detailed Index concludes the book.

Supplementary aids for the text include a complete set of tapes and records, workbook, and a comprehensive teachers' manual.

The authors have made every effort to present a text that will maintain student interest at a high level, and thus serve to motivate the effort which is basic to all learning.

The authors wish to express appreciation for the continued interest and excellent suggestions of their colleagues. They are deeply indebted to Dr. Laudelino Moreno, Associate Professor of Spanish, University of Southern California, who served as editorial consultant. Special thanks are expressed also to Ernesto Morales for his indispensable services in the preparation of the manuscript of this revised edition.

CONTENTS

Lección 1

Buenos días

Buenos días, señor.
¿Cómo está usted?

Muy bien, gracias.
¿Y usted?

SEÑOR MORALES—SEÑORITA FLORES	MR. MORALES—MISS FLORES
SR. M.—**Buenos días, señorita Flores.**	Good morning, Miss Flores.
SRTA. F.—**Buenos días, señor.**	Good morning, sir.
SR. M.—**¿Cómo está usted?**	How are you?
SRTA. F.—**Bien, gracias, ¿y usted, señor?**	Fine, thank you, and you, sir?
SR. M.—**Muy bien, gracias, señorita.**	Very well, thank you.

MARÍA*—SEÑORA CHÁVEZ	MARY—MRS. CHÁVEZ
M.—**Buenas tardes, señora Chávez. ¿Cómo está usted?**	Good afternoon, Mrs. Chávez. How are you?
SRA. C.—**Estoy bien, gracias, María. Y tú****, **¿cómo estás?**	I'm fine, thank you, Mary. And how are you?

*See list of Spanish given names p. 395.

"You," in the singular, may be **tú or **usted** in Spanish. **Tú** is the familiar form used when speaking to a person whom you would normally address by his first name. **¿Y tú, Carlos, cómo estás?** but, **¿Cómo está usted, señora?**

M.—**Así, así, gracias, señora.**	So, so, thank you.
Sra. C.—**Bueno, María, hasta la vista.**	Well, Mary, I'll be seeing you.
M.—**Adiós, señora.**	Good-by.

Carlos—Lupe	Charles—Lupe
C.—**¡Hola, Lupe! ¿Qué tal? ¿Cómo estás?**	Hi, Lupe! How are you?
L.—**Muy bien, ¿y tú?**	Fine, and you?
C.—**Bastante bien. ¿Cómo está Isabel?**	Quite well. How is Isabel?
L.—**Está bien, gracias.**	She's fine, thanks.
C.—**Pues, hasta mañana.**	Well, see you tomorrow.
L.—**Adiós, Carlos. Hasta pronto.**	Good-by, Charles. See you soon.

Señora Ortega—Señor García	Mrs. Ortega—Mr. García
Sra. O.—**Buenas noches, señor García. ¿Cómo está usted?**	Good evening, Mr. García. How are you?
Sr. G.—**Bien, gracias. Y usted, señora, ¿cómo está?**	Fine, thank you. And how are you?
Sra. O.—**Estoy muy bien, gracias.**	I'm very well, thank you.
Sr. G.—**Y ¿cómo está la familia?**	And how's the family?
Sra. O.—**Todos están bien, gracias.**	Everyone is fine, thank you.
Sr. G.—**Bueno, hasta luego, señora.**	Well, see you later.
Sra. O.—**Adiós, señor García. Hasta la vista.**	Good-by, Mr. García. Be seeing you.

LANGUAGE PATTERNS

Buenos días.
Buenas tardes.
Buenas noches
¡Hola!

¿Cómo está usted?
¿Cómo estás (tú)?
¿Qué tal?
¿Cómo está la familia?
¿Cómo están Isabel y Felipe?

Estoy bien.
Lupe está bien.
Todos están bien.

Bien, gracias.
Muy bien, gracias.
Bastante bien, gracias.
Así, así, gracias.
Estoy muy bien, gracias.

Adiós.
Hasta luego.
Hasta la vista.
Hasta pronto.
Hasta mañana.

Practice

ITEM SUBSTITUTION DRILL (REPEAT THE SENTENCE SUBSTITUTING THE ITEM INDICATED.)

1. Buenos días, señor García, ¿cómo está usted?
———, señor, ¿———?
———, señora, ¿———?
———, señorita, ¿———?

2. ¡Hola, María! ¿Qué tal? ¿Cómo estás?
¡——, Carlos! ¿——? ¿——?
¡——, Lupe! ¿——? ¿——?
¡——, Isabel! ¿——? ¿——?

3. Estoy bastante bien, gracias.
—— muy bien, ———.
—— bien, ———.
—— así, así, ———.

4. ¿Cómo está María?
¿——— Carlos?
¿——— la familia?
¿——— Lupe?

5. María y Carlos están bien, gracias.
Todos ———, ——.
Isabel y Lupe ———, ——.
Carlos y Lupe ———, ——.

6. Pues, hasta luego.
——, —— pronto.
——, —— mañana.
——, —— la vista.

REJOINDER DRILL (PROVIDE AN APPROPRIATE RESPONSE FOR THE SECOND SPEAKER.)

1. SEÑOR LÓPEZ—SEÑORITA FLORES
SR. L.—Buenos días, señorita.
SRTA. F.———.
SR. L.—¿Cómo está usted?
SRTA. F.———.

2. SEÑORA CHÁVEZ—MARÍA
SRA. C.—Buenos días, María. ¿Cómo estás?
M. ———. ¿———?
SRA. C.—Estoy bastante bien, gracias. Y ¿cómo está la familia?
M. ———.
SRA. C.—Bueno, hasta luego, María.

3. PEDRO—JUAN
P.—¡Hola, Juan! ¿Qué tal? ¿Cómo estás?
J.———. ¿———?

PAWA

The banks of Lake Atitlán, Guatemala

Sawders from Cushing

Elegant residence in Viña del Mar, Chile

Copacabana Beach in Rio de Janeiro

PAWA

A typical Gaucho of the Argentine pampas

Moore-McCormack Lines

P.—Así, así. ¿Cómo está Carmen?
J.____________________.
P.—Pues, hasta pronto.
J.____________________.

Original dialogue (Choose a partner and prepare a dialogue based on each of the following situations.)

1. Señor Delgado sees señorita Molina.
He greets her and asks how she is.
Sr. D.________________. ¿________________?
She replies that she's fine and asks about him.
Srta. M. ________________. ¿________________?
He says that he's very well.
Sr. D.______________________________.
They say good-by to one another.
Srta. M. ______________________________.
Sr. D.______________________________.

2. Pepe meets his friend Carlos on the way to school.
Pepe greets Carlos.
P.—¡________________! ¿________________?
Carlos replies to the greeting.
C. ______________________________.
Pepe asks about Gloria.
P. —¿______________________________?
Carlos says she's fine.
C. ______________________________.
Pepe goes off saying he'll be seeing Carlos.
P. ______________________________.
Carlos replies, "See you soon."
C. ______________________________.

3. Dolores meets Mrs. Moreno while she's shopping after school.
Dolores greets Mrs. Moreno and asks how she is.
D.________________. ¿________________?
Mrs. Moreno says she's quite well, and asks Dolores how she is.
Sra. M.________________. ¿________________?
Dolores replies she's fine. Dolores asks about Luisa and Carmen.
D.________________. ¿________________?
"Luisa and Carmen are very well, thank you," says Mrs. Moreno.
Sra. M.______________________________.

Dolores says good-by, adding she'll see her later.
D.—————————————————————————.
Mrs. Moreno replies.
Sra. M.————————————————————————.

4. Mrs. Chávez drops in to see her neighbor, Mrs. Sánchez, after dinner.
Mrs. Sánchez greets her neighbor and asks how she is.
Sra. S.——————————. ¿————————————?
Mrs. Chávez says she's just so, so.
Sra. C.————————————————————————.
Mrs. Sánchez asks about the family.
Sra. S.—¿———————————————————————?
Mrs. Chávez says they're all fine.
Sra. C.————————————————————————.

Adivinanza (Riddle)

Yo tengo una tía que tiene una hermana que no es mi tía. ¿Quién es?
(Mi madre.)

Refrán

De tal padre, tal hijo. Like father, like son.

Lección 2

¿Cómo se llama usted?

Amalia, ¿cómo se llama ese muchacho?

El profesor — Una alumna	The teacher—A student
P.—**¿Cómo se llama usted, señorita?**	What is your name, miss?
A.—**Me llamo Julia Domínguez.**	My name is Julia Domínguez.
P.—**Y ¿cómo se llama su amiga?**	And what is your friend's name?
A.—**Mi amiga se llama Anita Martínez.**	My friend's name is Anita Martínez.

Dos muchachos (Pedro—Arturo)	Two boys (Peter—Arthur)
P.—**¿Te llamas José o Arturo?**	Is your name Joseph or Arthur?
A.—**Me llamo Arturo. Y tú, ¿cómo te llamas?**	My name's Arthur. And what is your name?
P.—**Me llamo Pedro.**	My name is Peter.

Lucía—Amalia	Lucy—Amelia
L.—**Amalia, ¿cómo se llama ese muchacho?**	Amelia, what's that boy's name?
A.—**Se llama Pablo López.**	His name is Paul López.
L.—**Es el presidente de la clase, ¿verdad?**	He is the president of the class, isn't he?
A.—**Sí. Es muy inteligente.**	Yes. He's very intelligent.

Señor García—Un alumno	Mr. García—A student
Sr. G.—**¿Cómo se llama su escuela?**	What is the name of your school?
A.—**Escuela Hoover.**	Hoover School.
Sr. G.—**¿ Quién es el director de la escuela?**	Who is the principal of the school?
A.—**Se llama señor Scott.**	His name is Mr. Scott.

Dolores—Enrique	Dolores—Henry
D.—**Enrique, ¿quién es tu profesor de español?**	Henry, who is your Spanish teacher?
E.—**Es el señor Galindo.**	He's Mr. Galindo.
D.—**Y ¿cómo se llama tu profesora de inglés?**	And what is your English teacher's name?
E.—**Se llama señorita Jones.**	Her name is Miss Jones.

LANGUAGE PATTERNS

¿Cómo te llamas?
¿Cómo se llama usted, señor?
¿Cómo se llama el muchacho?
¿Cómo se llama la alumna?
¿Quién es su profesor de español, señorita?
¿Quién es tu profesora de inglés, María?

Me llamo Julia.
Te llamas José, ¿verdad?
Usted se llama señorita Flores.
La profesora se llama señorita Jones.
Ese alumno es el presidente de la clase.
Esa muchacha es muy inteligente.

Practice

Item substitution

1. ¿Cómo se llama usted?
¿———— su amiga?
¿———— su profesor?
¿———— su escuela?
¿———— el director?

2. ¿Quién es ese muchacho?
¿——— ese señor?
¿——— ese alumno?
¿——— esa señorita?
¿——— esa amiga?

3. Me llamo Enrique. Y tú, ¿cómo te llamas?
——— Gloria. ——, ¿————?
——— José. ——, ¿————?
——— Dorotea. ——, ¿————?
——— Carlos ——, ¿————?

Response drill (Choose the appropriate response.)

1. ¿Qué tal? ¿Cómo estás?	Me llamo Pedro. Hasta la vista. Bien, ¿y tú?
2. Te llamas Enrique, ¿verdad?	Bastante bien. No, se llama Dolores. Sí, señor.
3. ¿Quién es tu amiga?	Se llama Dolores. Ese muchacho. Está bien, gracias.

Response

¿Te llamas José o Pablo?	Me llamo Pablo.
¿Ese alumno se llama Enrique o Juan?	Se llama Juan.
¿La muchacha se llama Gloria o Anita?	__________.
¿Tu amigo se llama Arturo o Pedro?	__________.
¿Se llama usted María Domínguez o Julia Domínguez?	__________.
¿Esa alumna se llama Isabel o Dorotea?	__________.

Preguntas (Answer the questions in Spanish.)

1. ¿Cómo se llama usted? 2. ¿Quién es su amigo? 3. ¿Cómo se llama su padre (*father*)? 4. ¿Cómo se llama su madre (*mother*)? 5. ¿Quién es el director de la escuela? 6. ¿Cómo se llama su profesor de español? 7. ¿Quién es un alumno inteligente en su clase? 8. ¿Cómo se llama el presidente?

¿Te llamas Julia o Anita Domínguez? Me llamo Julia Domínguez.

Lección 3

¿Quién está ausente hoy?

El profesor—Un alumno

P.—¿ **Quién está ausente hoy?**	Who is absent today?
A.—**Carlos está ausente.**	Charles is absent.
P.—**¿Está enfermo Carlos?**	Is Charles ill?
A.—**Sí, está enfermo.**	Yes, he's ill.
P.—**¡Lo siento mucho!**	I'm very sorry!

La profesora—Una muchacha

P.—**¿Dónde está Rosa?**	Where is Rose?
M.—**Creo que está en casa.**	I believe she's at home.
P.—**¿Está enferma* Rosa?**	Is Rose sick?
M.—**No, señora, Rosa no está enferma; su madre está enferma.**	No, Rose isn't sick; her mother is sick.
P.—**¡Lo siento mucho!**	I'm very sorry!

El profesor—Una alumna

P.—**¿Está ausente Roberto?**	Is Robert absent?
A.—**No, señor, Roberto está presente.**	No, sir, Robert is present.
P.—**Pues, no está en la clase.**	Well, he isn't in class.
A.—**Roberto está en la oficina del director.**	Robert is in the principal's office.
P.—**¡Qué lástima!**	That's too bad!

Additional Words and Phrases

Voy a pasar lista, I'm going to call the roll.
Servidor (-a), Present (answer to roll call).
Nadie está ausente, No one is absent.

*Use the form **enferm*a*** when referring to a girl or a woman.

LANGUAGE PATTERNS

¿Quién está ausente?	**Está en casa.**
¿Dónde está Carlos?	**Está en la escuela.**
	Está en la clase.
	Está en la oficina.
¿Está enfermo Carlos?	**No, no está enfermo.**
¿Está enferma Rosa?	**Sí, está enferma.**

Practice

ITEM SUBSTITUTION

1. Rosa está ausente hoy.
   Mi amigo ________.
   El muchacho ________.
   Nadie ________.

2. ¿Dónde está Carlos?
   ¿________ Arturo?
   ¿________ la profesora?
   ¿________ el alumno?

3. Creo que María está en casa.
   ________ mi amiga ________.
   ________ la señora ________.
   ________ mi madre ________.

4. El alumno está en la escuela.
   La profesora ________.
   Pedro ________.
   Tu amigo ________.

5. La profesora no está en la clase, está en la oficina.
   Juan ________.
   El señor ________.
   El alumno ________.

RESPONSE

¿Está enfermo Carlos?	No, no está enfermo.
¿Está enferma la señorita?	No, no está enferma.
¿Está enfermo tu amigo?	________.
¿Está enferma Dorotea?	________.
¿Está enfermo el alumno?	________.
¿Está enferma la profesora?	________.

CUED RESPONSE (GIVE THE ANSWER AS INDICATED BY THE CUE.)

¿Dónde está Dolores? (casa)	Dolores está en casa.
¿Dónde está Pepe? (oficina)	________.
¿Dónde está tu amiga? (ausente)	________.
¿Dónde está Alicia? (escuela)	________.
¿Dónde está el profesor? (clase)	________.

Rejoinder

Carmen está ausente.	Sí, está enferma.
Pablo está ausente.	______.
Tu amigo está ausente.	______.
Isabel está ausente.	______.
El profesor está ausente.	______.

Response

1. ¿Dónde está Luisa?
   - a) Elena es su amiga.
   - b) Su familia está bien.
   - c) En casa.

2. ¿Quién está ausente?
   - a) Nadie.
   - b) ¡Qué lástima!
   - c) Está enfermo.

3. ¿Cómo estás?
   - a) Estoy en la escuela.
   - b) Estoy bien, gracias.
   - c) Me llamo Pepe.

4. Mi madre está enferma.
   - a) ¡Lo siento mucho!
   - b) Creo que está en la oficina.
   - c) Así, así.

Preguntas

1. ¿Quién está ausente hoy? 2. ¿Dónde está el profesor (la profesora) de español? 3. ¿Quién es su amigo (amiga)? 4. ¿Está su amigo en la clase? 5. ¿Dónde está su madre? 6. ¿Está enfermo su padre? 7. ¿Quién es el director de la escuela? 8. ¿Dónde está el director?

Refrán

Más vale tarde que nunca. Better late than never.

Lección 4

Tráigame usted el libro, por favor

Mi escuela se llama Washington High School.

EL PROFESOR—UNA ALUMNA

P.—**¿Tiene usted un libro?**	Do you have a book?
A.—**Sí, tengo un libro.**	Yes, I have a book.
P.—**Tráigame usted el libro, por favor.**	Bring me the book, please.
A.—**Con mucho gusto.**	Be glad to.
P.—**Gracias.**	Thank you.
A.—**De nada.**	You're welcome.

LA PROFESORA—UN ALUMNO

P.—**¿Tiene usted una pluma?**	Do you have a pen?
A.—**No, señora, no tengo pluma.**	No, I don't have a pen.
P.—**¿Quién tiene una pluma?**	Who has a pen?
A.—**Roberto tiene una pluma.**	Robert has a pen.
P.—**Déme la pluma de Roberto, por favor.**	Give me Robert's pen, please.
A.—**Con mucho gusto.**	Be glad to.

P.—**Muchas gracias.**	Thank you.
A.—**De nada.**	You're welcome.

LUIS—JUAN

L.—**¿Tienes* un lápiz, Juan?**	Do you have a pencil, John?
J.—**Sí.**	Yes.
L.—**Dame** tu lápiz, por favor.**	Give me your pencil, please.
J.—**Aquí lo tienes.**	Here it is.

Additional Words

el papel, paper
el cuaderno, notebook
la tinta, ink
la tiza, chalk
la goma, rubber eraser

***Tienes** is used when the subject is the familiar form of "you" (**tú**).
****Dame** is the familiar form of the command.

LANGUAGE PATTERNS

A

Gender of Nouns—The Definite Article *el*, *la* (the)

Masculine	Feminine
***el* muchacho**	***la* muchacha**
***el* profesor**	***la* profesora**
***el* cuaderno**	***la* tinta**
***el* lápiz**	***la* clase**

In Spanish all nouns are masculine or feminine.

1. Nouns referring to male beings are masculine; nouns referring to female beings are feminine.
2. Nouns ending in **-o** are generally masculine: ***el* libro.**
3. Nouns ending in **-a** are generally feminine: ***la* pluma.**
4. The gender of a noun not ending in **-o** or **-a** must be learned: ***el* lápiz, *la* clase.**
5. The definite article is **el** before a masculine singular noun, and **la** before a feminine singular noun.

Practice

ITEM SUBSTITUTION

1. ¿Dónde está el señor?
   ¿———— alumno?
   ¿———— lápiz?
   ¿———— profesor?
   ¿———— papel?
   ¿———— libro?

2. ¿Dónde está la muchacha?
   ¿———— amiga?
   ¿———— pluma?
   ¿———— tinta?
   ¿———— goma?
   ¿———— clase?

3. Aquí está la profesora.
   ———— muchacho.
   ———— lápiz.
   ———— pluma.

Aquí está la escuela.
———— papel.
———— cuaderno.
———— tinta.

B
The Indefinite Articles *un*, *una* (a, an)

Masculine	Feminine
un **amigo**	***una*** **amiga**
un **lápiz**	***una*** **escuela**

1. ***Un*** is used before a masculine noun.
2. ***Una*** is used before a feminine noun.

Practice

ITEM SUBSTITUTION

1. ¿Tienes un libro?
   ¿———— lápiz?
   ¿———— papel?
   ¿———— amigo?
   ¿———— cuaderno?

2. ¿Tiene usted una pluma?
   ¿———— casa?
   ¿———— goma?
   ¿———— amiga?
   ¿———— clase?

TRANSFORMATION DRILL (CHANGE THE SENTENCE ACCORDING TO THE MODEL.)

No tengo mi libro.	Tráigame un libro, por favor.
No tengo mi pluma.	————, ————.
No tengo mi papel.	————, ————.
No tengo mi cuaderno.	————, ————.
No tengo mi goma.	————, ————.

Cued response

¿Tiene Pedro una amiga?	Sí, ______.
Jorge, ¿tienes un lápiz?	Sí, ______.
¿Quién tiene tu papel?	La profesora ______.
¿Tiene usted su cuaderno?	Sí, ______.
¿Quién tiene la tiza?	Tú ______.
¿Tiene ese muchacho tu libro?	Sí, ______.

C

Use of *de* to Express Possession

Tengo el lápiz *de* Alicia.	I have Alice'*s* pencil.
Es el profesor *de* Roberto.	He's Robert'*s* teacher.
¿Dónde está la pluma *de* Elena?	Where is Helen'*s* pen.

There is no apostrophe **s** (*'s*) in Spanish to show possession. "Alice's pencil" is expressed by "the pencil of Alice"; "Robert's teacher," "the teacher of Robert," etc.

Practice

Transformation

María tiene un lápiz.	Déme el lápiz de María.
Antonio tiene un libro.	______.
José tiene una pluma.	______.
Roberto tiene una goma.	______.
Linda tiene un papel.	______.

Translation

1. It's Gloria's school.	Es la escuela de Gloria.
It's Peter's father.	______.
It's Carmen's house.	______.
It's John's teacher.	______.
2. Where is Robert's class?	¿Dónde está la clase de Roberto?
Where is Alice's family?	¿______?
Where is Richard's friend?	¿______?
Where is Mary's ink?	¿______?
3. I don't have Paul's book.	No tengo el libro de Pablo.
I don't have Julia's paper.	______.
I don't have Arthur's pencil.	______.
I don't have Peter's notebook.	______.

Lección 5

*Hay muchos animales en el rancho**

Hay muchos animales en un rancho.

Mi familia tiene un rancho grande. Hay[1] muchos animales en el rancho. Mi padre tiene un caballo.[2] El caballo es muy inteligente. En el rancho hay vacas[3] y burros. El burro no es grande; es pequeño.[4]

Yo (*I*) tengo un perro.[5] Está en el rancho. Se llama Duque. Es un perro grande. En el rancho hay también[6] un gato.[7] El gato y el perro son (*are*) amigos. Alicia tiene un gatito.[7] Es muy pequeño. El gatito está en casa.

1. **hay,** there is, there are 2. **el caballo,** horse 3. **la vaca,** cow 4. **pequeño (-a),** small 5. **el perro,** dog; **el perrito,** puppy 6. **también,** also 7. **el gato,** cat; **gatito,** kitten

***Hay muchos animales en el rancho,** There are many animals on the ranch.

LANGUAGE PATTERNS

Meanings of *Hay*

***Hay* muchos animales en el rancho.**	*There are* many animals on the ranch.
***Hay* un burro en el rancho.**	*There is* a burro on the ranch.
¿*Hay* vacas en el rancho?	*Are there* cows on the ranch?
¿*Hay* un caballo en el rancho?	*Is there* a horse on the ranch?

Practice

ITEM SUBSTITUTION

1. Hay animales en el rancho.
   —— un perro grande ——.
   —— vacas ——————.
   —— un caballo —————.
   —— un burro pequeño ——.
   —— gatitos ——————.

2. ¿Hay alumnas en la clase?
   ¿—— tinta —————?
   ¿—— libros —————?
   ¿—— papel —————?
   ¿—— muchachas ———?
   ¿—— un profesor ———?

CUED RESPONSE

¿Tiene su familia un rancho?	Sí, mi familia tiene un rancho.
¿Es grande el rancho?	No, ——————————.
¿Hay muchos animales en el rancho?	No, no hay ——————.
¿Tiene su padre un caballo?	Sí, ——————————.
¿Es inteligente el caballo?	Sí, ——————————.
¿Hay vacas en el rancho?	No, ——————————.
¿Es el burro un animal pequeño?	Sí, ——————————.
¿Tiene usted un perro?	Sí, ——————————.
¿Es grande o pequeño?	grande ———————.
¿Quién tiene un gatito?	Alicia ————————.

Refrán

Lo barato cuesta caro.	Penny wise pound foolish.

Versos

De México me mandaron	From Mexico they sent me
estos sarapes bellos.	these beautiful sarapes.
Benditas sean las manos	Blessed be the Aztec
aztecas que los tejieron.	hands that wove them.

Lección 6

Flores y frutas

Hay muchas flores[1] en el parque.[2] Hay también flores en el jardín.[3] La rosa es una flor bonita.[4] La rosa es mi flor favorita. La violeta es también una flor bonita. La violeta es la flor favorita de mi amiga Dolores.

Hay muchas frutas en el mercado[5]: peras, bananas, piñas[6] y melones. La piña es una fruta deliciosa. Es mi fruta favorita. La pera es también una fruta deliciosa. ¿Cuál (*Which*) es su fruta favorita?

En los mercados de México y de Centroamérica hay muchas frutas tropicales. El mango es una fruta tropical. La papaya es también una fruta tropical. Las frutas tropicales son[7] deliciosas.

1. **la flor,** flower 2. **el parque,** park 3. **el jardín,** garden 4. **bonito (-a),** pretty 5. **el mercado,** market 6. **la piña,** pineapple 7. **son,** are

Practice

REPETITION DRILL (REPEAT THESE SENTENCES.)

1. Hay flores en el parque.
   El parque es bonito.
   Es un parque grande.

2. La rosa y la violeta son flores.
   La rosa es una flor bonita.
   Es mi flor favorita.

3. Tengo un jardín bonito.
   Es un jardín pequeño.
   Hay flores en mi jardín.

4. Hay frutas en el mercado.
   La piña y el melón son frutas.
   El melón es una fruta deliciosa.

ITEM SUBSTITUTION

1. La rosa es bonita.
   La flor ———.
   La fruta ———.
   La casa ———.
   Mi amiga ———.

2. El parque es bonito.
   El jardín ———.
   El rancho ———.
   El mercado ———.
   Mi gatito ———.

Preguntas

1. ¿Tiene usted un jardín? 2. ¿Es grande o pequeño? 3. ¿Hay flores en su jardín? 4. ¿Es un jardín bonito? 5. ¿Hay frutas tropicales en su mercado? 6. ¿Dónde hay muchas frutas tropicales? 7. ¿Cuál (*Which*) es su fruta favorita?

Original composition (Make two or more statements on any of the following topics.)

El parque; El mercado; Mi jardín; Mi fruta favorita

Refranes

Todo lo que brilla no es oro. All that glitters is not gold.

El hábito no hace al monje. Clothes do not make the man. (The robe does not make the monk.)

United Fruit Co.

Banana washing spot

United Fruit Co.

Fruit cart

Vendors in Mexico City's flower market preparing for a busy day

Griffin from FPG

Lección 7

¿Quién es una persona importante?

¿Quién es una persona importante? El presidente de la nación es una persona importante. Hay muchos presidentes famosos. Un general es también una persona importante. Algunos[1] generales son famosos.

El doctor, el dentista y el profesor son personas importantes. Hay muchos doctores en los Estados Unidos.[2] Algunos doctores son famosos. Los artistas son también personas importantes. Un actor y un pintor son artistas. Muchos actores son muy populares. ¿Quién es un actor popular?

1. **algunos,** some 2. **los Estados Unidos,** the United States

LANGUAGE PATTERNS

Plural of Nouns and Definite Articles

Singular	Plural
el alumno	*los alumnos*
el presidente	*los presidentes*
el doctor	*los doctores*
el papel	*los papeles*
la muchacha	*las muchachas*
la flor	*las flores*
la nación	*las naciones**

1. Nouns ending in a vowel form their plural by adding *-s.*
   libro, libros; clase, clases
2. Nouns ending in a consonant form their plural by adding *-es.*
   papel, papeles; doctor, doctores
3. The definite article "the" is **los** when used with a plural masculine noun, and **las** when used with a plural feminine noun.

*Nouns having an accent mark on the last syllable in the singular generally drop the accent mark in the plural.

Practice

ITEM SUBSTITUTION

1. Ese presidente es famoso.
   — actor ————.
   — general ————.
   — pintor ————.
   — doctor————.
   — jardín ————.

2. Hay muchos parques en México.
   ———— mercados ————.
   ———— jardines ————.
   ———— doctores ————.
   ———— generales ————.
   ———— profesores————.

3. ¿Dónde están los amigos?
   ¿———— alumnos?
   ¿———— papeles?
   ¿———— señores?
   ¿———— profesores?
   ¿———— lápices*?

4. ¿Quién tiene las frutas?
   ¿———— bananas?
   ¿———— flores?
   ¿———— rosas?
   ¿———— lecciones?
   ¿———— plumas?

NUMBER SUBSTITUTION DRILL (CHANGE FROM THE SINGULAR TO THE PLURAL.)

El alumno está aquí.	Los alumnos están aquí.
El lápiz está aquí.	————.
La flor está aquí.	————.
La clase está aquí.	————.
El doctor está aquí.	————.
El jardín está aquí.	————.
La muchacha está aquí.	————.
El profesor está aquí.	————.
El animal está aquí.	————.
El cuaderno está aquí.	————.

COMPLETION DRILL (COMPLETE EACH SENTENCE WITH THE NAME OF A PERSON OR PERSONS.)

——— es el presidente de los Estados Unidos.
——— es una persona importante.
——— y ——— son actores populares.
——— es un general famoso.
——— y ——— son personas inteligentes.
——— es el presidente de la clase.
——— y ——— son profesores populares.
——— es el director (la directora) de la escuela.

*Nouns ending in -z in the singular change **z** to **c** before adding **-es** in the plural.

Lección 8

Los continentes de América

Hamilton Wright

Statue of a great leader, Simón Bolívar, in Caracas, Venezuela

Hay dos[1] continentes en América: Norte y Sud América. El Canadá,* los Estados Unidos y México están en Norte América. Las seis[2] repúblicas de Centro América también están en el continente de Norte América.

Hay diez[3] repúblicas en Sud América. Colombia y Venezuela están en el norte, la Argentina y Chile en el sur.[4] En el oeste[5] están el Ecuador, el Perú y Bolivia, y en el este,[6] el Brasil, el Paraguay y el Uruguay.

Hay montañas[7] altas[8] y ríos[9] grandes en los dos continentes de América. Las montañas principales de Norte América son las Montañas Rocosas (*Rocky Mountains*); las montañas principales de Sud América son los Andes. El río Misisipí es el río principal de Norte América, y el Amazonas es el río principal de Sud América.

1. **dos,** two 2. **seis,** six 3. **diez,** ten 4. **el sur,** south 5. **el oeste,** west 6. **el este,** east 7. **la montaña,** mountain 8. **alto (-a),** high 9. **el río,** river

*In Spanish some names of countries are preceded by the definite article (**el Canadá, el Ecuador, la Argentina,** etc.).

UN MAPA
DE LAS
AMÉRICAS
N
O
E
S
CANADÁ
NORTE
AMÉRICA
MONTAÑAS ROCOSAS
ESTADOS
UNIDOS
Ottawa
Washington
Río Misisipi
Río Grande
GOLFO
DE MÉXICO
OCÉANO ATLÁNTICO
MÉXICO
México
La Habana
CUBA
REPÚBLICA
DOMINICANA
JAMAICA
HAITI
San Juan
PUERTO RICO
Port-au-Prince
Ciudad
Trujillo
Belize
HONDURAS
GUATEMALA
Guatemala
Tegucigalpa
NICARAGUA
MAR CARIBE
CENTRO
AMÉRICA
San Salvador
EL SALVADOR
Managua
Caracas
San José
COSTA RICA
Panamá
PANAMÁ
Bogotá
VENEZUELA
Río Orinoco
LAS GUAYANAS
Canal de Panamá
COLOMBIA
Quito
ECUADOR
Río Amazonas
PERÚ
LOS ANDES
BRASIL
SUD
AMÉRICA
Lima
La Paz
BOLIVIA
Brasília
Sucre
PARAGUAY
Río de Janeiro
LOS
ANDES
CHILE
Asunción
OCÉANO PACÍFICO
Río Paraná
Santiago
URUGUAY
Buenos Aires
Montevideo
ARGENTINA
Río de la Plata

Done from FPG

Mexican part of Pan American Highway linking Canada and Argentina

¿Sí o No? (If the statement is correct, answer *sí*; if incorrect, *no*.)

1. Hay dos repúblicas en Sud América. 2. El Amazonas es un río grande. 3. El Perú está en el oeste de Sud América. 4. México está en Norte América. 5. Hay ríos grandes en los Estados Unidos. 6. Los Andes son montañas altas de México. 7. Chile está en el este de Sud América. 8. Hay diez continentes en América. 9. El Brasil es una república importante. 10. Colombia está en Centro América.

LANGUAGE PATTERNS

Numbers 1 through 10

1 **uno, un, una**	6 **seis**
2 **dos**	7 **siete**
3 **tres**	8 **ocho**
4 **cuatro**	9 **nueve**
5 **cinco**	10 **diez**

Uno becomes **un** when used with a masculine noun: **un libro,** one book.

Una is the feminine form of one: **una casa,** one house.

Practice

REPETITION

uno, dos, tres, cuatro, cinco, seis, siete, ocho, nueve, diez

Response

1. Uno y uno — Uno y uno son dos.
   Dos y dos — __________.
   Tres y tres — __________.
   Cuatro y cuatro — __________.
   Cinco y cinco — __________.

2. Diez menos (*minus*) uno — Diez menos uno es nueve.
   Ocho menos uno — __________.
   Seis menos uno — __________.
   Cuatro menos uno — __________.
   Dos menos uno — __________.

Response

¿Tiene usted tres libros? — No, tengo dos.
¿Tiene usted ocho libros? — No, tengo siete.
¿Tiene usted diez libros? — __________.
¿Tiene usted dos libros? — __________.
¿Tiene usted cuatro libros? — __________.
¿Tiene usted siete libros? — __________.

Repetition

Hay 2 continentes. — Hay dos continentes.
Hay 6 repúblicas. — __________.
Hay 1 montaña. — __________.
Hay 10 naciones. — __________.
Hay 1 río. — __________.
Hay 4 mercados. — __________.
Hay 7 casas. — __________.
Hay 3 gatitos. — __________.
Hay 9 rosas. — __________.
Hay 5 muchachas. — __________.

TEST YOUR PROGRESS I

(Lecciones 1–8)

Preguntas

1. ¿Tiene usted un amigo favorito?
   ¿Cómo se llama?
   ¿Es popular?

2. ¿Es grande su familia?
   ¿Dónde está su madre?
   ¿Tiene su casa un jardín?
   ¿Hay flores en el jardín?

3. ¿Hay muchos alumnos en su clase?
   ¿Es una clase interesante?
   ¿Quién es un alumno inteligente?
   ¿Tiene usted su libro de español?

4. ¿Cómo se llama su escuela?
   ¿Es una escuela grande?
   ¿Es bonita?
   ¿Quién es el director?

5. Usted tiene un perro, ¿verdad?
   ¿Cómo se llama el perro?
   ¿Es inteligente?
   ¿Qué otro (*other*) animal tiene su familia?

6. ¿Es grande el continente de Norte América?
   ¿Dónde está el Canadá?
   ¿Dónde está México?
   ¿Cómo se llama la capital de los Estados Unidos?
   ¿Cuál es el río principal de Sud América?
   ¿Hay montañas altas en Sud América?
   ¿Está el Perú en el este o en el oeste de Sud América?
   ¿Cuántas (*How many*) repúblicas hay en Sud América?

MATCHING DRILL (CHOOSE FROM COLUMN B AN APPROPRIATE RESPONSE FOR EACH OF THE ITEMS IN COLUMN A.)

Column A	Column B
1. ¡Hola, Pablo! ¿Qué tal?	a) Adiós.
2. Gracias.	b) ¿Cómo está usted, señor?
3. Tráigame su papel, por favor.	c) Bastante bien, ¿y tú?
4. Creo que Alicia está enferma.	d) De nada.
5. Hasta luego.	e) ¡Qué lástima!
6. Buenas tardes, señorita.	f) Lo siento mucho.
7. ¿Quién está ausente?	g) Con mucho gusto.
8. Hoy no tengo mi libro.	h) Nadie.

ORIGINAL DIALOGUE

1. Juan meets his friend Ricardo on the way to Spanish class.
   Juan greets his friend and asks how he is.
   J. ______________ ¿______________________________________?
   Ricardo says he's fine.
   R. ____.
   Juan asks if Ricardo has his Spanish book.
   J.— ¿____?

Ricardo says, "No, it's at home."
R. ____________________________________.
Juan says, "That's too bad."
J. ____________________________________.

2. Dolores and Isabel are leaving school at the end of the day.
Dolores greets a boy she knows.
D. ____________________________________.
Isabel asks her who he is.
I.— ¿____________________________________?
Dolores says, "He is the president of the class."
D. ____________________________________.
Isabel asks his name.
I.— ¿____________________________________?
Dolores says, "His name is Arturo; he's very popular."
D. ____________________________________.
Isabel asks if he has a girl friend.
I.— ¿____________________________________?
Dolores says she thinks that María Delgado is his girl friend.
D. ____________________________________.

3. Someone has taken Roberto's pen and he can't find it.
Roberto tells his teacher that he doesn't have his pen.
R. ____________________________________.
The teacher asks, "Who has Roberto's pen?"
P.— ¿____________________________________?
Julia says she thinks Carlos has his pen.
J. ____________________________________.
Roberto asks his friend Carlos if he has his pen.
R.— ¿____________________________________?
Carlos says, "No, I don't have your pen."
C. ____________________________________.
Julia sees a pen on a desk near her and says, "There is a pen here. Is it your pen?"
J. ______________ ¿____________________?
Carlos says, "Yes." He thanks Julia and asks her to please give him the pen.
C. ____________________________________.

Lección 9

*En la tienda de la escuela**

el libro

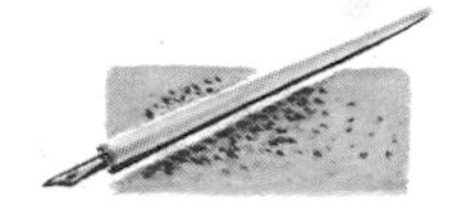
la pluma

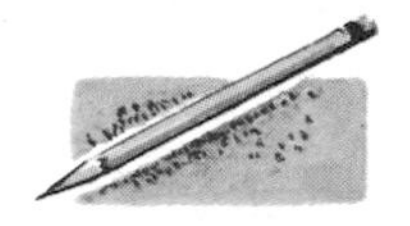
el lápiz

el papel

el cuaderno

la tinta

la tiza

la goma

Un alumno—una señorita

A.—**Buenos días, señorita.**	Good morning, miss.
Srta.—**Buenos días.**	Good morning.
A.—**¿Hay cuadernos, señorita?**	Do you have notebooks, miss?
Srta.—**Sí, ¡cómo no!**	Yes, indeed!
A.—***Quiero*** **un cuaderno grande.**	I want a big notebook.
Srta.—**¿De qué color?**	What color?
A.—***Rojo*, por favor. También déme Ud.** un cuaderno pequeño.**	Red, please. Give me also a small notebook.
Srta.—**¿También rojo?**	Also red?
A.—**No, señorita; un cuaderno *negro*.**	No, a black notebook.
Srta.—**Muy, bien. Aquí tiene Ud. los dos cuadernos.**	Very well. Here are the two notebooks.

***En la tienda de la escuela,** In the school store
****Ud.** (or **Vd.**) is the abbreviation of **usted,** "you" (sing.)

All new words and phrases which appear in boldface italics in the conversation lessons should be mastered by the students.

A.—**¿Tiene Ud. tinta?**	Do you have ink?
SRTA.—**¡Por supuesto! *Quiere Ud.* tinta negra, tinta roja, o tinta *azul*?**	Of course. Do you want black ink, red ink, or blue ink?
A.—**Quiero tinta azul.**	I want blue ink.
SRTA.—**¿*Algo más*?**	Anything else?
A.—**Sí. Déme papel *blanco*, por favor.**	Yes. Give me some white paper, please.
SRTA.—**Aquí están la tinta y el papel.**	Here are the ink and the paper.
A.—**¿*Cuânto es*, señorita?**	How much is it, miss?
SRTA.—**Setenta *centavos*.**	Seventy cents.
A.—**Aquí tiene Ud. *el dinero*.**	Here's the money.
SRTA.—**Gracias.**	Thank you.
A.—**De nada.**	You're welcome.

Additional Phrases

papel amarillo, yellow paper
lápiz color café, brown pencil
tinta verde, green ink

LANGUAGE PATTERNS

A

Agreement and Position of Adjectives in the Singular

Masculine	Feminine
El papel es *blanco*.	**La tiza es *blanca*.**
El libro es *amarillo*.	**La flor es *amarilla*.**
El cuaderno es *grande*.	**La casa es *grande*.**
El lápiz es *azul*.	**La pluma es *azul*.**

1. Adjectives ending in **-o** change **-o** to **-a** when describing the feminine noun.
2. Adjectives not ending in **-o** are the same in the masculine and feminine.

Quiero un lápiz *azul*. I want a *blue* pencil.
Ud. quiere tinta *azul*. You want *blue* ink.

3. Descriptive adjectives generally follow the noun they describe.

Practice

ITEM SUBSTITUTION

1. El libro es amarillo.
   — papel ———.
   — lápiz ———.

2. El lápiz es verde.
   — cuaderno —.
   — papel ——.

3. La tiza es amarilla.
   — flor ———.
   — pluma ——.

4. La fruta es verde.
   — casa ———.
   — tinta ——.

RESPONSE

El lápiz es rojo; ¿y la tinta?	La tinta es roja también.
El cuaderno es negro; ¿y la pluma?	La pluma es negra también.
El papel es blanco; ¿y la tiza?	————————.
El lápiz es azul; ¿y la tinta?	————————.
El señor es alto; ¿y la señora?	————————.
El patio es pequeño; ¿y la casa?	————————.
El jardín es bonito; ¿y la flor?	————————.
El mercado es grande; ¿y la tienda?	————————.
El muchacho es pequeño; ¿y la muchacha?	————————.

RESPONSE

¿Es grande el mercado?	Sí, es un mercado grande.
¿Es pequeña la tienda?	Sí, es una tienda pequeña.
¿Es bonito el jardín?	————————.
¿Es alta la señora?	————————.
¿Es famoso el actor?	————————.
¿Es interesante el libro?	————————.
¿Es blanca la casa?	————————.
¿Es inteligente el muchacho?	————————.
¿Es verde el lápiz?	————————.

B

Present Tense, Singular of *querer* (to want)

Quiero **un libro.**	*I want* a book.
¿*Quieres* (tú) un libro?	*Do you* (fam.) *want* a book?
¿*Quiere Ud.* un libro?	*Do you want* a book?
El muchacho *quiere* un libro.	The boy *wants* a book.
¿Quién *quiere* un libro?	Who *wants* a book?

Practice

ITEM SUBSTITUTION

1. Quiero tinta verde.
   ——— roja.
   ——— azul.
   ——— negra.

2. José, ¿quieres mi libro?
   Tomás, ¿———?
   Pepe, ¿———?
   Elena, ¿———?

3. ¿Quiere Ud. mi lápiz, señor?
   ¿——— mi pluma, —?
   ¿——— mi papel, —?
   ¿——— mi tinta, —?

RESPONSE

¿Quieres el cuaderno de Carlos?	No, no quiero su cuaderno.
¿Quieres la pluma de Rosa?	———.
¿Quieres el papel de Manuel?	———.
¿Quieres el lápiz de Tomás?	———.
¿Quieres la tinta de Roberto?	———.

CUED RESPONSE

¿Quién quiere los papeles? (el profesor)	El profesor quiere los papeles.
¿Quién quiere un libro? (Arturo)	———.
¿Quién quiere el gatito? (María)	———.
¿Quién quiere las flores? (Mi madre)	———.
¿Quién quiere dinero? (Nadie)	———.

REPLACEMENT DRILL (FORM A NEW SENTENCE BY REPLACING THE WORD INDICATED.)

Quiero un cuaderno grande.	Quiero un cuaderno grande.
——— una casa ———.	Quiero una casa grande.
——— blanca.	———.
Ud. ———.	———.
——— un papel ———.	———.
——— rojo.	———.
Gloria ———.	———.
——— una rosa ———.	———.
——— amarilla.	———.
——— un lápiz ———.	———.
Tú ———.	———.
——— pequeño.	———.
¿Quién ———?	¿———?

Matching

Column A	Column B
1. Quiero un cuaderno.	a) Diez centavos.
2. ¿Algo más?	b) Azul.
3. ¿Tiene Ud. lápices?	c) Muchas gracias.
4. Quiero dos lápices.	d) Sí, déme papel blanco, por favor.
5. ¿Cuánto es?	e) ¿Grande o pequeño?
6. ¿De qué color?	f) Aquí están.
7. Aquí tiene Ud. el dinero.	g) Sí, ¿cómo no?

Dialogue—Completion Drill

Un alumno—Una señorita

A.—Buenas tardes, señorita.

Srta. ______________________________.

A.—¿Tiene Ud. lápices?

Srta. ______________________________.

A.—Déme cuatro lápices.

Srta. ______________________________.

A.—También quiero tinta.

Srta.—¿______________________________?

A.—Quiero tinta verde.

Srta.—¿______________________________?

A.—No, gracias; ¿cuánto es?

Srta. ______________________________.

A.—Aquí tiene Ud. el dinero.

Srta. ______________________________.

A.—De nada.

Refrán

A buena hambre no hay pan duro. Hunger is the best sauce. (For great hunger there is no hard bread.)

Lección 10

Mi escuela

En la biblioteca de mi escuela hay libros y revistas interesantes.

ALFREDO—BERNARDO

A.—**¿Cómo se llama su escuela?**	What is the name of your school?
B.—**Mi escuela se llama Lincoln High School.**	The name of my school is Lincoln High School.
A.—**¿*Cuántos* alumnos hay en su escuela?**	How many students are there in your school?
B.—**Hay muchos alumnos en mi escuela.**	There are many students in my school.
A.—**¿Son *aplicados* los alumnos?**	Are the students industrious?
B.—**Algunos alumnos son aplicados; otros son *perezosos*.**	Some students are industrious; others are lazy.
A.—**¿Son *simpáticas* las muchachas?**	Are the girls nice?
B.—**Sí, muchas alumnas son muy simpáticas.**	Yes, many girl students are very nice.
A.—**¿Hay una *biblioteca* en la escuela?**	Is there a library in the school?
B.—**Sí, hay una *buena* biblioteca.**	Yes, there is a good library.
A.—**¿Hay *revistas* interesantes en la biblioteca?**	Are there interesting magazines in the library?
B.—**Sí, hay muchos libros y muchas revistas interesantes.**	Yes, there are many interesting books and magazines.

A.—**¿Está su *sala de clase cerca de* la biblioteca?**	Is your classroom near the library?
B.—**No, está bastante *lejos*.**	No, it is quite far.
A.—**¿Es grande su sala de clase?**	Is your classroom large?
B.—**Sí, es grande; tiene muchos *asientos*.**	Yes, it's large; it has many seats.
A.—**¿Cuántas *mesas* hay en la clase?**	How many tables are there in the classroom?
B.—**Hay una mesa cerca de la *ventana* y una mesa pequeña cerca de la *puerta*.**	There is one table near the window and one small table near the door.
A.—**¿Hay *sillas* en la sala de clase también?**	Are there chairs in the classroom also?
B.—**Creo que hay tres sillas.**	I believe that there are three chairs.
A.—**¿Qué hay en las *paredes* de la sala de clase?**	What is there on the walls of the classroom?
B.—**En una pared hay una *bandera* de México y un *mapa* grande; en las otras paredes hay *cuadros* bonitos.**	On one wall there is a flag of Mexico and a large map; on the other walls there are pretty pictures.
A.—**¿Cuántas *pizarras* hay en la sala de clase?**	How many blackboards are there in the classroom?
B.—**Hay dos pizarras; una pizarra *enfrente de* los alumnos y otra pizarra *detrás de* los alumnos.**	There are two blackboards; one blackboard in front of the students and another blackboard behind the students.

Las muchachas en mi escuela son muy simpáticas.

Mi sala de clase es grande.

Additional Words

el reloj, clock
el borrador, blackboard eraser
el cesto, wastebasket
el armario, closet, cupboard
el estante, bookcase
el tablero, bulletin board
el escritorio, teacher's desk

¿Sí o No?

1. Hay una bandera de los Estados Unidos en la escuela. 2. Todos (*All*) los alumnos son aplicados. 3. Todas las muchachas son simpáticas. 4. La biblioteca tiene muchas revistas. 5. Las ventanas de la escuela son pequeñas. 6. Hay un reloj en la pared. 7. No hay borradores en la clase. 8. La tiza está cerca de la pizarra. 9. Hay un mapa de México en la sala de clase. 10. Siempre hay muchos papeles en el cesto.

LANGUAGE PATTERNS

A

Agreement of Adjectives in the Plural

Singular	Plural
El muchacho es aplicado.	***Los muchachos son aplicados.***
La muchacha es simpática.	***Las muchachas son simpáticas.***
Es una revista popular.	***Son revistas populares.***
La pluma es azul.	***Las plumas son azules.***

1. Adjectives must be made plural when describing a plural noun.
2. The plural of adjectives, like the plural of nouns, is formed by adding **-s** if the adjective ends in a vowel (**grande, grande*s***), or **-es** if the adjective ends in a consonant (**azul, azul*es***).

Practice

ITEM SUBSTITUTION

1. Los alumnos son aplicados.
   — muchachas ———.

2. Los amigos son simpáticos.
   — señoritas ————.

3. Tengo tres revistas populares.
   ——— libros ————.

4. Algunos asientos son pequeños.
   ——— sillas ——————.

5. Los cuadros son bonitos.
   — paredes ————.

6. Hay dos armarios grandes.
   —— dos puertas ———.

7. Hay una mesa cerca de la puerta.
   —— un tablero ——————.

8. Hay un cesto enfrente de la mesa.
   — una pizarra —————.

9. Hay un mapa detrás de la clase.
   —— dos sillas —————.

10. La sala está lejos de la oficina.
    — biblioteca——————.

NUMBER SUBSTITUTION

1. El muchacho es alto. — Los muchachos son altos.
   La amiga es simpática. — ——————.
   La revista es buena. — ——————.
   El asiento es pequeño. — ——————.
   El cuadro es bonito. — ——————.
   La silla es grande. — ——————.
   La pared es azul. — ——————.

2. Es un alumno aplicado. — Son alumnos aplicados.
   Es una muchacha bonita. — ——————.
   Es un libro interesante. — ——————.
   Es un mapa grande. — ——————.
   Es una lección importante. — ——————.
   Es una señorita simpática. — ——————.
   Es un señor inteligente. — ——————.
   Es una revista popular. — ——————.
   Es una pluma roja. — ——————.

Replacement drill

El alumno es aplicado.
Las alumnas ———.
——— simpáticas.
El profesor ———.
——— alto.
Las ventanas ———.
——— grandes.
La bandera ———.
——— bonita.
Los cuadros ———.
——— interesantes.
Las revistas ———.
——— pequeñas.

El alumno es aplicado.
Las alumnas son aplicadas.
———.
———.
———.
———.
———.
———.
———.
———.
———.
———.
———.

B

How to Express *How Much* and *How Many* in Spanish

¿*Cuánto* dinero tiene Ud.? — *How much* money do you have?
¿*Cuánta* tinta tiene Ud.? — *How much* ink do you have?
¿*Cuántos* asientos hay? — *How many* seats are there?
¿*Cuántas* sillas hay? — *How many* chairs are there?

1. ***¿Cuánto?*** (*How much*) becomes ***¿cuánta?*** before a feminine noun.
2. ***¿Cuántos?*** (*How many*) becomes ***¿cuántas?*** before a feminine noun.

Practice

Item substitution

1. ¿Cuántos libros tiene Ud.?
   ¿——— plumas ———?
   ¿——— dinero ———?
   ¿——— centavos ———?

2. ¿Cuántas revistas hay en la oficina?
   ¿——— lápices ———?
   ¿——— papel ———?
   ¿——— amigos ———?

Preguntas

1. ¿Está su casa cerca de la biblioteca? 2. ¿Hay un jardín detrás de su casa? 3. ¿Tiene su casa muchas ventanas? 4. ¿Hay cuadros bonitos en su casa? 5. ¿De qué color son las paredes de su casa? 6. ¿Tiene su familia una bandera de los Estados Unidos? 7. ¿Es simpática su madre? 8. ¿Cuántos buenos amigos tiene Ud.?

Lección 11

¿Qué estudia Ud.?

ALFREDO—BERNARDO

A.—**¿ Qué *estudia Ud.* en la escuela?**	What do you study in school?
B.—**Estudio el *inglés*, el *español*, la historia, la *ciencia* general y las matemáticas.**	I study English, Spanish, history, general science, and mathematics.
A.—**¿*Por qué* estudia Ud. el español?**	Why are you studying Spanish?
B.—**Estudio el español *porque deseo* visitar a México.**	I am studying Spanish because I wish to visit Mexico.
A.—**¿Es *difícil* el español?**	Is Spanish difficult?
B.—**No, no es difícil; es *fácil*.**	No, it is not difficult; it is easy.
A.—**¿*Hablan Uds.** español en la clase?**	Do you (*pl.*) speak Spanish in class?
B.—**Sí, hablamos español todos los días.**	Yes, we speak Spanish every day.
A.—**¿ Quién es el profesor de español?**	Who is the Spanish teacher?
B.—**El señor Domínguez.**	Mr. Domínguez.
A.—**¿*Explica* las *lecciones* en inglés o en español?**	Does he explain the lessons in English or in Spanish?
B.—**Explica las lecciones fáciles en español y las lecciones difíciles en inglés.**	He explains the easy lessons in Spanish and the difficult lessons in English.
A.—**¿Prepara Ud. las lecciones *todos los días*?**	Do you prepare the lessons every day?
B.—**Sí, siempre preparo las lecciones.**	Yes, I always prepare the lessons.
A.—**¿*Contesta Ud.* bien en la clase?**	Do you answer well in class?
B.—**Generalmente contesto bien.**	Generally I answer well.

*Uds. (also **Vds.**) is an abbreviation for **ustedes**, "you" (pl.).

A.—*¿Cantan Uds. canciones españolas en la clase?*	Do you sing Spanish songs in class?
B.—**Sí, cantamos muchas canciones españolas.**	Yes, we sing many Spanish songs.
A.—**¿Es interesante la clase de español?**	Is the Spanish class interesting?
B.—**Sí, es muy interesante.**	Yes, it is very interesting.

MARÍA—JUAN

M.—**Juan, tú hablas francés, ¿verdad?**	John, you speak French, don't you?
J.—**Lo hablo muy poco.**	I speak it very little.
M.—**¿Estudias el francés?**	Do you study French?
J.—**Sí, estudio el francés con mi amigo Daniel.**	Yes, I am studying French with my friend Daniel.
M.—**¿Habla francés Daniel?**	Does Daniel speak French?
J.—**Sí, lo habla muy bien.**	Yes, he speaks it very well.

LANGUAGE PATTERNS

Present Tense of *-ar* Verbs—*hablar* (to speak)

Habl*o* español. *I* speak* Spanish.	**Habl*amos* español.** *We* speak Spanish.
Habl*as* español. *You* (fam.) speak Spanish.	
Ud. habl*a* español. *You* speak Spanish.	**Uds. habl*an* español.** *You* speak Spanish.
Habl*a* español. *He*, *she* speaks Spanish.	**Habl*an* español.** *They* speak Spanish.

*I speak, I am speaking, I do speak; **¿Habla Ud?,** Do you speak, Are you speaking?

The present tense of ***-ar*** verbs, **hablar** (to speak), **estudiar** (to study), is formed by dropping the ***-ar*** of the infinitive and adding to the stem of the verb the following endings:

I	**o**	we	**amos**
you (fam.)	**as**		
you, he, she	**a**	you, they	**an**

The subject pronouns **yo** (I), **tu** (you, fam.), etc. need not be used in Spanish since the verb ending indicates the subject. **Ud.** and **Uds.,** however, are generally used.

Practice

ITEM SUBSTITUTION

1. Estudio en la clase.
   ——— en casa.
   ——— en la escuela.
   ——— en el parque.
   ——— en la biblioteca.

2. Estudiamos el francés en la clase.
   ——— el inglés en la clase.
   ——— poco en la clase.
   ——— el español en la clase.
   ——— mucho en la clase.

RESPONSE

1. ¿Habla Ud. español? Sí, hablo español.
   ¿Estudia Ud. mucho? ———.
   ¿Prepara Ud. las lecciones de español? ———.
   ¿Canta Ud. en la clase? ———.
   ¿Desea Ud. un lápiz? ———.

2. ¿Hablan Uds. inglés? Sí, hablamos inglés.
   ¿Estudian Uds. en casa? ———.
   ¿Visitan Uds. el parque? ———.
   ¿Cantan Uds. bien? ———.
   ¿Contestan Uds. bien en español? ———.

TRANSFORMATION

1. Daniel habla francés. Tú no hablas francés.
   Dolores canta bien. ———.
   Carlos estudia todos los días. ———.
   Elisa contesta en español. ———.
   Concha desea visitar a México. ———.

2. Ud. habla mucho. Ud. y Roberto hablan mucho.
   Elena canta bien. Elena y Gloria ———.
   Ud. explica todo. Ud. y Carmen ———.
   Pablo desea papel. Pablo y Enrique ———.
   Felipe no estudia. Ricardo y Felipe ———.

3. Estudio la historia. Mi amigo y yo estudiamos la historia.
   Hablo con el profesor. Juan y yo ———.

Deseo visitar a México. Ud. y yo ______________.
Explico la lección. Ramón y yo ______________.
No canto bien. Ud. y yo ______________.

PERSON-NUMBER SUBSTITUTION (Substitute the subject indicated giving the correct form of the verb.)

1. Mis amigos no hablan francés.
   Ud. ______________.
   Yo ______________.
   Uds. ______________.
   Tú ______________.
   Pepé y yo ______________.
   Carmen ______________.

2. Cantamos en español.
   Uds. ______________.
   Yo ______________.
   Isabel ______________.
   Tú ______________.
   Alicia y yo ______________.
   Ud. y María ______________.

3. Ricardo estudia todos los días.
   Yo ______________.
   Carlos y yo ______________.
   Los alumnos ______________.
   Tú ______________.
   Uds. ______________.
   Antonio y Juan ______________.

Preguntas

1. ¿Habla Ud. español con los amigos? 2. ¿Cantan Uds. en la clase de español? 3. ¿Estudian mucho los alumnos? 4. ¿Desea Ud. visitar a México? 5. ¿Habla francés su amigo? 6. ¿Es difícil el francés? 7. ¿Con quién estudia Ud.? 8. ¿Preparan Uds. las lecciones todos los días?

Refranes

Quien busca halla. He who seeks, finds.

Quien mucho duerme poco aprende. He who sleeps much learns little.

Lección 12

¿Qué lee Ud?

Juan—Luis

J.—**¿Qué lee Ud. en la clase?**	What do you read in class?
L.—**Leo un *periódico* español.**	I read a Spanish newspaper.
J.—**¡Un periódico español! ¿*Comprende* Ud. el español?**	A Spanish newspaper! Do you understand Spanish?
L.—**Sí, lo comprendo bastante bien.**	Yes, I understand it quite well.
J.—**Ud. *aprende* el español en la escuela, ¿verdad?**	You're learning Spanish in school, aren't you?
L.—**Sí, mi amigo y yo aprendemos el español en la escuela.**	Yes, my friend and I are learning Spanish in school.
J.—**¿Leen Uds. periódicos en la clase de español?**	Do you read newspapers in the Spanish class?
L.—**Sí, leemos muchos periódicos.**	Yes, we read many newspapers.

Daniel—Eduardo

D.—**Eduardo, dame la revista.**	Edward, give me the magazine.
E.—**Es una revista española. Tú no lees el español.**	It's a Spanish magazine. You don't read Spanish.
D.—**No, pero comprendo muchas palabras.**	No, but I understand many words.
E.—**¿Deseas aprender el español?**	Do you want to learn Spanish?
D.—**Sí.**	Yes.
E.—**Pues, aquí tienes la revista.**	Well, here's the magazine.
D.—**Gracias.**	Thanks.

LANGUAGE PATTERNS

A

Present Tense of *-er* Verbs—*leer* (to read)

Le*o* el libro. *I* read the book.
Le*es* el libro. *You* (fam.) read the book.

Le*emos* el libro. *We* read the book.

Ud. lee el libro. *You* read the book. **Uds. leen el libro.** *You* read the book.

Lee el libro. *He, she* reads the book. **Leen el libro.** *They* read the book.

The present tense of **-er** verbs, **leer** (to read), **aprender** (to learn), **comprender** (to understand), is formed like the present tense of **-ar** verbs except that **-e** replaces **-a** in the ending.

Practice

ITEM SUBSTITUTION

1. Jorge lee el periódico.
   El muchacho ——.
   Ud. ————.
   Eduardo ————.
   Mi padre ———.

2. No comprendo la lección.
   ———— la palabra.
   ———— el español.
   ———— el libro.
   ———— el francés.

3. Los alumnos aprenden el español.
   Uds. ————————.
   Mis amigos ————————.
   Isabel y Luisa ————————.
   Ud. y Ana ————————.

4. Ana y yo aprendemos la canción.
   Mi amigo y yo ————.
   Eduardo y yo ————.
   Juan y yo ————.
   Dolores y yo ————.

5. ¿Por qué (*Why*) no lees el libro?
   ¿———— la revista?
   ¿———— la lección?
   ¿———— el periódico?

PERSON-NUMBER SUBSTITUTION

1. José no comprende las palabras.
   Uds. ————————.
   Tú ————————.
   Las muchachas ————.
   Mi amigo y yo ————.
   Ud. ————————.

2. Leemos en la biblioteca.
   Los alumnos ————.
   Tú ————.
   El profesor ————.
   Uds. ————.
   Yo ————.

3. Tú estudias y aprendes mucho.
   Yo ————————.
   Gloria ————————.
   Los alumnos ————.
   Ud. ————————.
   María y yo ————.

Preguntas

1. ¿Aprende Ud. mucho en la escuela? 2. ¿Hablan Uds. español en la clase? 3. ¿Leen Uds. periódicos? 4. ¿Cantan Uds. canciones? 5. ¿Comprenden Uds. las lecciones? 6. ¿Estudia Ud. todos los días? 7. ¿Lee Ud. mucho en casa? 8. ¿Es fácil comprender el español?

¿Dónde vive Ud.?

Alfredo—Bernardo

A.—**¿Dónde *vive Ud.*?**	Where do you live?
B.—**Vivo en la *calle* Olmedo.**	I live on Olmedo Street.
A.—**¿Tiene Ud. teléfono?**	Do you have a telephone?
B.—**Sí, tengo teléfono.**	Yes, I have a telephone.
A.—***¿Cuál es el número de su teléfono?***	What is your telephone number?
B.—**El número de mi teléfono es Arizona, *cero*, ocho, siete, cinco.**	My telephone number is Arizona, 0875.
A.—**¿Dónde vive su amigo?**	Where does your friend live?
B.—**Vive en la *Avenida* de Catalina.**	He lives on Catalina Avenue.
A.—**¿Viven Uds. lejos de la escuela?**	Do you live far from school?
B.—**No, vivimos muy cerca de la escuela.**	No, we live very near the school.
A.—**¿Dónde viven sus amigos Diego y Ernesto?**	Where do your friends James and Ernest live?
B.—**Viven en Palo Alto.**	They live in Palo Alto.
A.—***¿Recibe Ud. cartas* de sus amigos?**	Do you receive letters from your friends?
B.—**No, no recibo muchas cartas.**	No, I do not receive many letters.
A.—***¿Escribe Ud.* a sus amigos?**	Do you write to your friends?
B.—**Sí, escribo, pero mis amigos no contestan.**	Yes, I write, but my friends don't answer.

B

Present Tense of *-ir* Verbs—*vivir* (to live)

Viv*o* lejos. *I* live far.
Viv*es* lejos. *You* (fam.) live far.
Ud. viv*e* lejos. *You* live far.
Viv*e* lejos. *He*, *she* lives far.

Viv*imos* lejos. *We* live far.

Uds. viv*en* lejos. *You* live far.
Viv*en* lejos. *They* live far.

The present tense of verbs ending in **-ir**, **vivir** (to live), **escribir** (to write), **recibir** (to receive), has the same endings as **-er** verbs with the exception of the "we" form which ends in **-imos** instead of **-emos**.

Practice

ITEM SUBSTITUTION

1. Vivo en la calle Alvarado.
   ——————Pico.
   ——————Colón.

2. El señor vive en Colorado.
   La familia ——————.
   Ud. ——————.

3. Tú no escribes en el libro.
   —————— en el cuaderno.
   —————— en la pizarra.

4. Dolores y yo recibimos flores.
   —————— revistas.
   —————— libros.

5. Uds. reciben periódicos.
   Las muchachas ———.
   Ud. y Luis ———.

PERSON-NUMBER SUBSTITUTION

1. Escribo la lección en la pizzara.
   Ud. ——————.
   Uds. ——————.
   El profesor ——————.
   Tú——————.
   Ana y yo ——————.

2. Uds. viven en América.
   Yo ——————.
   Tú ——————.
   Mi familia ——————.
   Mis amigos y yo ———.
   Ud. ——————

3. Mis amigos reciben cartas de México.
   Tú ——————.
   Dolores ——————.
   Uds. ——————.
   Carlos y yo ——————.
   Ud. y Pepe ——————.

Translation

1. What is your name? ¿________________?
   Where do you live? ¿________________?
   Do you live near your friend? ¿________________?
   Do you write many letters? ¿________________?
   Do you receive many letters? ¿________________?

2. We live on Capitol Street. ________________.
   My school is on Barroco Avenue. ________________.
   I study Spanish in (the) school. ________________.
   We read and write Spanish in (the) class. ________________.
   I receive good grades (*buenas notas*). ________________.

Preguntas

1. ¿En qué calle viven Uds.? 2. ¿Cuál es el número de su casa? 3. ¿Vive Ud. cerca de la escuela? 4. ¿Es grande su clase de español? 5. ¿Reciben Uds. periódicos de México? 6. ¿Leen Uds. mucho en la clase? 7. ¿Escriben Uds. en la pizarra?

Refrán

Dime con quien andas y te diré quien eres. Birds of a feather flock together. (Tell me with whom you go and I'll tell you who you are.)

Lección 13

Las repúblicas de la América latina

Hay veinte[1] repúblicas en la América latina: México, las seis repúblicas de Centro América, las diez repúblicas de Sud América, Cuba, Haití y Santo Domingo. Cada (*Each*) nación es interesante y diferente.

México es un país[2] de muchos contrastes. La ciudad[3] de México es la capital de la república. Es una ciudad muy moderna.

Los países de Centro América son pintorescos (*picturesque*). Hay lagos[4] bonitos y montañas pintorescas en Centro América.

1. **veinte,** twenty 2. **el país,** country 3. **la ciudad,** city 4. **el lago,** lake

El Brasil es una nación grande de Sud América. Río de Janeiro es el puerto[1] principal del país. Es un puerto muy hermoso.[2] El Brasil exporta mucho café a los Estados Unidos.

La Argentina es otra república importante de Sud América. Es el país de las pampas* y del[3] gaucho.* Buenos Aires es la capital y el puerto principal de la república. Buenos Aires es una ciudad grande, hermosa y muy moderna.

Chile es un país largo[4] y estrecho (*narrow*). En la parte central del país hay muchas frutas y muchas flores bonitas. La Argentina, el Brasil y Chile son tres países muy importantes de Sud América.

El Ecuador está situado en el ecuador (*equator*). Bolivia y el Paraguay no tienen costas. Colombia es el país de las esmeraldas (*emeralds*).

Otros países importantes de Sud América son Venezuela, el Perú y el Uruguay. Venezuela exporta mucho petróleo a los Estados Unidos. El Perú tiene muchos monumentos históricos. El Uruguay es un país pequeño pero muy progresivo.

1. **el puerto,** port 2. **hermoso (-a),** beautiful 3. **del,** of the 4. **largo (-a),** long

***pampas,** large treeless plains of Argentina; **gaucho,** an Argentine cowboy

¿Sí o No?

1. Hay diez repúblicas en la América latina. 2. Buenos Aires es la capital del Brasil. 3. Hay lagos bonitos y montañas pintorescas en Centro América. 4. El Perú tiene muchos monumentos históricos. 5. El Uruguay es un país grande. 6. El Brasil exporta mucho café. 7. La Argentina no tiene puerto. 8. Chile es el país de las pampas. 9. Río de Janeiro es una ciudad hermosa. 10. Venezuela exporta petróleo a los Estados Unidos.

LANGUAGE PATTERNS

A

Contraction of *De* + *El* to *Del*

la capital *del* país	the capital *of the* country
el país *del* gaucho	the country *of the* gaucho
la oficina *del* director	the principal'*s* office (the office *of the* principal)

When **de** is followed by **el** the two words are combined into **del.**

but

el puerto principal *de la* república	the principal port *of the* republic
el país *de las* pampas	the country *of the* pampas
la capital *de los* Estados Unidos	the capital *of the* United States

De los, de la, de las are never combined into one word.

Practice

ITEM SUBSTITUTION

1. ¿Dónde está la casa del director?
¿——————— señor?
¿——————— profesor?
¿——————— doctor?

2. Las tiendas de la calle son bonitas.
——————— avenida ———.
——————— ciudad ———.
——————— capital ———.

3. Los ríos de los países son grandes.
———————Estados Unidos —.
———————continentes ——.

4. Es el país de las señoritas.
——————— amigas.
——————— muchachas.

5. ¿Quién es el padre de la nación?
¿——————— muchachas?
¿——————— alumno?
¿——————— familia?
¿——————— señoritas?
¿——————— amigo?

NUMBER SUBSTITUTION

Es un mapa de los continentes.	Es un mapa del continente.
La Argentina es el país de los gauchos.	———————.
¿Quién es la profesora de la alumna?	¿———————?
Recibimos café de los países.	———————.
¿Dónde vive la familia de la muchacha?	¿———————?
Leo la carta de los amigos.	———————.

Preguntas

1. ¿Cómo se llama su país? 2. ¿Es un país grande o pequeño? 3. ¿Es un país de muchos contrastes? 4. ¿Es un país progresivo? 5. ¿Cuál (*What*) es la capital del país? 6. ¿Hay muchas ciudades grandes y modernas en su país? 7. ¿Cuál es el puerto principal del país? 8. ¿Es un puerto hermoso?

9. ¿Hay lagos bonitos y montañas pintorescas en su país? 10. ¿Tiene su país muchos monumentos históricos?

B

Numbers 11 through 20

11 **once**	16 **dieciséis (diez y seis)**
12 **doce**	17 **diecisiete (diez y siete)**
13 **trece**	18 **dieciocho (diez y ocho)**
14 **catorce**	19 **diecinueve (diez y nueve)**
15 **quince**	20 **veinte**

Practice

Cuente de once a quince (Count from 11 to 15).
Cuente de dieciséis a veinte (Count from 16 to 20).

COMPLETION

1. Diez y uno son once.
   Diez y dos ———.
   Diez y tres ———.
   Diez y cuatro ——.
   Diez y cinco ———.

2. Veinte menos uno es diecinueve.
   Veinte menos dos ————.
   Veinte menos tres ————.
   Veinte menos cuatro ————.
   Veinte menos cinco ————.

REPETITION

Hay 12 lápices aquí.
El muchacho tiene 19 centavos.
El país tiene 16 monumentos muy importantes.
El número de mi teléfono es: Nevada 18–03.
Tengo 15 dólares.
Hay 20 repúblicas en la América latina.
Estudiamos la lección 13.
Hay 14 muchachas en la clase de español.

Did you know that

1. Brazil is larger than the United States excluding Alaska.
2. The Amazon River system is the largest in the world.
3. Lake Titicaca on the border of Peru and Bolivia is the highest navigable body of water in the world.
4. La Paz, the capital of Bolivia, is the highest capital city in the world.
5. In the Andes are the highest peaks in the Western Hemisphere.
6. Quito, the capital of Ecuador, is located on the equator but is noted for its cool climate because of its altitude.

7. Chile is sometimes called the "shoestring republic."

8. Colombia has a seacoast on both the Atlantic and Pacific Oceans.

9. Iguazu Falls on the border between Brazil and Argentina are higher than the Niagara Falls.

10. The Pacific entrance of the Panama Canal lies further east than the Atlantic entrance.

United Fruit Co.

A typical Guatemalan farmer

Sawders from Cushing

Araucanian mother and baby

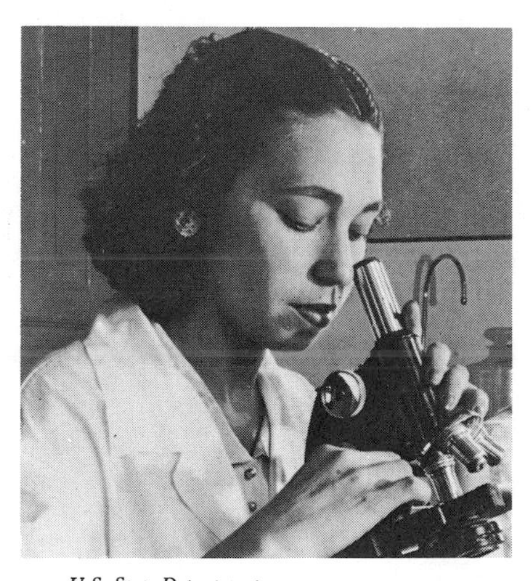

U.S. State Department

Brazilian laboratory technician

Henle from Monkmeyer

Working in the oil fields, Mexico

How many of these Spanish traffic signs can you understand? Check your answers with the meanings given at the bottom of the page.

1. Slow 2. Winding road 3. Narrow bridge 4. Railroad crossing 5. Danger, zone of landslide
6. Stop 7. Keep to the right 8. Approaching a town 9. Watch out for cattle

Lección 14

La Carretera Panamericana

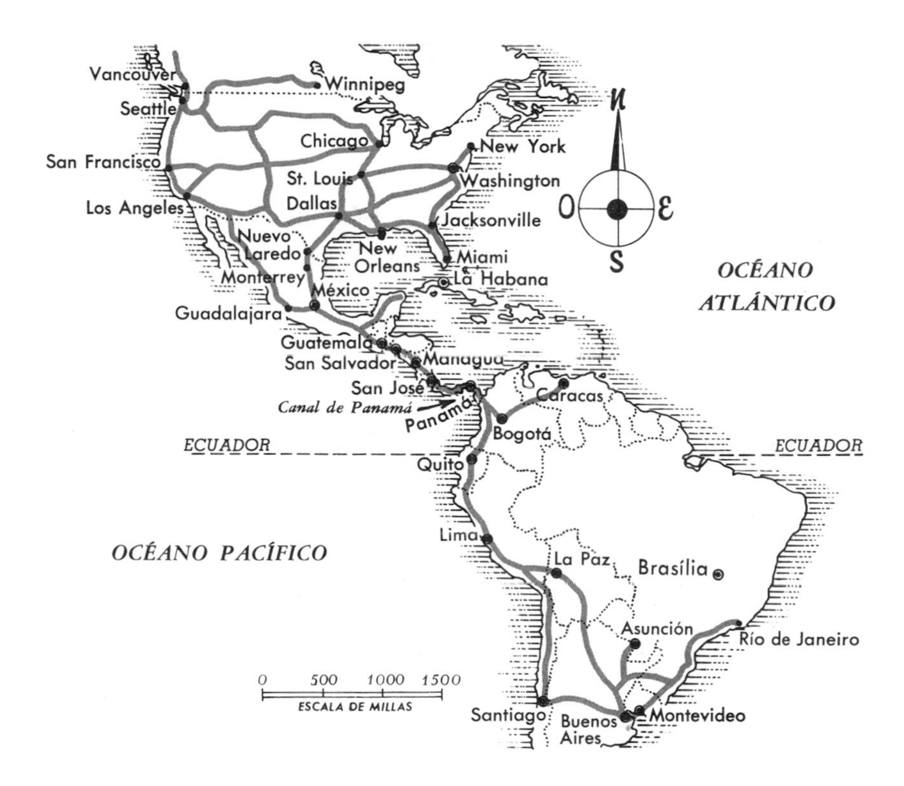

La Carretera[1] Panamericana es muy larga. La Carretera comienza (*begins*) en Alaska, pasa por (*through*) los Estados Unidos, México, Centro América y Sud América y termina (*it ends*) en Buenos Aires, capital de la Argentina.

La Carretera Panamericana es importante para[2] el comercio y para la defensa de las Américas. Une (*It unites*) ciudades grandes con[3] muchos pueblos[4] pequeños. En muchos países es el camino[5] principal de la nación.

1. **la carretera,** highway 2. **para,** for 3. **con,** with 4. **el pueblo,** town 5. **el camino,** road

La Carretera Panamericana no está completa todavía.[1] Algunas partes de la Carretera pasan por selvas (*jungles*) tropicales; otras partes pasan por montañas altas. La construcción de la Carretera cuesta (*costs*) mucho dinero.

Muchos turistas de los Estados Unidos usan[2] la Carretera Panamericana cuando (*when*) van[3] en automóvil a la ciudad de México. Es muy interesante viajar[4] por la Carretera y observar la vida (*life*) y las costumbres (*customs*) de nuestros[5] vecinos.[6]

1. **todavía,** yet 2. **usar,** to use 3. **van,** (they) go. 4. **viajar,** to travel. 5. **nuestro (-a),** our. 6. **el vecino,** neighbor.

¿Sí o No?

1. La Carretera Panamericana es larga. 2. Es el camino principal de los Estados Unidos. 3. Hay muchos pueblos pequeños cerca de la Carretera. 4. La Carretera es importante para la defensa de España. 5. México es nuestro vecino. 6. Es interesante viajar por la Carretera. 7. La Carretera Panamericana no está completa todavía. 8. Muchos turistas van a Centro América por la Carretera.

LANGUAGE PATTERNS

A

Present Tense of *ir* (to go)

***Voy* a la ciudad.** *I go* to the city.

***Vas* a la ciudad.** *You* (fam.) *go* to the city.

Ud. *va* a la ciudad. *You go* to the city.

***Va* a la ciudad.** *He, she goes* to the city.

***Vamos** a la ciudad.** *We go* to the city.

Uds. *van* a la ciudad. *You go* to the city.

***Van* a la ciudad.** *They go* to the city.

***Vamos** may also mean "Let's go."

Practice

ITEM SUBSTITUTION

1. Voy a la ciudad.
   — a la escuela.
   — a casa.

2. Vamos a México.
   —— a Guatemala.
   —— a Colorado.

3. ¿Vas con Antonio?
   ¿— con Diego?
   ¿— con Paco?

4. Uds. no van todavía.
Las muchachas ——.
Roberto y Luis ——.

5. Mi madre va a la tienda.
Carmen ————————.
Ud. ————————.

NUMBER SUBSTITUTION

1. El turista va a México. — Los turistas van a México.
La profesora va a la oficina. — ————————.
Ud. va a la tienda. — ————————.
La carretera va a la capital. — ————————.

2. Voy con Isabel. — Vamos con Isabel.
Voy con Marta. — ————————.
Voy con la señora. — ————————.
Voy con la vecina. — ————————.

3. ¿Por qué no vas a la escuela? — ¿Por qué no van Uds. a la escuela?
¿Por qué no vas a casa? — ¿————————?
¿Por qué no vas a la biblioteca? — ¿————————?
¿Por qué no vas a la ciudad? — ¿————————?

PERSON-NUMBER SUBSTITUTION

1. María va a la biblioteca.
Yo ————————.
Uds. ————————.
Jorge ————————.
Tú ————————.

2. Uds. van con Dolores.
Jorge y yo ————————.
Tú ————————.
Mis amigos ————————.
Isabel ————————.

RESPONSE

1. José, ¿vas a la escuela? — Sí, voy a la escuela.
María, ¿vas a la ciudad? — ————————.
Pancho, ¿vas a casa? — ————————.

2. ¿Van Uds. a la fiesta? — No, no vamos a la fiesta.
¿Van Uds. a las montanas? — ————————.
¿Van Uds. a la tienda? — ————————.

3. Señor López, ¿va Ud. a México? — Sí, voy a México.
¿Va Ud. en automóvil? — ————————.
¿Va Ud. con su familia? — ————————.
¿Va Ud. a la capital? — ————————.

Preguntas

1. ¿Hay una carretera importante en su ciudad? 2. ¿Es larga la carretera? 3. ¿Pasan muchos automóviles por la carretera? 4. ¿Visitan la ciudad muchos turistas? 5. ¿Hay buenos caminos en la ciudad? 6. ¿Va Ud. a la escuela con un amigo? 7. ¿Van Uds. en automóvil? 8. ¿Tiene Ud. buenos vecinos?

B

Gender of Nouns in Spanish (continued from Lesson 4)

La ciudad es grande. **La nación es importante.**
La pared es grande. **La construcción es importante.**

Nouns ending in **-d** and **-ión** are generally feminine.

El programa es interesante. **El mapa es grande.**
El artista es famoso.

A few Spanish nouns ending in **-ma, -pa, -ta** are masculine. However, **El turista, el artista** become **la turista, la artista** when referring to a girl or woman.

Practice

NUMBER SUBSTITUTION

Son naciones grandes.	Es una nación grande.
Son conversaciones largas.	______.
Son ciudades bonitas.	______.
Son artistas famosos de los Estados Unidos.	______.
Son programas interesantes.	______.
Son mapas de México.	______.
Son turistas mexicanos.	______.
Son lecciones fáciles.	______.
Son paredes altas.	______.
Son días hermosos.	______.

Word Study

Some English words ending in *-ist* add an ***-a*** in the Spanish form of the word.

Examples:

art*ist*, **artist*a***   dent*ist*, **dentist*a***

Practice

Give the Spanish for each of the following words:

1. florist	2. pianist	3. motorist
4. violinist	5. list	6. optometrist
7. idealist	8. optimist	9. realist

Many words ending in *-tion* in English end in ***-ción*** in Spanish. (Remember that most words ending in ***-ión*** are feminine.)

Examples:

the na*tion*, **la na*ción*** the imita*tion*, **la imita*ción***

Practice

Give the Spanish for each of the following words:

1. the conversation	2. the invitation	3. the invention
4. the action	5. the construction	6. the description
7. the operation	8. the section	9. the education

Refrán

Si quieres vivir sano,
acuéstate y levántate temprano.

Early to bed and early to rise makes a man healthy, wealthy, and wise.
(If you wish to live healthy, go to sleep and get up early.)

Lección 15

¿Qué lenguas hablan los habitantes de las Américas?

Good morning. Buenos días. Bom dia. Bonjour. Bam ayat.*

Al[1] norte de los Estados Unidos está el Canadá. Los habitantes del Canadá hablan dos lenguas,[2] el inglés y el francés. Al sur de los Estados Unidos están los países de la América latina. Los habitantes de la América latina hablan tres lenguas; el portugués, el francés y el español. El portugués es la lengua oficial del Brasil. El francés es la lengua oficial de Haití. El español es la lengua oficial de diez y ocho países de la América latina.

También hay en la América latina varias[3] lenguas indias. Millones de indios viven en pueblos pequeños lejos de las ciudades grandes. En muchos de estos (*these*) pueblos los indios no hablan la lengua oficial del país. Hablan un idioma indio.

Todos los años[4] muchos turistas norteamericanos viajan por (*through*) la América latina, y muchos latinoamericanos viajan por los Estados Unidos. Algunos latinoamericanos trabajan[5] en los Estados Unidos. Otros estudian en las universidades. Muchos estudian el inglés porque desean hablar con sus (*their*) vecinos norteamericanos.

¿Es necesario hablar español para (*in order to*) viajar por la América latina? Sí, es muy necesario. En las ciudades grandes algunas personas hablan inglés, pero en los pueblos pequeños muy pocas[6] personas hablan inglés. Los pueblos pequeños son muy interesantes.

1. **al,** to the 2. **la lengua,** language 3. **varios (-as),** several 4. **todos los años,** every year 5. **trabajar,** to work 6. **pocos (-as),** few

***Tzeltal,** a language spoken by the Tzeltal Indians of Chiapas, Mexico.

¿Sí o No?

1. La lengua oficial del Brasil es el español. 2. Los habitantes del Canadá hablan dos lenguas, el inglés y el francés. 3. El español es la lengua oficial de diez y ocho países de la América latina. 4. La lengua oficial de Haití es el portugués. 5. Muchos indios de la América latina no hablan la lengua oficial del país. 6. Muchos latinoamericanos estudian y trabajan en los Estados Unidos. 7. Muchas personas hablan inglés en los pueblos pequeños de la América latina. 8. Los pueblos pequeños son interesantes.

Preguntas

1. ¿Cuál (*What*) es la lengua oficial de los Estados Unidos? 2. ¿Hay muchos turistas en nuestro país? 3. ¿Es necesario hablar español en los Estados Unidos? 4. ¿Desea Ud. viajar por la América latina? 5. ¿Trabaja Ud. mucho en la escuela? 6. ¿Dónde trabaja su padre? ¿en una tienda? ¿en una oficina? ¿en una fábrica (*factory*)? 7. ¿Tiene Ud. muchos vecinos? ¿Son simpáticos?

LANGUAGE PATTERNS

A

Contraction of *A* + *El* to *Al*

Está *al* norte.	It is *to the* north.
Van *al* mercado.	They go *to the* market.

When **a** is followed by **el** the two words are combined into **al.**

Van *a la* ciudad.	They go *to the* city.
Van *a los* Estados Unidos.	They go *to the* United States.
Van *a las* universidades.	They go *to the* universities.

A la, a los, a las are never combined into one word.

Practice

ITEM SUBSTITUTION

1. Varios turistas van al pueblo.
   ________________ mercado.
   ________________ parque.
   ________________ jardín.

2. Pocos indios van a la escuela.
   ________________ ciudad.
   ________________ universidad.
   ________________ biblioteca.

3. El doctor habla a los muchachos.
   ________________ profesores.
   ________________ padres.
   ________________ señores.

4. Ud. explica todo a las muchachas.
   ________________ señoritas.
   ________________ alumnas.
   ________________ madres.

5. Escribimos cartas al presidente.
   ________________ amigos.
   ________________ familia.
   ________________ señor.
   ________________ vecinos.
   ________________ profesor.
   ________________ muchachas.

6. Quiero ir a los pueblos pequeños.
   ____________ país.
   ____________ ciudad.
   ____________ mercado.
   ____________ tiendas.
   ____________ universidad.
   ____________ parque.

B

The Definite Article with Names of Languages

Estudio *el español.*	I study *Spanish.*
***El inglés* es difícil.**	*English* is difficult.
but	
Hablo español.	*I speak Spanish.*
Contesto *en inglés.*	I answer *in English*
Es el profesor *de español.*	He is the *Spanish* teacher.

In Spanish the definite article **el** is used before the name of a language. It is omitted when the name of the language comes immediately after **hablar, de,** or **en.**
The name of a language is not capitalized in Spanish.

Practice

ITEM SUBSTITUTION

1. Los alumnos aprenden el francés.
   ________________ español.
   ________________ portugués.

2. Ese señor habla español.
   ____________ francés.
   ____________ portugués.

3. El portugués es una lengua difícil.
   El francés ________________.
   El inglés ________________.

4. ¿Quién es la profesora de inglés?
   ¿________________ francés?
   ¿________________ español?

TRANSLATION

1. I am learning Spanish. ________________.
2. My teacher speaks Spanish. ________________.

3. He explains the lessons in Spanish. ______________________.
4. Spanish is not a difficult language. ______________________.
5. I don't have my Spanish book (book of Spanish) today. ______________________.
6. I always answer in Spanish. ______________________.
7. My friend is studying French. ______________________.
8. His mother does not speak English. ______________________.

Word Study

Spanish, French, Portuguese and Italian are derived from Latin, the language spoken by the Romans, and are therefore called romance languages. Many of the words in these languages are similar. Here are a few examples:

Latin	Spanish	Portuguese	French	Italian
amicus (*friend*)	amigo	amigo	ami	amico
bona (*good*)	bueno	bom	bon	buono
terra (*land*)	tierra	terra	terre	terra
vita (*life*)	vida	vida	vie	vita
liber (*book*)	libro	livro	livre	libro
mare (*sea*)	mar	mar	mer	mare
donare (*to give*)	dar	dar	donner	dare

Can you find an English word which is related to each of the above?

Examples:

Latin Word	Related English Word
amicus (*friend*)	amicable (friendly)
bona (*good*)	bonus

Mann from Monkmeyer

La Paz, the world's highest capital

Sawders from Cushing

The Pericholi Palace, Lima

San Francisco Monastery, Quito

PAWA

Congress Building, Buenos Aires

Lección 16

La influencia española en los Estados Unidos

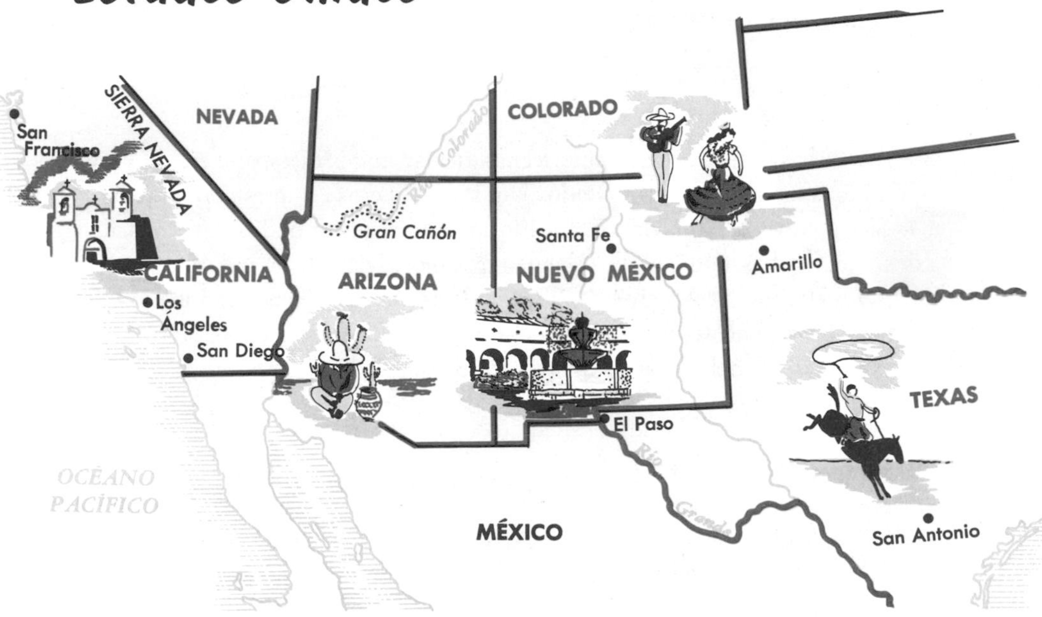

La influencia de la cultura española existe todavía en muchas partes de nuestro país. Vemos[1] esta (*this*) influencia en los nombres[2] de muchas ciudades como[3] El Paso, San Francisco, Los Angeles, Santa Fe, y también en los nombres de algunos estados,[4] ríos y montañas como Colorado, Río Grande y Sierra Nevada.

Vemos la influencia de la vida[5] y las costumbres[6] españolas en muchas palabras que usamos, como patio, siesta, plaza y fiesta. Estas (*These*) palabras y muchas otras ahora[7] forman parte de la lengua inglesa. Cuando hablamos de la vida del rancho usamos palabras españolas, como rodeo, hacienda y pinto.

1. **vemos,** we see 2. **el nombre,** name 3. **como,** as, like 4. **el estado,** state 5. **la vida,** life 6. **la costumbre,** custom 7. **ahora,** now

Hay ciudades y pueblos en los Estados Unidos que tienen el aspecto (*appearance*) de ciudades españolas. Tienen plaza con una iglesia,[1] calles con nombres españoles y casas de arquitectura española con patios, balcones y rejas (*iron gratings*) en las ventanas.

Muchos habitantes de origen mexicano viven en el sudoeste (*southwest*) de los Estados Unidos. Hay también en esta parte del país descendientes de antiguas (*old*) familias españolas. Todos estos (*these*) americanos hablan español, leen periódicos españoles y celebran fiestas españolas.

1. **la iglesia,** church

¿Sí o No?

1. Muchas ciudades norteamericanas tienen nombres españoles. 2. Hay periódicos españoles en los Estados Unidos. 3. Texas es un estado pequeño. 4. Sierra Nevada es un río. 5. La Florida está al norte de los Estados Unidos. 6. Muchas familias de origen mexicano viven en el sudoeste de los Estados Unidos. 7. Muchas palabras inglesas son de origen español. 8. Vemos plazas españolas en los Estados Unidos. 9. Siempre hay una iglesia en la plaza. 10. En el sudoeste todavía viven descendientes de antiguas (*old*) familias españolas.

Preguntas

1. ¿En qué estado vive Ud.? 2. ¿Tiene su ciudad nombre español? 3. ¿Cuántas iglesias hay en la ciudad? 4. ¿Hay mucha influencia española en la ciudad? 5. ¿Tiene Ud. amigos de origen mexicano? 6. ¿Celebran Uds. fiestas españolas? 7. ¿Cuándo habla Ud. español? 8. ¿Hay muchas palabras españolas en la lengua inglesa?

LANGUAGE PATTERNS

A

Adjectives of Nationality

el nombre *español*	the *Spanish* name
los nombres *españoles*	the *Spanish* names
la palabra *española*	the *Spanish* word
las palabras *españolas*	the *Spanish* words

el muchacho *inglés*	the *English* boy
los muchachos *ingleses*	the *English* boys
la muchacha *inglesa*	the *English* girl
las muchachas *inglesas*	the *English* girls

Adjectives of nationality have four forms:

español	**española**	**españoles**	**españolas**
inglés	**inglesa**	**ingleses**	**inglesas**
francés	**francesa**	**franceses**	**francesas**
portugués	**portuguesa**	**portugueses**	**portuguesas**

Note that **inglés, francés** and **portugués** drop their accent marks in the feminine and plural forms.
Adjectives of nationality are not capitalized in Spanish.

Practice

NUMBER SUBSTITUTION

1. Es un muchacho mexicano. — Son muchachos mexicanos.
   Es un señor inglés. — ________.
   Es un libro español. — ________.
   Es un periódico francés. — ________.
   Es un nombre portugués. — ________.

2. Es una palabra portuguesa. — Son palabras portuguesas.
   Es una casa española. — ________.
   Es una iglesia mexicana. — ________.
   Es una revista francesa. — ________.

ITEM SUBSTITUTION

1. Ana y yo leemos un libro francés.
   ________ una carta ——.
   ________ periódicos ——.
   ________ revistas ——.

2. Vemos la influencia española.
   ——— nombres ———.
   ——— casas———.
   ——— pueblos ———.

3. El artista es italiano.
   Mi vecino ———.
   La familia ———.
   Las canciones ——.

REGIA

REPLACEMENT

Los muchachos son ingleses.
——señoras ——————.
—————— españolas.
——nombres ——————.
——casa ——————.
—————— mexicana.

El habitante es mexicano.
—————— francés.
——familia ——————.
—————— italiana.
——vecinos ——————.
—————— ingleses.

B

Interrogative Words

¿*Cómo* está Ud.?	*How* are you?
¿*Qué* estudia Ud.?	*What* are you studying?
¿*Qué* libro lee Ud.?	*What* book are you reading?
¿*Por qué* estudia Ud. español?	*Why* are you studying Spanish?
¿*Cuándo* va Ud. a México?	*When* are you going to Mexico?
¿*Quién* es su amigo?	*Who* is your friend?
¿*Quiénes* son los muchachos?	*Who* are the boys?
¿*Dónde* trabaja Ud.?	*Where* are you working?
¿*Adónde va Ud.?**	*Where* are you going?
¿*Cuánto* dinero tiene Ud.?	*How much* money do you have?
¿*Cuántas* muchachas hay en la clase?	*How many* girls are there in the class?

Practice

DIRECTED QUESTION DRILL (FORM A QUESTION ACCORDING TO THE INSTRUCTIONS.)

Pregúntele** al profesor (a la profesora) qué desea.	¿Qué desea Ud., señor?
Pregúntele al profesor cuándo va a México.	¿Cuándo va Ud. a México, señor?
Pregúntele al profesor dónde vive.	¿——————?
Pregúntele al profesor cómo está su familia.	¿——————?
Pregúntele al profesor cuántas personas hay en su familia.	¿——————?
Pregúntele al profesor quiénes son sus vecinos.	¿——————?

*¿**Adónde?**, where (when it implies "where to").
****Pregúntele al profesor,** Ask the teacher.

Pregúntele al profesor adónde va. ¿——————————?
Pregúntele al profesor cuánto dinero tiene. ¿——————————?

TRANSLATION

1. Who is your friend, Richard? ¿Quién es tu amigo, Ricardo?
   How's your friend, Richard? ¿——————————?
   Where is your friend, Richard? ¿——————————?
   What's your friend's name, Richard? ¿——————————?

2. What books are there? ¿——————————?
   Where are the books? ¿——————————?
   Who has the books? ¿——————————?

3. Who is going? ¿——————————?
   Where are they going? ¿——————————?
   Why are they going? ¿——————————?

Word Study

Country	Inhabitants	Language
España	**los españoles**	**el español**
Francia	**los franceses**	**el francés**
Inglaterra	**los ingleses**	**el inglés**
Portugal	**los portugueses**	**el portugués**
Italia	**los italianos**	**el italiano**
Alemania (Germany)	**los alemanes**	**el alemán**
el Japón	**los japoneses**	**el japonés**
Rusia	**los rusos**	**el ruso**
China	**los chinos**	**el chino**

Practice

COMPLETION

Los españoles viven en ——————.
La lengua nacional de Inglaterra es ————.
Los ———— son habitantes de Francia.
En ———— los habitantes hablan italiano.
Los ———— viven en Alemania.
Los japoneses son habitantes de ————.

TEST YOUR PROGRESS II
(LECCIONES 9–16)

¿Sí o No?

1. Un muchacho aplicado estudia todos los días. 2. Hay revistas españolas en la tienda de la escuela. 3. Las paredes de la sala de clase son azules. 4. Los borradores están cerca de la puerta. 5. Los alumnos escriben en los cuadernos con tiza. 6. Hay cuadros bonitos en la sala de clase. 7. Todos los alumnos siempre contestan en español. 8. Su vecino vive lejos de Ud. 9. La carretera es un camino importante. 10. Hay pocos turistas en los Estados Unidos.

VOCABULARY (REPEAT THE FOLLOWING SENTENCES, REPLACING THE WORD INDICATED WITH ITS OPPOSITE. MAKE ALL NECESSARY CHANGES.)

1. La lección es **difícil.** 2. Las banderas son **grandes.** 3. Hay **pocos** libros en la biblioteca. 4. El mapa está **enfrente de** los alumnos. 5. El profesor vive **cerca de** la escuela. 6. Algunos **muchachos** son populares. 7. Dos **señores** españoles trabajan aquí. 8. Nuestros **vecinos** son simpáticos.

COMPLETION

La carretera es larga, pero los caminos no son (largos).
El periódico es francés pero la revista no es ______.
Tengo un lápiz azul, pero no tengo plumas ______.
Los asientos son buenos, pero la silla no es ______.
La lección es fácil, pero las palabras no son ______.
Las paredes de la casa son blancas, pero la puerta no es ______.
La ciudad es moderna, pero los pueblos no son ______.
El país es interesante, pero las costumbres no son ______.
La avenida principal es hermosa, pero las tiendas no son ______.
Nuestra familia es inglesa, pero nuestros amigos no son ______.

NUMBER SUBSTITUTION (CHANGE SENTENCES TO PLURAL.)

¿Dónde trabaja Ud. hoy? ¿Dónde trabajan Uds. hoy?
Mi amigo lee revistas interesantes de México. ______.
Deseo papel azul. ______.
Escribo las palabras en la pizarra. ______.
El alumno siempre contesta bien en la clase. ______.
Tú recibes cartas de México y de Sud América. ______.
No hablo portugués. ______.
Ud. no comprende la lección. ______.

Number substitution (Change sentences to singular.)

Los turistas visitan la ciudad de México.	El turista visita la ciudad de México.
Aprendemos mucho en esta clase.	______________.
Las muchachas viven cerca del parque.	______________.
Visitamos los lagos.	______________.
Los indios celebran muchas fiestas.	______________.
Leemos el tablero.	______________.
Uds. reciben dinero de su padre.	______________.
Usamos muchas palabras españolas.	______________.

Matching (Match each item in column A with an appropriate rejoinder in column B.)

Column A.	Column B.
1. Aquí tiene Ud. el dinero.	a. ¿Verde o rojo?
2. ¿Algo más?	b. Quince centavos.
3. Ud. habla bien el español, ¿verdad?	c. Todos los años.
4. ¿Cuánto es, señor?	d. Muchas gracias.
5. Déme un cuaderno, por favor.	e. Creo que sí.
6. ¿Por qué estudias el español?	f. No, ahora.
7. ¿Cuándo va su familia a México?	g. No, gracias. Es todo.
8. ¿Quiere Ud. estudiar mañana?	h. Quiero aprender la lengua.

Preguntas

1. ¿Cuántas muchachas hay en la clase de español? 2. ¿Cantan Uds. canciones españolas en la clase? 3. ¿Comprende Ud. las palabras de las canciones? 4. ¿Reciben Uds. cartas de México? 5. ¿Lee Ud. el tablero todos los días? 6. ¿Usan Uds. el armario de la sala de clase? 7. ¿Van los alumnos a la biblioteca? 8. ¿Vive Ud. en una ciudad grande? 9. ¿Es su ciudad la capital del estado? 10. ¿Hay mucha influencia española en el estado? 11. ¿Es necesario hablar español para viajar por México? 12. ¿Qué lengua hablan los habitantes del Brasil?

Directed Question—Ask your teacher:

1. if he goes to Mexico every year
   if he visits the small towns
   if he has many Mexican friends
   if he speaks Spanish with his friends
   if he reads Mexican newspapers
   if he celebrates the Mexican fiestas
   if he receives many letters from Mexico
   if he always answers the letters

Ask some students:

2. if they live far from school
   if they go to school by automobile
   who is their Spanish teacher
   why they're studying Spanish
   if they're learning a lot
   if Spanish is easy
   if they use a book every day
   if the teacher explains the lesson
   if they understand the language
   if there are Spanish magazines in the library

Lección 17

Mi familia

Hay cinco personas en mi familia

ALFREDO—BERNARDO

A—**¿Cuántas personas hay en su familia?**	How many persons are there in your family?
B.—**Hay cinco personas en mi familia: mi madre, mi *padre*, mi *hermano* Pepe, mi *hermana* Julia, y yo.**	There are five persons in my family: my mother, my father, my brother Joe, my sister Julia, and I.
A.—**¿*Cuántos años tiene* su hermana?**	How old is your sister?
B.—**Mi hermana tiene quince años.**	My sister is fifteen years old.
A.—**¿Es bonita su hermana?**	Is your sister pretty?
B.—**Sí, es muy bonita.**	Yes, she is very pretty.
A.—**¿Cuántos años tiene su hermano Pepe?**	How old is your brother Joe?
B.—**Pepe es mi hermano *menor*. Tiene doce años.**	Joe is my younger brother. He is twelve years old.
A.—**¿Cuántos años tiene Ud.?**	How old are you?
B.—**Tengo catorce años.**	I am fourteen.
A.—**¿Tienen Uds. *abuelos*?**	Do you have grandparents?
B.—**Sí, tenemos dos *abuelas* y un *abuelo*.**	Yes, we have two grandmothers and one grandfather.

A.—**¿Con quién viven sus abuelos?**	With whom do your grandparents live?
B.—***Nuestros* abuelos viven con nuestra *tía* Margarita.**	Our grandparents live with our Aunt Margaret.
A.—**¿Tienen Uds. muchos *tíos*?**	Do you have many aunts and uncles?
B.—**Tenemos tres tías y dos *tíos*.**	We have three aunts and two uncles.
A.—**¿Dónde viven sus tíos?**	Where do your aunts and uncles live?
B.—**Nuestros tíos viven en San Francisco.**	Our aunts and uncles live in San Francisco.

JUAN—MARTA

J.—**Marta, ¿tienes tú muchos *primos*?**	Martha, do you have many cousins?
M.—**No, sólo tengo cuatro primos.**	No, I only have four cousins.
J.—**¿Quién es tu primo preferido?**	Who is your favorite cousin?
M.—**Mi primo Miguel. Es mi primo *mayor*. Tiene veinte años; es muy simpático.**	My cousin Michael. He is my oldest cousin. He's twenty years old; he's very nice.

Preguntas

1. ¿Tiene Ud. una familia grande? 2. ¿Cuántas personas hay en su familia? 3. ¿Tiene Ud. un hermano mayor? ¿Una hermana menor? 4. ¿Cómo se llama su hermano? ¿Su hermana? 5. ¿Tiene Ud. abuelos? 6. ¿Dónde viven sus abuelos? 7. ¿Tiene Ud. tíos? 8. ¿Quién es su tío preferido? 9. ¿Tienen Uds. muchos primos? 10. ¿Viven lejos de su casa? 11. ¿Quién es el menor de su familia? 12. ¿Cuántos años tiene Ud.?

LANGUAGE PATTERNS

A

Possessive Adjectives

Singular		Plural
mi amigo (-a)	my friend	**mis amigos (-as)**
tu amigo (-a)	your (fam.) friend	**tus amigos (-as)**
su amigo (-a)	your / his / her / their friend	**sus amigos (-as)**
nuestro amigo (nuestra amiga)	our friend	**nuestros amigos (nuestras amigas)**

Possessive adjectives agree with the noun that follows; **mi amigo, mis amigos.**

Su or **sus** may mean "your," "his," "her," or "their." Generally the meaning of **su** or **sus** is indicated by the rest of the sentence. **Los muchachos viven con sus abuelos.** The boys live with their grandparents. **¿Vive Ud. con sus abuelos?** Do you live with your grandparents?

Nuestro, "our," agrees in gender and number with the noun that follows.

Practice

NUMBER-SUBSTITUTION

Luis no tiene su libro hoy.	Luis no tiene sus libros hoy.
Isabel siempre lee mi periódico.	______________.
Uds. no aprenden su lección.	______________.
Dame tu papel, Roberto.	______________.
El señor es un amigo de nuestro tío.	______________.
Los muchachos van al rancho de su abuelo.	______________.

TRANSFORMATION

Tengo la pluma de Elena.	Tengo su pluma.
Arturo quiere el asiento de Carlos.	__________.
¿Dónde viven los abuelos de Ud.?	¿__________?
¿Visita Ud. la escuela de sus amigos?	¿__________?
Mi tía es la hermana de mi madre.	__________.
Vamos a la casa de mis primos.	__________.

B

Present Tense of *tener* (to have)

Tengo **dos primos.** *I have* two cousins.

Tienes **dos primos.** *You (fam.) have* two cousins.

Ud. ***tiene*** **dos primos.** *You have* two cousins.

Tiene **dos primos.** *He, she has* two cousins.

Tenemos **dos primos.** *We have* two cousins.

Uds. ***tienen*** **dos primos.** *You (pl.) have* two cousins.

Tienen **dos primos.** *They have* two cousins.

Practice

NUMBER SUBSTITUTION

No tengo mucho dinero.	No tenemos mucho dinero.
Ud. tiene tíos simpáticos.	______.
El muchacho tiene quince años.	______.
Tengo vecinos mexicanos.	______.
Tienes muchos amigos.	______.
Mi tío tiene una casa bonita.	______.

RESPONSE

1. ¿Tienen Uds. un radio?	Sí, tenemos un radio.
¿Tienen Uds. dos automóviles?	______.
¿Tienen Uds. un perro?	______.
¿Tienen Uds. teléfono?	______.
2. ¿Tienes mi lápiz, Juan?	No, no tengo tu lápiz.
¿Tienes diez centavos, Enrique?	______.
¿Tiene Ud. hermanas?	______.
¿Tiene Ud. un hermano mayor?	______.

CUED RESPONSE

¿Cuántos años tiene su amigo? (catorce)	Tiene catorce años.
¿Cuántos años tiene Ud.? (trece)	______.
¿Cuántos primos tienen Uds.? (muchos)	______.
¿Cuántos hermanos tiene su amiga? (tres)	______.
¿Cuántos abuelos tienes? (dos)	______.

Refranes

En boca cerrada no entran moscas. A wise head keeps a closed mouth. (In a closed mouth, no flies enter.)

El ejercicio hace maestro. Practice makes perfect. (Exercise makes the master.)

Atkins

Thatch-roofed huts in Guatemala

United Fruit Co.

Adobe houses in a Guatemalan village

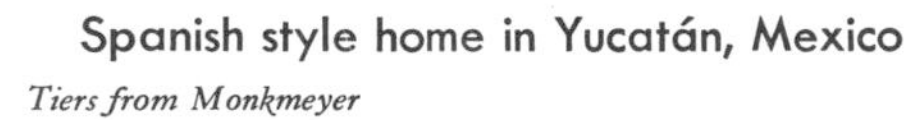

Spanish style home in Yucatán, Mexico

Tiers from Monkmeyer

Modern apartments in Rio de Janeiro

Barnell from Shostal

Lección 18

*Una familia hispanoamericana**

La familia Sánchez vive en un pueblo hispanoamericano. El señor Sánchez tiene una tienda y trabaja mucho. Su hijo[1] Pedro tiene trece años. Pedro va a la escuela y ayuda[2] a su padre por la tarde.[3] Pedro trabaja mucho también.

La señora Sánchez trabaja en casa. Prepara las comidas[4] y cuida de (*takes care of*) los niños.[5] La hija Carmen siempre ayuda a su madre.

Con la familia Sánchez viven dos primos, una tía y los abuelos. En muchas familias hispanoamericanas viven en la misma[6] casa los abuelos, los tíos y los primos.

La familia Sánchez tiene dos criadas.[7] Las criadas limpian (*clean*) la casa y ayudan a la señora Sánchez. Muchas familias hispanoamericanas tienen una o dos criadas.

Los hijos respetan mucho a sus padres.[8] Pasan (*They spend*) mucho tiempo[9] en casa con la familia. No salen (*They do not go out*) por la noche sin[10] permiso. Cuando un amigo visita a Carmen, siempre está presente la madre, la abuela, la tía o la criada. Cuando el amigo desea llevar[11] a Carmen al cine[12] o a un baile (*dance*) siempre van acompañados de (*by*) una persona de la familia. Cuando las señoritas de buena familia salen, no salen solas (*alone*).

El domingo[13] es un día alegre (*happy*) para la familia Sánchez. Por la mañana van a la iglesia; por la tarde visitan a sus amigos o van de paseo (*for a walk*) por la plaza, y por la noche van al cine. Nadie trabaja los domingos.

1. **el hijo,** son; **la hija,** daughter; **los hijos,** children (sons and daughters) 2. **ayudar,** to help 3. **por la tarde,** in the afternoon 4. **la comida,** meal 5. **el niño,** child 6. **mismo (-a),** same 7. **la criada,** maid 8. **los padres,** parents. 9. **el tiempo,** time. 10. **sin,** without 11. **llevar,** to take 12. **el cine,** movies 13. **el domingo,** Sunday

***hispanoamericana,** Spanish American (refers to the countries of Latin America where Spanish is the official language.)

Mexican Govt. R.R.

An old Mexican colonial kitchen showing many uses of folk crafts

A group of friends on the terrace of a private home in Lima, Peru

Hilty from Monkmeyer

¿Sí o No?

1. Pedro tiene tres años. 2. Pedro es el hijo del señor Sánchez. 3. Los hijos no salen por la mañana sin permiso. 4. El señor Sánchez trabaja en una oficina. 5. La señora Sánchez prepara las comidas. 6. Los abuelos ayudan a la señora Sánchez. 7. Los hijos pasan mucho tiempo en la plaza con la familia. 8. El domingo por la mañana van a la escuela. 9. Cuando un amigo desea llevar a Carmen al cine siempre está presente una persona de la familia. 10. En muchas familias hispanoamericanas viven en la misma calle los abuelos, los tíos y los primos.

Preguntas

1. ¿Dónde vive la familia Sánchez? 2. ¿Quién trabaja en una tienda? 3. ¿Cómo se llama el hijo del señor Sánchez? 4. ¿Cuándo ayuda Pedro a su padre? 5. ¿Quién vive con la familia Sánchez? 6. ¿Cuántas criadas tiene la familia Sánchez? 7. ¿Salen (*Go out*) los hijos por la noche sin permiso? 8. ¿Quién está presente cuando un amigo visita a Carmen? 9. ¿Salen solas (*Go out alone*) las señoritas de buena familia? 10. ¿Cómo pasa el domingo la familia Sánchez?

LANGUAGE PATTERNS

A

Personal *A*

El amigo visita *a* Carmen.	The friend visits Carmen.
Pedro ayuda *a* sus padres.	Peter helps his parents.
Los niños respetan *al* abuelo.	The children respect the grandfather.
Carmen visita *a la* familia.	Carmen visits the family.
but	
Pedro visita la escuela.	Peter visits the school.
La familia tiene una criada.	The family has a maid.

In each of the sentences above, the verb is followed by a direct object. In Spanish a personal **a** must be used before the direct object of the verb when the direct object is a definite person (singular or plural) or a definite group of persons. This personal **a** is not translated in English.

Note that after the verb **tener** the personal **a** is not used.

The personal **a** is used frequently when the direct object of the verb is a geographical proper noun: **La familia visita *a* México.** The family visits Mexico; but, **La familia visita la ciudad.** The family visits the city.

Practice

ITEM SUBSTITUTION

1. ¿Ayuda Ud. a sus amigos?
   ¿————— los muchachos?
   ¿————— su vecino?
   ¿————— la señora?
   ¿————— María?

2. El turista visita las escuelas.
   ————— el pueblo.
   ————— la ciudad.
   ————— los mercados.
   ————— la iglesia.

3. Visitamos a los abuelos.
   ————— vecinos.
   ————— pueblos.
   ————— rancho.
   ————— señor.

4. Vemos al profesor.
   ————— escuela.
   ————— puerta.
   ————— Gloria.
   ————— muchacho.

B

Meanings of Some Nouns in the Plural

los padres, parents
los abuelos, grandparents
los niños, children
los hijos, children (sons and daughters)
los hermanos, sister(s) and brother(s)
los tíos, aunt(s) and uncle(s)
los señores, Mr. and Mrs.

The masculine plural form of the noun is used when masculine and feminine persons are included in the group.

Practice

TRANSFORMATION

El padre y la madre son buenos.	Sí, los padres son buenos.
El niño y la niña tienen tres años.	—————.
El hijo y la hija respetan a los padres.	—————.
El hermano y la hermana van al cine.	—————.
Visitan al abuelo y a la abuela.	—————.
El tío y la tía viven en la Florida.	—————.
El señor García y la señora García son simpáticos.	—————.

C

The Definite Article before Titles

***El señor* Sánchez trabaja en una tienda.** *Mr.* Sanchez works in a store.

La señora **Sánchez trabaja en casa.**	*Mrs.* Sanchez works at home.
La señorita **Sánchez es muy bonita.**	*Miss* Sanchez is very pretty.
El doctor **González está en el hospital.**	*Dr.* Gonzalez is in the hospital.

but

¿Cómo está Ud., ***señor*** **Sánchez?**	How are you, *Mr.* Sanchez?
Buenos días, ***señora*** **Sánchez.**	Good morning, *Mrs.* Sanchez.
Adiós, ***señorita*** **Sánchez.**	Good-by, Miss Sanchez.
Buenas tardes, ***doctor*** **González.**	Good afternoon, *Dr.* Gonzalez.

The definite article is used before titles, except when addressing a person.

Practice

ITEM SUBSTITUTION

1. El señor Sánchez trabaja mucho.
   — profesora Bustos ————.
   — doctor Pereda ————.
   — señorita Torres ————.
   — señora García ————.

2. Miguel ayuda al señor Sánchez.
   ———— profesora Bustos.
   ———— doctor Pereda.
   ———— señorita Torres.
   ———— señora García.

TRANSLATION

1. Mr. Pérez is in the store. ————.
2. Good morning, Mr. Pérez. ————.
3. Doctor Sandoval is in the office. ————.
4. Good afternoon, Dr. Sandoval. ————.
5. Professor Ríos is in class. ————.
6. How are you, professor Ríos? ————.

Preguntas

1. ¿Cuántos hijos tienen sus padres? 2. ¿Quién es el hijo mayor? 3. ¿Ayuda Ud. a sus profesores? 4. ¿Lleva Ud. muchos libros a la escuela? 5. ¿Prepara Ud. sus lecciones por la tarde o por la noche? 6. ¿Tienen Uds. una criada? 7. ¿Quién prepara las comidas en su casa? 8. ¿Va Ud. al cine sin permiso? 9. ¿Adónde va su familia los domingos?

Original Composition

Write a short composition describing a family you know.

Versos (Verses)

Yo adoro a mi madre querida;	I adore my dear mother;
Yo adoro a mi padre también.	I adore my father too.
Ninguno me quiere en la vida	No one loves me in this world
como ellos me saben querer.	as they do.

(*Amado Nervo*)

Lección 19

¡Buena suerte en el examen!

MIGUEL—ROSA

M.—¡*Hola*, Rosa! ¿Qué *haces esta noche*?	Hello, Rose. What are you doing tonight?
R.—*Tengo que* estudiar para un examen de español.	I have to study for a Spanish examination.
M.—¿Con quién estudias?	With whom do you study?
R.—Estudio con Alicia; *ella* es muy inteligente.	I am studying with Alice; she is very intelligent.
M.—*Yo* siempre estudio con Tomás; *él* es muy inteligente también y siempre recibe buenas *notas*.	I always study with Thomas; he is very intelligent also and he always receives good grades.
R.—¿No recibes tú buenas notas?	Don't you receive good grades?
M.—Algunas veces.	Sometimes.
R.—¿No tienen Uds. exámenes mañana?	Don't you have examinations tomorrow?
M.—No, *nosotros* no tenemos exámenes, pero tenemos que escribir una composición.	No, we don't have examinations, but we have to write a composition.
R.—Yo también tengo que escribir una composición para la clase de inglés.	I also have to write a composition for the English class.
M.—¿Qué vas a hacer mañana?	What are you going to do tomorrow?
R.—Mañana tengo que *ir de compras*.	Tomorrow I have to go shopping.
M.—*Pues, buena suerte* en el examen.	Well, good luck on the examination.
R.—Gracias, Miguel. Voy a estudiar mucho esta noche. Adiós Miguel, hasta la vista.	Thanks, Michael. I am going to study hard tonight. Good-by, Michael, I'll be seeing you.
M.—Bien, Rosa, hasta luego.	Well, Rose, see you later.

Sawders from Cushing

The Monument of Independence on the Paseo de la Reforma—Mexico City

Sawders from Cushing

Chapultepec Park and Castle in Mexico City

¿Sí o No?

1. Rosa tiene que estudiar para un examen de inglés. 2. Miguel y su amigo tienen que escribir una composición. 3. Miguel estudia con Alicia porque ella es muy inteligente. 4. Miguel siempre recibe buenas notas. 5. Rosa tiene que ir de compras. 6. El alumno inteligente recibe buenas notas. 7. Miguel tiene exámenes mañana.

LANGUAGE PATTERNS

A

Subject Pronouns

yo, I	**nosotros (nosotras),** we
tú, you (fam.)	**vosotros (vosotras),** you (fam.)
usted, you	**ustedes,** you
él, he	**ellos,** they (m.)
ella, she	**ellas,** they (f.)

Tú, the familiar form of "you" (sing.), is used among relatives, intimate friends, and in general when speaking to a person whom one would address by his first name. The plural of the familiar **tú** is **vosotros**. However, the **vosotros** form is not often heard in Spanish America. **Ustedes** is the form commonly used for the plural of "you".

"We" and "they" have both masculine and feminine forms in Spanish: **nosotros, nosotras; ellos, ellas.** When "we" or "they" refer to a mixed group, the masculine form of these pronouns is used.

Alicia y *yo* recibimos buenas notas.	Alice and *I* receive good grades.
***Ella* y su amiga estudian el español.**	*She* and her friend are studying Spanish.

Subject pronouns are used when they are part of a compound subject.

***Ella* estudia el francés y *él* estudia el español.**	*She* studies French and *he* studies Spanish.
Carmen y Diego son hermanos; *él* es muy inteligente.	Carmen and Diego are sister and brother; *he* is very intelligent.

Subject pronouns are used for clarity and emphasis.

Practice

NUMBER SUBSTITUTION

Yo no tengo papel.	Nosotros no tenemos papel.
Ellos viven aquí.	El vive aquí.
Tú aprendes mucho.	______________.
Ellas estudian en casa.	______________.
Ud. siempre prepara las lecciones.	______________.
Nosotros escribimos muchas cartas.	______________.
El es inteligente.	______________.
Uds. trabajan en la tienda.	______________.

RESPONSE

¿Va Alicia de compras?	Sí, ella siempre va de compras.
¿Ayudas tú al profesor?	Sí, yo siempre ayudo al profesor.
¿Estudian mucho las muchachas?	______________.
¿Tiene Miguel exámenes?	______________.
¿Reciben Uds. buenas notas?	______________.
¿Trabajan Juan y Pedro por la tarde?	______________.
¿Lee Rosa muchos libros?	______________.
¿Van Ana y José al cine?	______________.

B

Tener que Followed by the Infinitive

***Tengo que preparar* mis lecciones.**	*I have to (must) prepare* my lessons.
***Tiene que visitar* a sus abuelos.**	*He has to (must) visit* his grandparents.

"To have to" or "must" is expressed by **tener que** followed by the infinitive form of the verb.

Practice

PERSON-NUMBER SUBSTITUTION

1. Ud. tiene que escribir una carta.
   Los alumnos ______________.
   Tú ______________.
2. Yo tengo que trabajar mucho.
   Mi hermano ______________.
   Nosotros ______________.
3. Ana tiene que ir de compras.
   Ana y su amiga ______________.
   Yo ______________.
4. Tú tienes que estudiar mañana.
   Uds. ______________.
   Miguel y yo ______________.
5. La criada tiene que ayudar a la madre.
   Las hijas ______________.
   Yo ______________.

TRANSFORMATION

Yo no estudio.	Yo tengo que estudiar.
Gloria no escribe a su amiga.	Gloria tiene que escribir a su amiga.
Los muchachos no contestan en español.	______________.
Ud. no trabaja.	______________.
Nosotros no visitamos a la abuela.	______________.
Mi madre no va de compras.	______________.
Tú no lees la revista.	______________.
Juan no recibe buenas notas.	______________.

Preguntas

1. ¿Tiene Ud. que estudiar para un examen? 2. ¿Son difíciles los exámenes de español? 3. ¿Recibe Ud. buenas notas? 4. ¿Tiene Ud. que escribir una composición? 5. ¿Con quién estudia Ud.? 6. ¿Tiene Ud. que ir de compras con su madre? 7. ¿Qué hace Ud. esta noche?

Lección 20

Las escuelas hispanoamericanas

United Fruit Co.

A young graduate lectures to students at a Honduran Government school

Enrique es un muchacho de catorce años. El y sus amigos van a una escuela secundaria de la ciudad. El padre de Enrique es médico.[1] Enrique también quiere ser (*to be*) médico. Su amigo Arturo prefiere ser abogado (*lawyer*) y su amigo Jorge estudia para ingeniero (*engineer*). Los muchachos tienen que estudiar mucho porque[2] los exámenes de las escuelas secundarias son siempre muy difíciles. Los muchachos tienen clases de geometría, biología, historia, inglés y muchas otras asignaturas (*subjects*). La escuela secundaria es muy moderna. Tiene una buena biblioteca, un laboratorio excelente y un gimnasio grande.

1. **el médico,** doctor 2. **porque,** because

En todos los países de Hispanoamérica hay escuelas públicas y también hay muchas escuelas particulares (*private*). Muchos alumnos van a las escuelas particulares. En las ciudades grandes las escuelas son buenas. Generalmente las muchachas van a una escuela y los muchachos a otra. En algunas escuelas los alumnos usan uniformes.

Los alumnos van a la escuela seis días por (*per*) semana[1]: lunes,[2] martes,[3] miércoles,[4] jueves,[5] viernes[6] y sábado.[7] Por supuesto (*Of course*) no van a la escuela los domingos.

En muchos pueblos pequeños los niños van a la escuela sólo[8] dos o tres años. Aprenden a leer y a escribir. Hay también muchos niños hispanoamericanos que (*who*) no saben (*know how to*) leer porque viven en el campo,[9] lejos de una escuela. Muchos no van a la escuela porque tienen que trabajar para (*in order to*) ayudar a su familia.

1. **la semana,** week 2. **lunes,** Monday 3. **martes,** Tuesday 4. **miércoles,** Wednesday 5. **jueves,** Thursday 6. **viernes,** Friday 7. **sábado,** Saturday 8. **sólo,** only 9. **el campo,** country

¿Sí o No?

1. Enrique tiene quince años. 2. El padre de Enrique es abogado. 3. Enrique quiere ser médico. 4. Los exámenes son fáciles. 5. Enrique y sus amigos van a una escuela moderna. 6. Muchos alumnos van a las escuelas particulares. 7. Generalmente los muchachos y las muchachas van a la misma escuela. 8. Los alumnos van a la escuela los sábados. 9. En algunas escuelas los alumnos usan uniformes. 10. Algunos niños hispanoamericanos no van a la escuela.

LANGUAGE PATTERNS

Days of the Week

lunes, Monday
martes, Tuesday
miércoles, Wednesday
jueves, Thursday
viernes, Friday
sábado, Saturday
domingo, Sunday

Note that days of the week in Spanish are not capitalized.

***el* lunes,** *on* Monday
***el* martes,** *on* Tuesday
***los* lunes,** *on* Mondays
***los* martes,** *on* Tuesdays

el **sábado,** *on* Saturday	*los* **sábados,** *on* Saturdays
el **domingo,** *on* Sunday	*los* **domingos,** *on* Sundays

The days of the week are masculine.
"On" before the days of the week is translated by **el** or **los.**
Days of the week that end in **-s** have the same form in the singular and plural: **el lunes, los lunes; el viernes, los viernes.**

Practice

Practice the days of the week until you can recite them by rote; **lunes, martes,** etc.

ITEM SUBSTITUTION

1. ¿Qué hace Ud. el lunes?	2. Siempre estoy en casa los martes.
¿________ miércoles?	________ sábados.
¿________ jueves?	________ jueves.
¿________ domingo?	________ miércoles.
¿________ viernes?	________ lunes.

TRANSFORMATION

Hoy es martes. Mañana es miércoles.	Hoy es domingo. ________.
Hoy es sábado. ________.	Hoy es viernes. ________.
Hoy es jueves. ________.	Hoy es lunes. ________.

Hoy es miércoles. ________.

CUED RESPONSE

¿Qué día tienes examen? (martes)	Tengo examen el martes.
¿Qué día quieres estudiar? (lunes)	________.
¿Qué día vas a la biblioteca? (viernes)	________.
¿Qué día quieres ir al cine? (sábado)	________.
¿Qué día vas al mercado? (jueves)	________.
¿Qué día tienes que ver al médico? (miércoles)	________.

Preguntas

1. ¿Cuántos días hay en una semana? 2. ¿Cuántos días por semana van a la escuela los alumnos? 3. ¿Van los alumnos norteamericanos a la escuela los sábados y los domingos? 4. ¿Quiere Ud. ser abogado, médico, ingeniero, profesor (-a), secretaria? Quiero ser (*I want to be*) 5. ¿Tiene Ud. que estudiar mucho? 6. ¿Hay un gimnasio grande en su escuela? 7. ¿Es pública o particular su escuela? 8. ¿Aprende Ud. a leer y a escribir?

Cuadro de Calificaciones (Report Card)

This is an elementary school report card used in Costa Rica. With the help of the English translations of a few words given below, you should have no difficulty understanding it.

apellido, last name
bimestre, two-month period
cocina, cooking
costura, sewing
naturaleza, nature
dibujo, drawing
hogar, home
maestro, teacher
materia de calificación, subject graded

CUADRO DE CALIFICACIONES — CURSO DE 1958

Escuela Bernardo Soto — Grado I.A.

Apellidos y nombre del alumno Pedro García López

MATERIAS DE CALIFICACIÓN	Bimestres				Notas finales
	1°	2°	3°	4°	
Cultura Moral y Social	10	10	10	10	**10**
Lengua Materna	9	9	9	9	**9**
Matemáticas	8	8	8	8	**8**
Geografía e Historia	10	10	10	10	**10**
Estudio de la Naturaleza	10	9	9	9	**9**
Educación Agrícola e Industrial	9	10	10	10	**10**
Educación Física	8	10	9	10	**9**
Educación Religiosa	—	—	—	—	
Música	9	8	8	7	**8**
Dibujo	8	10	9	9	**9**
Costura					
Cocina					
Trabajos Manuales					
AUSENCIAS JUSTIFICADAS	0	1	0	10	**11**
AUSENCIAS INJUSTIFICADAS	0	0	0	0	0
LLEGADAS TARDÍAS	0	0	0	0	0
VISITAS DEL PADRE A LA ESCUELA	1	0	0	0	**1**
VISITAS DEL MAESTRO AL HOGAR	0	0	0	1	**1**

Dressed for Panama's Tamborito dance

ILO Photo

Andean Indian in typical Bolivian hat

Fiesta dress of Tehuantepec, Mexico

Mexican Govt. R.R.

Mexican charro and china poblana costumes

Mexican Govt. R.R.

Lección 21

Una cita*

La película comienza a las ocho.

JORGE—MARTA

J.—**¿*Va Ud.* al cine esta noche?**	Are you going to the movies tonight?
M.—**No, no *voy* al cine esta noche; *quiero ir al centro* con mi madre.**	No, I am not going to the movies tonight; I want to go downtown with my mother.
J.—**¿*A qué hora* van Uds. al centro?**	At what time are you going downtown?
M.—***Vamos* a las seis.**	We are going at six.
J.—**¿*Quiere Ud.* ir al cine mañana? Hay una *película* muy buena.**	Do you want to go to the movies tomorrow? There is a very good film.
M.—**Con mucho gusto. ¿A qué hora?**	Gladly. At what time?
J.—**A las siete.**	At seven.
M.—**Es muy *temprano*. En mi casa *comemos* a las siete.**	It's very early. At my house we eat dinner at seven.
J.—**¿Quiere Ud. ir a las ocho *y media*?**	Do you want to go at 8:30?
M.—**La película comienza a las ocho y *cuarto*.**	The film begins at a quarter past eight.

*la cita, the "date"

J.—*Pues bien*, **vamos a las ocho.**	Well then, let's go at eight.
M.—***Está bien.*** **A las ocho** ***en punto.***	All right. At eight sharp.
J.—***¿Qué hora es?***	What time is it?
M.—**Son las seis menos diez.**	It is ten minutes to six.
J.—**¡Ay! Es tarde. Tengo que ir** ***a casa.***	Oh! It's late. I have to go home.
M.—**Adiós.**	Good-by.
J.—**Hasta mañana.**	See you tomorrow.

Preguntas

1. ¿Tiene Ud. una cita esta noche? 2. ¿Va Ud. al cine el sábado? 3. ¿Está el cine lejos de su casa? 4. ¿Hay una buena película? 5. ¿Es larga la película? 6. ¿Tiene Ud. que ir a casa temprano? 7. ¿Quiere Ud. ir al centro mañana? 8. ¿Va Ud. al centro con su madre? 9. ¿Comen Uds. tarde o temprano? 10. ¿Comen Uds. siempre en casa?

LANGUAGE PATTERNS

Time Expressions

¿Qué hora es?	What time is it?
Es la una.	It is one o'clock.
Son las dos.	It is two o'clock.
Son las tres (cuatro, etc.).	It is three (four, etc.) o'clock.

La una, las dos, etc. refer to **hora** and **horas,** and therefore are feminine. *It is one o'clock* is translated ***Es la una*** (sing.), but *It is two, three,* etc. *o'clock* is translated ***Son las dos, tres,*** etc. (pl.).

Es la una ***y cinco.***	It is *five after* one.
Son las dos ***y diez.***	It is *ten after* two.
Son las ocho ***y veinte.***	It is *twenty past* eight.
Son las diez ***y cuarto.***	It is *quarter after* ten.
Son las seis ***y media.***	It is *half past* six.
Son las once ***menos diez.***	It is *ten to* eleven.
Es la una menos ***veinte y cinco.***	It is *twenty-five of* one.

In Spanish the hour is given first, and the minutes are then added or subtracted.

When the minutes come after the hour, we use **y** (and).
When the minutes come before the hour, we use **menos** (minus).

¿a qué hora?	at what time?
a la una	at one o'clock
a las dos (tres, etc.**)**	at two (three, etc.) o'clock
a las ocho de la mañana	at 8:00 A.M. (in the morning)
a las tres de la tarde	at 3:00 P.M. (in the afternoon)
a las nueve de la noche	at 9:00 P.M. (in the evening, at night)
Son las ocho en punto.	It is eight o'clock sharp.
Es tarde.	It is late.
Es temprano.	It is early.
Es mediodía.	It is noon.
Es medianoche.	It is midnight.

Practice

ITEM SUBSTITUTION

1. Es la una y media.
   ______ y diez.
   ______ y cuarto.
   ______ y veinte.

2. Son las siete menos cuarto.
   ______ nueve ______.
   ______ tres ______.
   ______ once ______.

REPLACEMENT

Son las tres y media en punto.
______ una ______.
______ veinte ______.
______ menos ______.
______ nueve ______.
______ cuarto ______.
______ y ______.
______ una ______.
______ media ______.

ITEM SUBSTITUTION

1. ¿A qué hora va Ud. a la escuela?
   ¿______ a la clase?
   ¿______ a casa?
   ¿______ al cine?

2. Vamos a las ocho de la mañana.
   ______ siete ______.
   ______ nueve ______.
   ______ once ______.

3. Voy a casa a las nueve de la noche.
   ______ diez ______.
   ______ once ______.
   ______ once y media —.
   ______ ocho ______.

4. El come a las cinco de la tarde.
   ______ seis ______.
   ______ siete ______.
   ______ siete y media —.
   ______ cinco y media.

Rejoinder

¿Ya son las tres? Sí, son las tres. Es tarde.
¿Ya es la una? ________. ______.
¿Ya son las seis? ________. ______.
¿Ya son las nueve? ________. ______.

Translation

It is five o'clock. ____________________.
It is one o'clock. ____________________.
It is one thirty. ____________________.
It is ten after three. ____________________.
It is six fifteen. ____________________.
It is half past four. ____________________.
It is twelve o'clock. ____________________.
It is a quarter of three. ____________________.

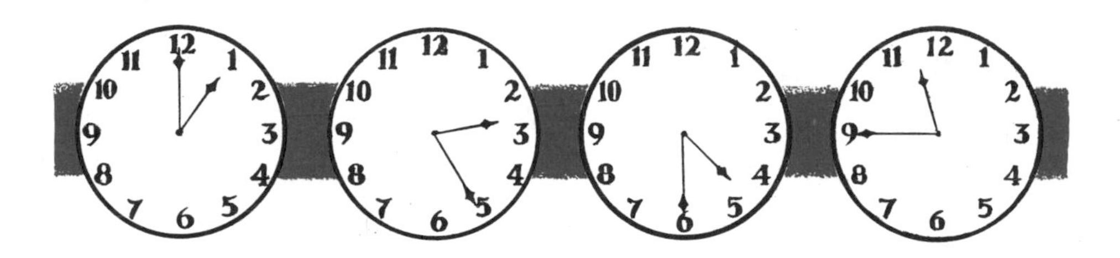

Preguntas

1. ¿Qué hora es? 2. ¿A qué hora va Ud. a la escuela? 3. ¿A qué hora comienza la clase de español? 4. ¿A qué hora va Ud. a la cafetería? 5. ¿A qué hora va Ud. a casa? 6. ¿A qué hora come su familia? 7. ¿A qué hora estudia Ud.? 8. ¿A qué hora visita Ud. a su amigo (-a)? 9. ¿A qué hora va Ud. al cine? 10. ¿A qué hora comienza la película?

Original dialogue

George asks Martha what she is doing tonight.
J.— ¿____________________?
Martha says she's going downtown.
M. ____________________.
George asks if she wants to go to the movies.
J.— ¿____________________?
Martha says, "Gladly" and asks, "At what time?"
M.____________ ¿____________?

George says, "Let's go at eight-thirty."
J.—————————————————————.
Martha agrees and wants to know what time it is.
M.— ¿—————————————————————?
George says, "It's ten to four."
J.—————————————————————.
Martha says it's late; she has to go home.
M. —————————————————————.
George says, "See you at 8:15."
J.—————————————————————.
Martha agrees and says good-by.
M. —————————————————————.

Refranes

Quien no se aventura no pasa la mar.	Nothing ventured, nothing gained. (Who doesn't venture out, doesn't cross the sea.)
Un hoy vale dos mañanas.	One today is worth two tomorrows.

Here is a theater advertisement announcing a play called "The Doll Vendor." You should have no difficulty in understanding most of it.

Lección 22

El cine en Hispanoamérica

Around the World in 80 Days

The first appearance of Mexico's Cantinflas in an American film

Hay cines en casi[1] todas las ciudades de Hispanoamérica. En los cines los hispanoamericanos ven[2] muchas películas de Hollywood. Por (*Through*) estas[3] películas forman sus ideas de las costumbres y de la vida en los Estados Unidos. Algunas de estas ideas son verdaderas (*true*); otras son falsas. Por ejemplo,[4] muchas personas tienen la idea de que (*that*) todos los habitantes de los Estados Unidos son ricos.[5] Algunos creen[6] que en el oeste del país todavía hay indios salvajes (*wild*).

Las películas mexicanas y las películas argentinas son también muy populares en Hispanoamérica. En casi todas estas películas hay una fiesta con música y bailes.[7] Muchas de estas películas son románticas o históricas.

En el sudoeste de los Estados Unidos, donde hay muchos habitantes de origen mexicano, las películas mexicanas son muy populares. Son

1. **casi,** almost. 2. **ven,** (they) see 3. **estos (-as),** these 4. **por ejemplo,** for example 5. **rico (-a),** rich 6. **creer,** to believe 7. **el baile,** dance

también populares en el este de nuestro país donde viven muchos cubanos y puertorriqueños. Algunos estudiantes[1] de las universidades y de las escuelas secundarias van a ver[2] estas películas porque estudian el español y tienen gran (*great*) interés en la vida y las costumbres de los mexicanos.

1. **el estudiante,** student 2. **ver,** to see

¿Sí o No?

1. Hay cines en casi todas las ciudades de Hispanoamérica. 2. Los hispanoamericanos van a ver las películas de Hollywood. 3. Casi todos los habitantes de los Estados Unidos son ricos. 4. Las películas mexicanas son populares en el sudoeste de los Estados Unidos. 5. Hay música y bailes en muchas películas mexicanas. 6. Muchas personas de Cuba y de Puerto Rico viven en el oeste de los Estados Unidos. 7. Los estudiantes de español generalmente tienen gran interés en la vida mexicana.

LANGUAGE PATTERNS

Use of *A* after Certain Verbs

Voy *a* estudiar.	I am going to study.
Juan va *a* trabajar.	John is going to work.
Aprendo *a* leer.	I am learning to read.
Aprenden *a* hablar español.	They learn to speak Spanish.

but

Quiero hablar español.	I want to speak Spanish.
Desea viajar por México.	He wishes to travel through Mexico.

The verbs **ir** (to go) and **aprender** (to learn) require an **a** when followed by another verb in the infinitive form. This **a** is not translated into English.

Practice

ITEM SUBSTITUTION

1. Carmen va a estudiar.
 ———— ayudar a Luisa.
 ———— preparar la comida.

2. Felipe aprende a hablar español.
 ———— contestar en español.
 ———— leer en español.

3. Uds. van a comer temprano.
——— ver una película.
——— celebrar la fiesta.

4. Aprendo a cantar canciones.
——— escribir el español.
——— contestar bien.

TRANSFORMATION

1. Elena estudia el francés.	Elena va a estudiar el francés.
Yo leo un libro interesante.	———————.
Uds. trabajan en el jardín.	———————.
Nosotros ayudamos al profesor.	———————.
2. Carlos habla español.	Carlos aprende a hablar español.
Yo trabajo en la biblioteca.	———————.
Los niños leen las palabras.	———————.
Tú escribes una composición.	———————.

REPLACEMENT

Quiero hablar español.
——— estudiar ———.
——— el francés.
Voy a ———.
——— escribir———.
——— la lección.

Tengo que escribir la lección.
———leer ———.
——— el libro.
Aprendo a ———.
———comprender ———.
——— las costumbres.

Word Study

Many adverbs ending in *-ly* in English end in ***-mente*** in Spanish.

Example

general*ly*	**general*mente***
natural*ly*	**natural*mente***

Practice

Write and pronounce the Spanish for each of the following words:

1. finally	2. cordially	3. totally
4. regularly	5. personally	6. especially

Give the English meanings of the following words:

1. posiblemente	2. atentamente	3. completamente
4. rápidamente	5. directamente	6. evidentemente
7. probablemente	8. recientemente	9. correctamente

Dos latas de piña, por favor.
PIÑA
-¿Qué desea Vd., señora?
Deseo dos latas de piña, también.
-¿Desea Vd. también dos latas de piña?
-No, señor.
PIÑA
-¿Y qué desea Vd., señora?
-Tres latas de piña, por favor.

Lección 23

La casa nueva

DOLORES—CARMEN

D.—**¿Dónde viven Uds. ahora, Carmen?**	Where do you live now, Carmen?
C.—**Vivimos en una casa *nueva* en la calle Serrano.**	We live in a new house on Serrano Street.
D.—**¿Es una casa grande?**	Is it a large house?
C.—**No, no es grande.**	No, it isn't large.
D.—**¿Cuántos *cuartos* tiene la casa?**	How many rooms does the house have?
C.—**Tiene seis cuartos: la *sala*, el *comedor*, dos *alcobas**, la *cocina* y el *cuarto de baño*.**	It has six rooms: the living room, dining room, two bedrooms, the kitchen, and the bathroom.
D.—**¿Es grande la sala?**	Is the living room large?
C.—**Sí, es muy grande pero el comedor es pequeño.**	Yes, it is very large but the dining room is small.
D.—**¿Cómo son las alcobas?**	What are the bedrooms like?
C.—**La alcoba de mis padres es grande; mi alcoba es pequeña.**	My parents' bedroom is large; my bedroom is small.

*bedroom, also called **un dormitorio,** or **una recámara.**

D.—**¿Es moderna la cocina?**	Is the kitchen modern?
C.—**Sí, la cocina es muy moderna.**	Yes, the kitchen is very modern.
D.—**¿Tienen Uds. jardín?**	Do you have a garden?
C.—**¡Cómo no! Hay un jardín bonito con flores y plantas y varios árboles.**	Yes, indeed! There's a pretty garden with flowers and plants, and several trees.
D.—**¡Qué bueno!**	How nice!

Preguntas

1. ¿Vive Ud. en una casa nueva? 2. ¿De qué color es la casa? 3. ¿Cuántos cuartos tiene su casa? 4. ¿Cuántas alcobas hay en la casa? 5. ¿Comen Uds. en el comedor o en la cocina? 6. ¿Es moderna la cocina? 7. ¿Cuántos cuartos de baño hay en la casa? 8. ¿Tiene la casa un jardín? 9. ¿Está el jardín detrás de la casa? 10. ¿Hay árboles enfrente de la casa?

Tarascan fishermen on Lake Pátzcuaro

Mexican Govt. R.R.

Los muebles

DOLORES—CARMEN

D.—¡Hola, Carmen! ¿Qué tal?	Hi, Carmen! How are you?
C.—¡Qué sorpresa, Dolores!	What a surprise, Dolores!
D.—Quiero ver tu casa nueva.	I want to see your new home.
C.—Entra, entra, Dolores. Aquí está la sala.	Come in, come in, Dolores. Here is the living room.
D.—Es un cuarto muy bonito. Todos los *muebles* son nuevos, *¿verdad?*	It is a very pretty room. All the furniture is new, isn't it (true)?
C.—No, no todos. Este sofá y estos sillones son nuevos.	No, not all. This sofa and these armchairs are new.
D.—Esta *lámpara* es bonita.	This lamp is pretty.
C.—La lámpara es un *regalo* de mi tía.	The lamp is a gift from my aunt.
D.—¿Es nueva esta *alfombra?*	Is this carpet new?
C.—No, la alfombra no es nueva. Todavía no tenemos *cortinas*. Mi madre va a *comprar* cortinas azules para este cuarto.	No, the carpet isn't new. We still do not have curtains. My mother is going to buy blue curtains for this room.
D.—¿Y tu alcoba dónde está?	And where's your bedroom?
C.—Por aquí.	Over here.
D.—¡Qué precioso tocador, y qué espejo tan grande!	What a lovely dresser, and what a big mirror!
C.—Son nuevos. Y esta cama es muy cómoda.	They're new. And this bed is very comfortable.
D.—¡Ya lo creo! ¿Dónde está tu mamá, Carmen?	I should think so! Where's your mother, Carmen?
C.—Está en el centro. Va a comprar una *estufa* y un refrigerador para la cocina.	She is in town. She is going to buy a stove and a refrigerator for the kitchen.

D.—**Pues, ahora tengo que irme a casa. *Recuerdos* a la familia.** — Well, I have to go home now. Regards to the family.

C.—**Gracias, Dolores. Hasta luego.** — Thanks, Dolores. See you later.

¿Sí o No?

1. La familia de Carmen vive en una casa nueva. 2. Dolores quiere ver la casa. 3. Todos los muebles son nuevos. 4. El sofá es un regalo de la tía. 5. Las cortinas son bonitas. 6. Carmen tiene una cama cómoda. 7. El tocador es precioso. 8. Todavía no hay espejo. 9. La madre va a comprar una estufa. 10. Dolores tiene que ir al centro.

Original Composition

1. Make several statements on the topic, **Mi casa.** Describe the rooms and the furniture.

2. Sketch a floor plan of your house and label each room in Spanish.

Preguntas

1. ¿En qué cuarto estudia Ud.? 2. ¿Hay un espejo en su alcoba? 3. ¿Cuántas camas hay en su alcoba? 4. ¿En qué cuarto recibe Ud. a sus amigos? 5. ¿Tiene su familia un radio? ¿un aparato de televisión (*television set*)? 6. ¿Hay un sillón cómodo en la sala? 7. ¿Es grande el sofá? 8. ¿De qué color es la alfombra? 9. ¿Cuántas lámparas hay en la sala? 10. ¿Tienen Uds. una estufa de gas o una estufa eléctrica? 11. ¿Es moderna su cocina? 12. ¿Tiene Ud. un refrigerador en la cocina? 13. ¿De qué color son las cortinas de la cocina?

LANGUAGE PATTERNS

How to Express *This* and *These* in Spanish

este **cuarto**	*this* room
esta **lámpara**	*this* lamp
estos **libros**	*these* books
estas **casas**	*these* homes

Note that *this* is expressed by ***este*** (m.) or ***esta*** (f.); *these* by ***estos*** (m.) or ***estas*** (f.).

Practice

ITEM SUBSTITUTION

1. Este sillón es nuevo, ¿verdad?
   —— tocador ——— ¿———?
   —— espejo ——— ¿———?
   —— escritorio ——— ¿———?

2. Estas sillas son pequeñas.
   —— mesas ———.
   —— ventanas ———.
   —— alfombras ———.

3. Estos regalos son bonitos.
   —— muebles ———.
   —— cuadros ———.
   —— árboles ———.

4. Este sofá es cómodo.
   —— asientos ———.
   —— cama ———.
   —— sillas ———.
   —— sillón ———.

5. Voy a comprar esta lámpara.
   ——————— alfombra.
   ——————— estufa.
   ——————— cama.

6. Estas señoritas son de México.
   —— muchacho ———.
   —— alumnos ———.
   —— familia ———.

Adivinanza

Pequeñito como un ratón y guarda la casa como un león.

(la llave)

A thing as little as a mouse but like a lion guards the house.

(key)

Refrán

Mientras en mi casa estoy, rey soy.

A man's house is his castle. (While I am in my home, I am king.)

Lección 24

Las casas de Hispanoamérica

En las ciudades grandes de Hispanoamérica vemos casas de diferentes estilos (*styles*) como en nuestro país. Algunas familias viven en casas de apartamentos; otras viven en casas particulares (*private*). En las ciudades encontramos residencias elegantes de las familias ricas y también muchas casas humildes (*humble*) de los pobres.[1] Vemos casas nuevas de arquitectura moderna y vemos muchas casas de arquitectura española.

Las casas de arquitectura española son siempre interesantes para el turista. Estas casas son de uno o dos pisos.[2] Tienen techos[3] de tejas (*tile*) rojas, balcones y rejas (*iron grilles*) en las ventanas. En la entrada (*entrance*) de la casa hay una puerta grande. En el centro de la casa hay siempre un bonito patio con plantas, flores y una fuente.[4] Algunas veces hay pájaros[5] en jaulas (*cages*). El patio es un lugar[6] muy agradable[7]. Aquí juegan (*play*) los niños durante[8] el día; aquí también reciben los padres a sus amigos.

En el sudoeste de los Estados Unidos vemos la influencia de esta arquitectura española. En California, Arizona, Nuevo México y Texas hay muchas casas con techos de tejas rojas y patios bonitos. En estos estados todavía encontramos casas y misiones construidas por (*by*) los españoles durante los tiempos coloniales.

1. **pobre,** poor 2. **el piso,** floor 3. **el techo,** roof 4. **la fuente,** fountain 5. **el pájaro,** bird 6. **el lugar,** place, spot 7. **agradable,** pleasant 8. **durante,** during

¿Sí o No?

1. Las familias pobres viven en casas de apartamentos. 2. Las familias ricas viven en casas modernas. 3. Todas las casas españolas tienen dos pisos. 4. Siempre hay pájaros en el patio. 5. El patio es un lugar agradable. 6. Muchas familias tienen una fuente enfrente de la casa. 7. Todas las casas tienen un balcón. 8. Vemos la influencia de la arquitectura española en el este de los Estados Unidos.

Preguntas

1. ¿Vive Ud. en una casa de apartamentos o en una casa particular (*private*)? 2. ¿Es su casa de arquitectura moderna? 3. ¿Cuántos pisos tiene su casa? 4. ¿Tiene su casa un balcón? 5. ¿De qué color es el techo? 6. ¿Tiene su casa un patio? 7. ¿Hay casas de arquitectura española en su ciudad? 8. ¿Qué hay en el patio de una casa española?

LANGUAGE PATTERNS

Present Tense of *ver* (to see)

yo	**veo**	nosotros	**vemos**
tú	**ves**		
Ud. / él / ella	**ve**	Uds. / ellos / ellas	**ven**

Note that the present tense of the verb **ver** is formed like that of the regular **-er** verbs except the **yo** form (**veo**).

Practice

ITEM SUBSTITUTION

1. Veo a Juan casi todos los días.
   — a mi amigo————.
   — a mis primos ————.

2. ¿Qué ves en la mesa?
   ¿——— en la calle?
   ¿——— en el parque?

3. Ud. no ve su libro aquí.
   ——— su pluma —.
   ——— su papel —.

4. Vemos pueblos pequeños.
   ——— ciudades grandes.
   ——— costumbres interesantes.

5. Los estudiantes ven películas mexicanas.
   ———————— históricas.
   ———————— populares.

PERSON-NUMBER SUBSTITUTION

Mi amigo ve películas españolas.
Uds. ————————.
Yo ————————.
Nosotros ————————.

Rosa ve la influencia española.
Tú ————————.
Carmen y Ud. ————.
Lupe y yo ————————.

CUED RESPONSE

¿Qué ve Ud. en la pared? (un mapa)	Veo un mapa.
¿Qué ven Uds. en la calle? (muchos automóviles)	________.
¿Qué ven los estudiantes? (bailes interesantes)	________.
¿Qué ves por la ventana? (un pájaro)	________.
¿Qué ve el turista por la carretera? (pueblos pequeños)	________.
¿Qué ve Ud. en la mesa? (dos revistas)	________.
¿Qué ves en la cocina? (una estufa)	________.
¿Qué ven Uds. en el jardín? (flores bonitas)	________.

Village women washing in a stream

Harold M. Lambert

Silberstein from Monkmeyer

University of Mexico's Medical Building

American Airlines

Mexico City's new airport

Modern farming techniques in Mexico

Caterpillar Tractor Co.

Lava home in the Pedregal, Mexico City

Griffin from FPG

TEST YOUR PROGRESS III

(LECCIONES 17–24)

¿Sí o No?

1. Todas las hijas ayudan a su madre. 2. Una muchacha siempre tiene un espejo. 3. Hoy es martes; mañana es miércoles. 4. Es agradable ir de compras. 5. Hay seis días en una semana. 6. Las madres pasan mucho tiempo en la sala. 7. El hijo de mi tío es mi hermano. 8. Todos los niños tienen una criada. 9. Esta escuela tiene tres pisos. 10. Preparamos las comidas en la alcoba. 11. Hay árboles en el parque. 12. Vemos películas mexicanas en esta clase.

VOCABULARY (REPEAT THE FOLLOWING SENTENCES REPLACING THE WORD INDICATED WITH ITS OPPOSITE.)

1. Carlos es mi hermano **menor.** 2. Mi padre trabaja durante **la noche.** 3. Nuestros vecinos no son **ricos.** 4. Mis abuelos viven en **la ciudad.** 5. Creo que es **temprano.** 6. Dolores va al cine **sin** su amiga. 7. El muchacho va a trabajar **mañana.** 8. Todos los muebles en mi casa son **nuevos.** 9. Hay **muchas** películas mexicanas en los Estados Unidos.

VOCABULARY (CHOOSE THE WORD THAT IS NOT RELATED TO THE OTHER WORDS IN EACH SERIES.)

1. lunes, viernes, nueve, sábado, martes
2. cama, alfombra, sillón, techo, tocador
3. sala, comedor, casi, alcoba, cocina
4. primo, tío, hermana, abuelo, todavía
5. planta, sólo, campo, flor, árbol

COMPLETION

Tú trabajas en una tienda y estos muchachos (trabajan en una tienda).
Tenemos que comprar un regalo y Uds. ____________________.
Roberto va al cine mañana y yo ____________________.
Mi amigo quiere ver la película nueva y yo ____________________.
Tú comes en la cafetería y las muchachas ____________________.
Uds. van a la iglesia el domingo y nosotros ____________________.
Esta noche no tengo cita y tú ____________________.
Los alumnos no ven el mapa y yo ____________________.
Juan tiene que estudiar y nosotros ____________________.
Luisa recibe buenas notas y nosotros ____________________.
Yo creo que es verdad y mi hermano ____________________.

Tiene cinco años.
¿Cuántos años tiene el niño?
ADULTOS - 12 centavos
NIÑOS de 5-12 años - 5 centavos
¿Cuántos años tiene el niño?
Tiene cuatro años.
NO SE ADMITEN A LA ESCUELA NIÑOS DE MENOS DE[1] 6 AÑOS.
El niño tiene seis años.
¿Cuántos años tiene el niño?
¿Cuántos años tiene el niño?
!!!
En casa tengo cinco años; en el autobús tengo cuatro años; y en la escuela tengo seis años.
1 less than

SUBSTITUTION (REPLACE THE WORDS INDICATED WITH THE WORDS IN PARENTHESES.)

Visitamos a **nuestros abuelos.**	(un lugar pintoresco)	Visitamos un lugar pintoresco.
Veo la **casa** de mi amiga.	(la madre)	______.
Alberto no comprende al **profesor.**	(la lección)	______.
El hijo ayuda **con el trabajo.**	(su padre)	______.
María visita **el parque.**	(Dolores)	______.
No comprendo a **Pedro.**	(este muchacho)	______.
No vemos **el periódico** aquí.	(la revista)	______.
Ayudo a **mi primo.**	(tío)	______.

Preguntas

1. ¿Cuántos años tiene Ud.? 2. ¿Vive Ud. en una casa de apartamentos? 3. ¿Tiene Ud. que estudiar mucho? 4. ¿Estudia Ud. por la tarde o por la noche? 5. ¿Son difíciles los exámenes? 6. ¿Recibe Ud. siempre buenas notas? 7. ¿Ve Ud. a sus amigos durante el día? 8. ¿Ayuda Ud. a sus padres algunas veces? 9. ¿Pasa Ud. mucho tiempo en casa? 10. ¿Qué va a hacer Ud. esta noche? 11. ¿Quiere Ud. ir al cine mañana? 12. ¿Van Uds. a la iglesia todos los domingos?

DIRECTED STATEMENT—TELL SOMEONE:

that your grandparents live in the country

that they have a large garden with many trees

that their house is not modern but it's comfortable

that your family visits the grandparents every year

that your aunt and uncle live near them (*ellos*)

that your cousin Peter is the oldest

that he has to help his father

that he also works hard (*mucho*) in school

that he wants to be a doctor

that he is very intelligent

Atkins

Jai Alai statue and stadium in Mexico

Wolfe Films

Passes by the Matador, Mexico

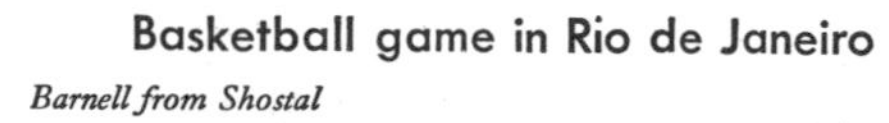

Basketball game in Rio de Janeiro

Barnell from Shostal

Skiers on a Chilean mountain slope

de Palma from Cushing

Lección 25

*Informes personales**

PABLO—JORGE

P.—¿Cómo se llama Ud.?	What is your name?
J.—Me llamo Jorge Peters.	My name is George Peters.
P.—¿Cuántos años tiene Ud.?	How old are you?
J.—Tengo diez y seis años.	I am sixteen years old.
P.—¿Vive Ud. con su familia?	Do you live with your family?
J.—Sí, vivo con mi familia.	Yes, I live with my family.
P.—¿Son Uds. norteamericanos?	Are you Americans?
J.—Sí, *somos* norteamericanos; somos de Los Angeles, California.	Yes, we are Americans; we are from Los Angeles, California.
P.—¿Cuál es su *dirección*?	What is your address?
J.—Mi dirección es calle Figueroa número *ciento* setenta y nueve.	My address is 179 Figueroa Street.
P.—¿Cuál es el número de su teléfono?	What is your telephone number?
J.—El número de mi teléfono es Arizona, tres, cero, cinco, siete.	My telephone number is Arizona 3057.
P.—¿Tiene Ud. hermanos?	Do you have sisters and brothers?
J.—Tengo dos hermanos y una hermana.	I have two brothers and one sister.
P.—¿Es Ud. el hermano *menor*?	Are you the youngest brother?
J.—No, *soy* el hermano *mayor*.	No, I am the oldest brother.
P.—¿Cuántos años tiene su hermana?	How old is your sister?
J.—Tiene catorce años.	She is fourteen years old.
P.—¿Es también *rubia* su hermana?	Is your sister blonde also?
J.—No, mi hermana es *morena*; tiene *el pelo* negro y *los ojos cafés*.	No, my sister is brunette (dark-complexioned); she has black hair and brown eyes.
P.—¿*Asisten* Uds. *a* la misma escuela?	Do you attend the same school?

***Informes personales,** Personal information

J.—**Sí, asistimos a la escuela secundaria John Adams.**	Yes, we attend John Adams High School.

¿Sí o No? (Read the entire sentence before answering.)

1. Yo tengo catorce años; mi hermano Ricardo tiene doce años; mi hermano José tiene once años; yo soy el menor. 2. Yo soy de Nevada; Luis es de Colorado; somos norteamericanos. 3. Tengo los ojos cafés y el pelo negro; soy rubio. 4. Tomás asiste a una escuela elemental; Enrique asiste a una escuela secundaria; Tomás y Enrique no asisten a la misma escuela. 5. Mi amigo vive en la calle Madero; yo vivo en la calle Tampa; mi amigo y yo tenemos la misma dirección.

LANGUAGE PATTERNS

A

Present Tense of *ser* (to be)

yo	**soy**	nosotros	**somos**
tú	**eres**		
Ud. / él / ella	**es**	Uds. / ellos / ellas	**son**

Practice

ITEM SUBSTITUTION

1. Soy alto.
   — moreno.
   — aplicado.

2. Somos de California.
   —— de San Diego.
   —— del oeste.

3. Tú eres bonita.
   ——— rubia.
   ——— buena.

4. Ud. es el hermano menor.
   —— el primo de José.
   —— el amigo de Miguel.

5. Concha y Pepe son hermanos.
   ——————— morenos.
   ——————— simpáticos.

PERSON-NUMBER SUBSTITUTION

Mi familia es de Costa Rica.
Ud. ——————.
Mis primos ————.
Yo ——————.
Mis hermanos y yo ———.

El señor es de Panamá.
Tú ——————.
Tus padres y tú ——.
Mi abuelo ————.
Marcos y yo ————.

Response

¿Eres tú aplicado?	No, no soy aplicado.
¿Son Uds. ricos?	________________.
¿Es Ud. de Nueva York?	________________.
¿Es su padre médico?	________________.
¿Son Uds. norteamericanos?	________________.
¿Eres tú el menor de la familia?	________________.
¿Son primos Ud. y Luis?	________________.
¿Son Pedro y Ana los hijos mayores?	________________.

Preguntas

1. ¿Es Ud. inteligente? 2. ¿Es Ud. bueno (-a)? 3. ¿Es Ud. alto (-a)? 4. ¿Es Ud. rico (-a)? 5. ¿Es Ud. moreno (-a)? 6. ¿Son Uds. norteamericanos? 7. ¿Son Uds. alumnos? 8. ¿Son Uds. aplicados? 9. ¿Son Uds. perezosos? 10. ¿Son Uds. simpáticos?

B

Numbers 20 through 100

20 **veinte**
21 **veinte y uno (veintiuno)**
22 **veinte y dos (veintidós)**
23 **veinte y tres (veintitrés)** etc.,
30 **treinta**
31 **treinta y uno,** etc.,
40 **cuarenta**
50 **cincuenta**
60 **sesenta**
70 **setenta**
80 **ochenta**
90 **noventa**
100 **ciento (cien)**

Numbers 21 through 29 are often written as one word: **veintiuno, veintidós, veintitrés, veinticuatro, veinticinco, veintiséis, veintisiete, veintiocho, veintinueve.**

Numbers like **veinte y uno, treinta y uno,** etc., change the **uno** to **un** before a masculine noun and to **una** before a feminine noun.

veinte y un muchachos	twenty-one boys
ochenta y una muchachas	eighty-one girls

Ciento becomes **cien** when used immediately before a noun.

cien libros	one hundred books
cien casas	one hundred homes

but

ciento veinte libros	one hundred twenty books

Pease from Monkmeyer

Vera Cruz during Carnival Week

Griffin from FPC

Taxco's church overlooking red roof tops

Acapulco's beach and mountains

Pease from Monkmeyer

Entrance to Borda Gardens, Cuernavaca

Cushing

Practice

COMPLETION

Veinte y diez son treinta.
Treinta y diez son —.
Cuarenta y diez son —.
Cincuenta y diez son —.
Sesenta y diez son ———.
Setenta y diez son ———.
Ochenta y diez son ———.
Noventa y diez son ———.
Ciento y diez son ———.

TRANSLATION

1. ochenta y dos ————
cincuenta y cuatro ————
treinta y nueve ————
sesenta y cinco ————
noventa y uno ————
cuarenta y tres ————
setenta y seis ————
veinte y ocho ————
ciento treinta y siete ————
cien dólares ————

2. 37 ————
59 ————
88 ————
92 ————
100 ————
46 ————
26 ————
61 ————
119 ————
73 ————
122 ————
12 ————
21 ————
48 ————
75 ————
57 ————
99 ————
15 ————
36 ————
64 ————
17 ————
84 ————

3. one hundred students ————
one hundred years ————
one hundred thirty dollars ——
sixty-one cents ————
twenty-one nations ————
ninety days ————
one week ————
one country ————
fifty-two seats ————
thirty-five tables ————

Preguntas

1. ¿Cuántos profesores hay en su escuela? 2. ¿Cuántos alumnos hay en la clase de español? 3. ¿Cuántos asientos hay en la clase? 4. ¿Cuántos años tiene su madre? ¿su padre? 5. ¿Cuántos años tiene su abuelo? ¿su abuela? 6. ¿Cuánto dinero tiene Ud. en el banco? 7. ¿Cuántos centavos hay en un dólar? 8. ¿Cuántos estados hay en los Estados Unidos?

Mis tres amigos

S. Sherman

Mis Tres Amigos

Yo tengo tres amigos	I have three friends,
muy fieles y muy buenos.	very faithful and good.
Son estos compañeros	These friends are
un burro y dos perros.	a burro and two dogs.
Coro:	Chorus:
Mi burro anda firme,	My burro walks firmly,
mis perros ladran bien.	my dogs bark well.
Todo el mundo canta,	Everybody sings,
y yo canta también.	and I sing too.

Morin from Monkmeyer

Easter procession in Antigua, Guatemala

Monkmeye

Bolivian villagers ready for a folk dance

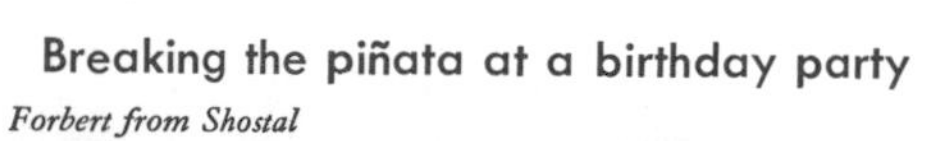

Breaking the piñata at a birthday party

Forbert from Shostal

Miniature Nativity scene in a Mexican home

Done from FPG

Lección 26

¿Quiénes son los latinoamericanos?

Encontramos (*We find*) grandes diferencias entre[1] los habitantes de los países de la América latina. En unos[2] países, como la Argentina y Costa Rica, los habitantes son casi todos de origen europeo. En otros, como Bolivia y Guatemala, predominan (*predominate*) los indios. Hay países, como México y Venezuela, donde la mayoría (*majority*) de los habitantes son mestizos (*of mixed blood*). En Haití muchos de los habitantes son negros. Los diferentes grupos raciales de la América latina viven en armonía.

Los latinoamericanos de origen europeo son descendientes de inmigrantes principalmente de España, y también de Portugal, Italia y otros países. Muchos de estos descendientes de europeos forman la clase rica del país. Tienen grandes extensiones de tierras[3]; son también los grandes industriales (*industrialists*) de la América latina.

Los mestizos forman la clase media (*middle*) de los países latinoamericanos. Son los comerciantes[4], médicos, abogados[5] y profesores. Muchos mestizos trabajan en las oficinas, tiendas y fábricas[6]. La clase media tiene más[7] importancia cada[8] día en el gobierno[9] y en la vida diaria (*daily*) de todos los países.

Los indios son descendientes de los aztecas, incas, mayas o de otras civilizaciones indias. Muchos todavía conservan sus antiguas tradiciones. Los indios trabajan en los campos. Ganan[10] poco[11] dinero y generalmente son muy pobres. Hoy el gobierno de muchos países latinoamericanos trata de[12] mejorar (*to improve*) las condiciones de vida de los indios.

1. **entre,** between, among 2. **unos (-as),** some 3. **la tierra,** land 4. **el comerciante,** merchant 5. **el abogado,** lawyer 6. **la fábrica,** factory 7. **más,** more 8. **cada** each 9. **el gobierno,** government 10. **ganar,** to earn 11. **poco, (-a),** little 12. **tratar de,** to try to

¿Sí o No?

1. Hay grandes diferencias entre los habitantes de la América latina. 2. En unos países muchos habitantes son de origen europeo. 3. En Costa Rica casi todos los habitantes son indios. 4. Muchos mestizos trabajan en los campos. 5. Los comerciantes trabajan en las fábricas. 6. Los ricos tienen grandes extensiones de tierra. 7. Los abogados ganan poco dinero. 8. Los gobiernos tratan de ayudar a los indios. 9. En la Argentina hay muchos indios. 10. Muchos descendientes de españoles viven en México.

LANGUAGE PATTERNS

A

Interrogative ***¿Quién? ¿Quiénes?*** **(Who?)**

¿Quién **es el presidente?** *Who* is the president?
¿Quiénes **son los habitantes?** *Who* are the inhabitants?

Practice

NUMBER SUBSTITUTION

¿Quién es un latinoamericano?	¿Quiénes son los latinoamericanos?
¿Quién es un mestizo?	¿__________?
¿Quién es un indio azteca?	¿__________?
¿Quién es un español?	¿__________?
¿Quién es un comerciante?	¿__________?
¿Quién es un abogado?	¿__________?
¿Quién es un buen vecino?	¿__________?
¿Quién es un artista?	¿__________?
¿Quién es un médico?	¿__________?
¿Quién es un profesor?	¿__________?
¿Quién es un indio maya?	¿__________?

B

Tratar de **+ Infinitive**

Trato de **estudiar más.** *I try to* study more.
Tratamos de **ayudar a los pobres.** *We try to* help the poor.

Tratar (to try) requires the preposition **de** when followed by another verb in the infinitive form.

Practice

ITEM SUBSTITUTION

Miguel trata de ser un buen vecino porque es muy simpático.
——————ver a sus amigos todos los días.
——————comprar un regalo.
——————ganar más dinero.
——————trabajar en la fábrica.
——————leer más para aprender más.

C

Adjectives *Poco* (*-a*) and *Pocos* (*-as*)

Tengo *poco* dinero. I have *little* money.
Hay *pocos* buenos caminos. There are *few* good roads.

Practice

TRANSFORMATION

El indio no tiene mucha tierra.	El indio tiene poca tierra.
Pablo no tiene muchos amigos.	——————.
Yo no tengo mucho tiempo.	——————.
No tiene mucha importancia.	——————.
No hay muchas fábricas en la ciudad.	——————.
No ganan mucho dinero.	——————.

Preguntas

1. ¿Es Ud. de origen europeo? 2. ¿Trata Ud. de ser un buen vecino? 3. ¿Quiere Ud. trabajar en el gobierno? 4. ¿Estudia Ud. sus lecciones cada día? 5. ¿Ganan los abogados poco dinero? 6. ¿Hay fábricas en su ciudad? 7. ¿Desea Ud. viajar por unos países de Hispanoamérica?

Word Study

Some English words which end in *-ant* or *-ent* add an ***-e*** in the Spanish form of the word.

Examples:

presid*ent*	**presid*ente***
eleg*ant*	**eleg*ante***

Practice

Give the Spanish for each of the following words:

1. important	2. continent	3. accident
4. evident	5. instant	6. ignorant
7. client	8. decent	9. abundant

Many English words which end in *-y* change the *-y* to ***-ia*** in the Spanish form of the word.

Examples:

famil*y*	**famil*ia***
colon*y*	**colon*ia***

Practice

Give the Spanish for each of the following words:

1. ceremony	2. history	3. memory
4. victory	5. glory	6. comedy
7. tragedy	8. democracy	9. industry

Lección 27

Mi ciudad

ALICIA—BENJAMÍN

A.—**¿Vive Ud. en una ciudad grande?**	Do you live in a large city?
B.—**No, mi ciudad no es grande, pero es importante; es la capital del estado.**	No, my city is not large, but it is important; it is the capital of the state.
A.—**¿Es una ciudad hermosa?**	Is it a beautiful city?
B.—***¡Ya lo creo!*** **Tiene una plaza hermosa, *anchas* avenidas y muchos edificios modernos.**	Yes, indeed! It has a beautiful plaza, wide avenues, and many modern buildings.
A.—**¿Hay buenos hoteles en la ciudad?**	Are there good hotels in the city?
B.—**Sí, hay buenos hoteles y también restaurantes excelentes.**	Yes, there are good hotels and also excellent restaurants.
A.—**¿Tiene la ciudad tiendas grandes?**	Does the city have large stores?

B.—**Sí, hay varias tiendas grandes en la ciudad.**	Yes, there are several large stores in the city.
A.—**¿Visitan la ciudad muchos turistas?**	Do many tourists visit the city?
B.—**Sí, todos los días muchos turistas visitan la ciudad porque quieren ver los monumentos históricos.**	Yes, every day many tourists visit the city because they want to see the historic monuments.
A.—**¿Hay mucho tráfico en las calles?**	Is there a lot of traffic on the streets?
B.—***¡Por supuesto!*** **Siempre hay muchos automóviles, *tranvías* y *autobuses* en las calles.**	Of course! There are always many automobiles, streetcars, and buses on the streets.
A.—***¿Hace buen tiempo*** **en su ciudad?**	Is the weather nice in your city?
B.—**El tiempo *depende de* la *estación*. En el *verano hace mucho calor*; y naturalmente en el *invierno hace frío*.**	The weather depends on the season. In summer it is very warm; and naturally in winter it is cold.
A.—**Nosotros queremos visitar su ciudad. ¿Cuál es la *mejor* estación?**	We want to visit your city. Which is the best season?
B.—**La *primavera*, cuando *hace fresco*. Es la estación más agradable del año.**	Spring, when it is cool. It is the most pleasant season of the year.
A.—***¿Hace mal tiempo*** **en el *otoño?***	Is the weather bad in the fall?
B.—**Sí, en el otoño *hace viento* y *llueve mucho*.**	Yes, in the fall it is windy and it rains a lot.
A.—***¿Nieva*** **en el invierno?**	Does it snow in the winter?
B.—**Algunas veces nieva en el invierno, y *entonces* la ciudad es *muy bella*.**	Sometimes it snows in winter, and then the city is very beautiful.

LANGUAGE PATTERNS

A

Weather Expressions and Seasons of the Year

¿Qué tiempo *hace* hoy? How *is* the weather today?

Hace **buen tiempo.**	*It is* good weather. The weather *is* fine.
Hace **mal tiempo.**	*It is* bad weather. The weather *is* bad.
Hace **frío.**	*It is* cold.
Hace mucho **frío.**	*It is very* cold.
Hace **calor.**	*It is* warm (hot).
Hace mucho **calor.**	*It is very* warm.
Hace **viento.**	*It is* windy.
Hace **fresco.**	*It is* cool.
Llueve.	It rains.
Nieva.	It snows.

Hace is used to express *it is* with weather expressions.
Mucho, not **muy,** is used to express *very* with weather expressions.

La primavera **es una estación hermosa.**	*Spring* is a beautiful season.
En ***el verano*** **hace calor.**	*In summer* it is warm.
Hace viento en ***el otoño.***	It is windy *in autumn.*
El invierno **es mi estación favorita.**	*Winter* is my favorite season.

In Spanish the definite article **el, la** is used before names of seasons even though it may be omitted in English.

Practice

ITEM SUBSTITUTION

1. Hace buen tiempo hoy.
   ________________ esta mañana.
   ________________ en la primavera.

2. Hace mucho calor en el verano.
   ________________al mediodía.
   ________________en el sur.

3. Hace fresco esta noche.
   __________ hoy.
   __________ en el otoño.

4. Hace mal tiempo hoy.
   ______________ en el campo.
   ______________ en la ciudad.

5. Hace frío en el invierno.
   ________ en el norte.
   ________ en las montañas.

6. Llueve mucho hoy.
   ____________ en la primavera.
   ____________ en el otoño.

REPLACEMENT

En la primavera hace buen tiempo.	En la primavera hace buen tiempo.
Hoy ________________________.	Hoy hace buen tiempo.
________________________ fresco.	Hoy hace fresco.

En el otoño hace fresco .	En el otoño hace fresco.
________________ mal tiempo.	________________.
En el invierno ________________.	________________.
________________ nieva mucho.	________________.
En las montañas ________________.	________________.
________________ hace frío.	________________.
¿En qué estación ________________?	¿________________?
¿________________ mucho calor?	¿________________?
En el verano ________________.	________________.

Preguntas

1. ¿Qué tiempo hace hoy? 2. ¿En qué estación hace buen tiempo? 3. ¿En qué estación hace mucho calor? 4. ¿En qué estación nieva mucho? 5. ¿Llueve mucho en su ciudad? 6. ¿Vive Ud. en una ciudad grande? 7. ¿Es hermosa la ciudad? 8. ¿Tiene edificios modernos? 9. ¿Hay buenos hoteles y restaurantes en la ciudad? 10. ¿Hay mucho tráfico en el centro?

Original composition

1. Make at least five statements on the topic, **Mi ciudad.** Include a description of the streets, buildings, and weather.

B

Present Tense of *querer* (to want)

yo	**quiero**	nosotros	**queremos**
tú	**quieres**		
Ud. / él / ella	**quiere**	Uds. / ellos / ellas	**quieren**

Practice

NUMBER SUBSTITUTION

1. Quiero vivir en esta ciudad. — Queremos vivir en esta ciudad.
   Quiero asistir a esta escuela. — ________________.
   Quiero ir al centro en tranvía. — ________________.
   Quiero comer en un restaurante. — ________________.
   Quiero estudiar en la biblioteca. — ________________.
   Quiero ver el edificio nuevo. — ________________.

2. Mi amigo quiere trabajar en una tienda.	Mis amigos quieren trabajar en una tienda.
Ud. quiere ganar mucho dinero.	____________________.
El turista quiere visitar los monumentos.	____________________.
Mi hermana quiere ir de compras.	____________________.
El gobierno quiere ayudar a los pobres.	____________________.

RESPONSE

¿Quiere Ud. ir al cine mañana o esta noche?	Quiero ir al cine esta noche.
¿Quieren Uds. ir en tranvía o en autobús?	Queremos ir en autobús.
¿Quieres estudiar aquí o en casa?	____________________.
¿Quiere Ricardo ser médico o abogado?	____________________.
¿Quieren las muchachas trabajar en una fábrica o en una oficina?	____________________.
¿Quieren Uds. leer la revista o el periódico?	____________________.
¿Quiere Ud. vivir en el campo o en la ciudad?	____________________.
¿Quiere el profesor hablar con Juan o con Carlos?	____________________.

Versos

El tiempo es un dios anciano.	Time is an ancient god.
Tiene cuatro hijos: primavera, otoño, invierno y verano.	He has four children: spring, autumn, winter, and summer.

la primavera

el verano

el otoño

el invierno

Lección 28

La capital de un país hispanoamericano

La capital de un país hispanoamericano es la ciudad más grande y más importante de la nación. Casi siempre es una ciudad hermosa, con plazas y parques bonitos, calles y avenidas anchas, edificios públicos, residencias elegantes, iglesias antiguas[1] y una catedral.

La capital es el centro cultural y comercial del país. En la capital podemos[2] hallar[3] las mejores escuelas, la universidad, los museos principales y el banco nacional. Los monumentos más importantes también están en la capital. Por (*Through*) la capital pasan las carreteras principales del país.

La capital es el centro de la vida social. En la capital están los mejores hoteles y restaurantes. Los habitantes pueden[4] ver las mejores películas, y en los teatros[5] pueden oír (*to hear*) a los mejores artistas del mundo.[6]

En la capital notamos todos los contrastes de la vida del país. En las

1. **antiguo (-a),** old 2. **podemos,** we can 3. **hallar,** to find 4. **pueden,** (they) can 5. **el teatro,** theater 6. **el mundo,** world

calles podemos ver a la dama[1] elegante y al señor bien vestido (*dressed*). También podemos ver al indio pobre con el traje (*costume*) pintoresco (*picturesque*) de su región.

Cada día llegan[2] a la capital políticos (*politicians*), comerciantes y otros habitantes del país. Llegan en avión,[3] en automóvil, en tren o en autobús. Unos van a caballo[4] y muchos a pie.[5] Todos tienen la ambición de visitar la capital, porque es el corazón[6] del país.

1. **la dama,** lady 2. **llegar,** to arrive 3. **en avión,** by plane 4. **a caballo,** on horseback 5. **a pie,** on foot 6. **el corazón,** heart

Preguntas

1. ¿Cuál es la capital de los Estados Unidos? 2. ¿Es la ciudad más grande del país? 3. ¿Es una ciudad hermosa? 4. ¿Tiene la capital muchos edificios públicos? 5. ¿Hay monumentos importantes en la capital? 6. ¿Pasan por la capital las carreteras principales del país? 7. ¿Es la capital el centro de la vida social? 8. ¿Visitan la capital muchos turistas? ¿políticos? ¿comerciantes? 9. ¿Cómo llegan a la capital? ¿en automóvil? ¿en tren? ¿en avión? ¿en autobús? 10. ¿Es la capital el corazón del país?

Original Composition

1. Make at least five statements in Spanish on **La capital de mi estado.**

LANGUAGE PATTERNS

Present Tense of *poder* (to be able, can)

yo	**puedo**	nosotros	**podemos**
tú	**puedes**		
Ud. / él / ella	**puede**	Uds. / ellos / ellas	**pueden**

Practice

ITEM SUBSTITUTION

1. Yo no puedo ir al cine.
   ______ al teatro.
   ______ al baile.
   ______ a la fiesta.

2. Tú no puedes hallar tu pluma.
   ______ escribir tu lección.
   ______ ver la pizarra.
   ______ hablar con Tomás.

3. Podemos ver iglesias antiguas.
——— edificios altos.
——— mucho tráfico.
——— parques bonitos.

4. ¿Puede Ud. llegar temprano?
¿——— abrir las ventanas?
¿——— ayudar al profesor?
¿——— pasar los papeles?

5. Los habitantes pueden llegar en avión.
——— llegar a pie.
——— llegar a caballo.
——— llegar en autobús.

PERSON-NUMBER SUBSTITUTION

El señor puede ir a México en avión.
La familia ———.
Tú———.
Nosotros ———.
Uds. ———.

El señor puede ir a España en avión.
Yo———.
El turista ———.
Mis padres ———.
Tú y yo ———.

RESPONSE

¿Puede Ud. llegar temprano?	No, no puedo llegar temprano.
¿Pueden Uds. ver la pizarra?	———.
¿Pueden los muchachos hallar el libro?	———.
¿Puedo yo entrar en la oficina?	———.
¿Pueden Uds. trabajar aquí?	———.
¿Puede Alicia ir al baile?	———.

Lección 29

¿Qué vestido llevas al baile?

ALICIA—DOLORES

A.—¿Vas al baile el sábado, Dolores?	Are you going to the dance on Saturday, Dolores?
D.—Sí, voy con Enrique.	Yes, I am going with Henry.
A.—¿Qué vestido vas a *llevar* al baile?	What dress are you going to wear to the dance?
D.—Mi vestido nuevo y mi *abrigo* rojo.	My new dress and my red coat.
A.—¿No llevas *sombrero*?	Aren't you wearing a hat?
D.—Sí, voy a llevar un pequeño sombrero negro.	Yes, I am going to wear a small black hat.
A.—Yo *necesito* una *bolsa* nueva.	I need a new purse.
D.—Yo tengo una bolsa bonita. ¿Quieres usar mi bolsa?	I have a pretty purse. Do you want to use my purse?
A.—Gracias, eres muy *amable*.	Thank you, you are very kind.
D.—Y tú, ¿qué vestido vas a llevar al baile?	And what dress are you going to wear to the dance?
A.—Voy a llevar una *blusa* de *seda* y una *falda* azul.	I am going to wear a silk blouse and a blue skirt.
D.—Esta tarde voy al centro. Tengo que comprar unas *medias* y un *par* de *zapatos*.	This afternoon I am going downtown. I have to buy some stockings and a pair of shoes.
A.—Yo también tengo que ir al centro. Necesito comprar un par de *guantes*.	I also have to go downtown. I need to buy a pair of gloves.
D.—Hay guantes muy finos en la tienda París.	There are very fine gloves at the Paris Shop.
A.—¿Hay también medias y zapatos?	Are there also stockings and shoes?
D.—Sí.	Yes.
A.—Pues bien, vamos a la tienda París.	Well then, let's go to the Paris Shop.

¿Sí o No?

1. Todas las muchachas son amables. 2. Todas las muchachas llevan abrigo cuando hace calor. 3. Todas las muchachas llevan bolsa a la escuela. 4. Algunas muchachas no usan medias. 5. Todas las muchachas tienen un par de guantes. 6. Algunas muchachas llevan blusa y falda a la escuela. 7. Las muchachas siempre llevan vestido de seda a los bailes. 8. Las muchachas siempre necesitan ir de compras.

*En una tienda de ropa**

DEPENDIENTE (CLERK)—PABLO

D.—**Buenas tardes, señor.**	Good afternoon, sir.
P.—**Buenas tardes.**	Good afternoon.
D.—***¿En qué puedo servirle?***	What can I do for you?
P.—**Deseo comprar un *traje*.**	I want to buy a suit.
D.—**Con mucho gusto, señor. Tenemos muy buenos trajes. *¿Le gusta* este traje azul?**	Gladly, sir. We have very good suits. Do you like this blue suit?
P.—**Sí, *me gusta* mucho. *¿Cuánto vale* el traje?**	Yes, I like it very much. How much is the suit?
D.—**Cincuenta dólares.**	Fifty dollars.
P.—**Es muy *caro*. Prefiero un traje más *barato*.**	It is very expensive (dear). I prefer a cheaper suit.
D.—**¿Le gusta este traje gris? Vale cuarenta dólares.**	Do you like this gray suit? It is forty dollars.
P.—**Sí, *ese* traje me gusta mucho.**	Yes, I like that suit very much.
D.—**¿Qué más necesita Ud.?**	What else do you need?
P.—**Necesito también una *corbata* y dos *camisas* blancas.**	I also need a tie and two white shirts.
D.—***Aquí tiene Ud.* una bonita corbata roja. ¿Le gusta?**	Here is a pretty red tie. Do you like it?
P.—**Sí, esa corbata me gusta mucho.**	Yes, I like that tie very much.
D.—**Estas camisas blancas son muy buenas y no son caras.**	These white shirts are very good and they are not expensive.
P.—**Sí, me gustan.**	Yes, I like them.

***una tienda de ropa,** a clothing store

D.—**¿Desea Ud. algo más?**	Do you wish anything more?
P.—**Necesito un par de zapatos.**	I need a pair of shoes.
D.—***Lo siento mucho,* no *vendemos* zapatos. ¿No necesita Ud. *calcetines?***	I am very sorry, we do not sell shoes. Don't you need socks?
P.—**Sí, señor, necesito dos pares de calcetines.**	Yes, sir, I need two pairs of socks.
D.—**¿Le gustan estos calcetines verdes?**	Do you like these green socks?
P.—**Prefiero *esos* calcetines azules.**	I prefer those blue socks.
D.—**Muy bien. ¿Algo más, señor?**	Very well. Anything else, sir?
P.—**No, gracias. Es todo.**	No, thanks. That is all.
D.—**Está bien, señor.**	All right, sir.

Additional Words

los pantalones, trousers
la cartera, wallet
el saco, coat (of suit)
el pañuelo, handkerchief
el cinturón, belt

Preguntas

1. ¿Tiene Ud. un traje nuevo? ¿De qué color es? 2. ¿Compra Ud. buenos zapatos? ¿Son caros? 3. ¿Lleva Ud. camisa blanca hoy? 4. ¿De qué color son sus pantalones? 5. ¿Usa Ud. corbata en la escuela? 6. ¿Prefiere Ud. un suéter o un saco sport? 7. ¿Tiene Ud. una cartera? ¿Hay mucho dinero en la cartera? 8. ¿Necesita Ud. un cinturón nuevo?

LANGUAGE PATTERNS

A

How to Express *I like* and *Do you like?* in Spanish

***Me gusta* el sombrero.**	*I like* the hat.
***Me gustan* los sombreros.**	*I like* the hats.
***No me gusta* estudiar.**	*I do not like* to study
***¿Le gusta* la corbata?**	*Do you like* the tie?
***¿Le gustan* las corbatas?**	*Do you like* the ties?

Note that "I like" is expressed by **me gusta** or **me gustan**; "you like" by **le gusta** or **le gustan, te gusta** or **te gustan** (fam.). **Gusta** is used when the thing liked is singular; **gustan** is used when the thing liked is plural.

Practice

ITEM SUBSTITUTION

1. Me gusta la corbata.
   ——— el traje.
   ——— la blusa.
   ——— el vestido.

2. Me gustan los sombreros grandes.
   ——— las camisas blancas.
   ——— las faldas anchas.
   ——— las muchachas.

3. ¿Le gusta mi vestido nuevo?
   ¿——— mi corbata roja?
   ¿——— mi bolsa azul?
   ¿——— mi abrigo nuevo?

4. ¿Le gustan estos zapatos?
   ¿——— estas medias?
   ¿——— mis guantes?
   ¿——— estas flores?

5. No me gusta ir de compras.
   ——— llevar medias.
   ——— comprar regalos.

6. ¿Le gusta leer libros?
   ¿——— escribir cartas?
   ¿——— hablar por teléfono?

TRANSLATION

1. I don't like restaurants. — No me gustan los restaurantes.
   I don't like purses. ———.
   I don't like street cars. ———.
   I don't like hats. ———.

2. Do you like movies? ———.
   Do you like buses? ———.
   Do you like flowers? ———.
   Do you like dogs? ———.

3. I like to read. ———.
   I like to travel. ———.
   I don't like to work. ———.
   I don't like to study. ———.

4. Do you like my dress? ———.
   Do you like my hat? ———.
   Don't you like this book? ———.
   Don't you like this chair? ———.

B

How to Express *That* and *Those* in Spanish

***ese* libro**	*that* book	***esos* libros**	*those* books
***esa* ventana**	*that* window	***esas* ventanas**	*those* windows

Practice

ITEM SUBSTITUTION

1. Quiero comprar ese traje.
   ________________ sombrero.
   ________________ abrigo.

2. ¿Por qué llevas esos zapatos?
   ¿________________ pantalones?
   ¿________________ calcetines?

3. Esa bolsa es de Carlota.
   ___ pluma ________.
   ___ silla ________.

4. Esas medias son muy baratas.
   ___ blusas ________.
   ___ faldas ________.

NUMBER SUBSTITUTION

Ese señor es simpático.	Esos señores son simpáticos.
Esas muchachas son de México.	Esa muchacha es de México.
Esos libros son interesantes.	________________.
Esa señora es muy amable.	________________.
Ese vestido es muy caro.	________________.
Esos sombreros son bonitos.	________________.

TRANSFORMATION

No me gustan estos libros.	Prefiero esos libros.
No me gusta este asiento.	________________.
No me gusta esta revista.	________________.
No me gustan estas blusas.	________________.
No me gusta este traje.	________________.
No me gustan estos zapatos.	________________.

ORIGINAL DIALOGUE

Teresa enters a shop and approaches a saleswoman (**una dependienta**). The clerk greets Teresa and asks what she can do for her.

D. ____.

Teresa says she wants to buy a purse.

T. ____.

The saleswoman shows her a purse and asks if she likes this purse.

D. ____.

Teresa says she likes the purse very much and asks the price.

T. ____.

The clerk says it costs ten dollars.

D. ____.

Teresa exclaims that it's very expensive, and says she prefers a cheaper purse. She points to another purse and asks how much that purse is.

T. ____.

The saleswoman says it's only five dollars.

D. ____.

Teresa says she likes it, and gives her the money.

T. ____.

The saleswoman thanks her.

D. ____.

Pease from Monkmeyer

Toluca, one of Mexico's best-known and busiest outdoor markets

Vendors rent stalls in the modernized Juárez Market, Mexico City

Wide World Photo

Lección 30

¿Qué ropa usan los hispanoamericanos?

Los hispanoamericanos que viven en las ciudades usan generalmente ropa de estilo moderno como nosotros en los Estados Unidos. Los hombres[1] llevan traje, camisa, corbata y sombrero. Las mujeres[2] llevan ropa de última moda (*latest fashion*). Muchas mujeres hacen[3] sus vestidos. La ropa en Hispanoamérica es cara.

Los indios en algunos países llevan sus trajes (*costumes*) regionales. En las regiones tropicales, donde hace calor, los hombres llevan pantalones blancos y camisa blanca. Usan huaraches* o van sin zapatos, pero siempre llevan un sombrero grande. Cada indio tiene su sarape*. Las mujeres generalmente llevan falda muy ancha y blusa de muchos colores. En la cabeza[4] llevan un rebozo*.

En las montañas, donde hace frío, los indios usan ropa de lana.[5] La mujer india tiene que tejer (*to weave*) y hacer a (*by*) mano[6] toda la ropa de su familia. Los indios de los Andes llevan ropa muy pintoresca.

Casi todos los países hispanoamericanos tienen sus trajes nacionales. Algunos son elegantes y están bordados (*embroidered*) en vivos (*bright*) colores. Muchas personas usan estos trajes en los días de fiesta.[7]

1. **el hombre,** man 2. **la mujer,** woman 3. **hacer,** to make, do 4. **la cabeza,** head 5. **la lana,** wool 6. **la mano,** hand 7. **el día de fiesta,** holiday

***huaraches,** leather sandals; **sarape,** a blanket worn by men; **rebozo,** a shawl

¿Sí o No?

1. Las personas que viven en las ciudades hispanoamericanas generalmente usan ropa pintoresca. 2. La ropa es muy barata en Hispanoamérica. 3. Cada mujer hace sus vestidos a mano. 4. En las regiones tropicales los indios usan zapatos. 5. Los hombres llevan un sarape en la cabeza. 6. En las montañas, donde hace frío, los indios usan ropa de lana. 7. Muchas personas usan el traje nacional todos los días. 8. Algunos trajes nacionales son muy caros.

LANGUAGE PATTERNS

Present Tense of *hacer* (to make, do)

yo	**hago**	nosotros	**hacemos**
tú	**haces**		
Ud. / él / ella	**hace**	Uds. / ellos / ellas	**hacen**

Note that the present tense of the verb **hacer** is formed like other regular verbs ending in **-er** except for the **yo** form (**hago**).

Practice

ITEM SUBSTITUTION

1. Yo hago mi ropa a mano.
   ——— mis faldas ——.
   ——— el trabajo ——.
   ——— mis vestidos —.

2. ¿Por qué no haces tu vestido?
   ¿——————— tu lección?
   ¿——————— el trabajo?
   ¿——————— los ejercicios?

3. Pablo y yo hacemos la lección.
   ——————— los ejercicios.
   ——————— el trabajo.
   ——————— los muebles.

4. Las mujeres hacen la ropa.
   ——————— los trajes.
   ——————— el trabajo.
   ——————— los vestidos.

5. El hombre hace los zapatos que vende.
   ——————— los huaraches ———————.
   ——————— las sillas ———————.
   ——————— los muebles ———————.

PERSON-NUMBER SUBSTITUTION

1. Ud. no hace nada por la tarde.
   Nosotros ——————.
   Tú ——————.
   Los muchachos ——————.

2. Tú y Carlos hacen todo el trabajo.
   Yo ——————.
   Arturo ——————.
   Mi hermano y yo ——————.

Preguntas

1. ¿Hace Ud. sus vestidos a mano? 2. ¿Usa Ud. ropa de lana cuando hace frío? 3. ¿Lleva Ud. huaraches en el verano? 4. ¿Qué hacen Uds. en esta clase? 5. ¿Hace Ud. mucho trabajo en casa? 6. ¿Quién hace la comida en su casa? 7. ¿Qué hacen Uds. los domingos? 8. ¿Le gustan los sombreros que llevan las mujeres este año?

Lección 31

El cumpleaños

JORGE—PABLO—DIEGO—ALICIA

J.—*¿Cuál es la fecha de hoy?*	What is the date today?
P.—**Es el primero de marzo.**	It is March 1.
J.—**¿Quieres ir al centro** ***conmigo*** **esta tarde?**	Do you want to go downtown with me this afternoon?
P.—**Lo siento mucho; hoy** ***estoy ocupado.***	I am very sorry; today I am busy.
J.—**Tengo que comprar un regalo para Diego. Su** ***cumpleaños*** **es el tres de marzo.**	I have to buy a gift for James. His birthday is March 3.
P.—**¿Van a celebrar su cumpleaños con una fiesta?**	Are they going to celebrate his birthday with a party?
J.—**Creo que hay una fiesta en su casa el sábado.**	I believe that there is a party in his house on Saturday.
P.—**¿Recibe Diego muchos regalos el día de su cumpleaños?**	Does James receive many gifts on his birthday?
J.—**Sí, siempre recibe muchos regalos de su familia y de sus amigos.**	Yes, he always receives many gifts from his family and from his friends.

En la fiesta

J.—**Buenas noches, Diego.**	Good evening, James.
D.—**Buenas noches, Jorge. Pase Ud.**	Good evening, George. Come in.
J.—*Feliz cumpleaños.*	Happy birthday.
D.—**Muchas gracias. Ud. es muy amable. Venga Ud. conmigo.** ***Quiero presentarle*** **a varios amigos.**	Thank you very much. You are very kind. Come with me. I want to introduce several friends to you.
J.—**¿Quién es la muchacha que está cerca de la ventana?**	Who is the girl (that is) near the window?

D.—**Es Alicia, una amiga de mi hermana.** (*A Alicia*) **Alicia, quiero presentarle a mi amigo Jorge.**
It's Alice, a friend of my sister's. (*To Alice*) Alice, I want to introduce my friend George to you.

J.—***Mucho gusto.***
Very glad to meet you.

A.—***El gusto es mío.***
The pleasure is mine.

J.—**¿Quiere Ud. *bailar*?**
Do you want to dance?

A.—**No, gracias. Estoy muy *cansada*.**
No, thanks. I am very tired.

J.—**Creo que sirven *refrescos* en el comedor. ¿Quiere Ud. *tomar algo*?**
I believe that they are serving refreshments in the dining room. Do you care to have something?

A.—**Con mucho gusto.**
Gladly.

¿Sí o No?

1. Pablo no puede ir al centro porque está cansado. 2. Jorge va a comprar un regalo para su amigo. 3. Hay una fiesta en casa de Diego. 4. Van a celebrar el cumpleaños de su hermana. 5. Jorge asiste a la fiesta. 6. Su amigo quiere presentarle a una muchacha. 7. Alicia no quiere bailar porque está ocupada. 8. Alicia no quiere tomar refrescos.

Preguntas

1. ¿Va Ud. de compras hoy? 2. ¿Está Ud. ocupado (-a)? 3. ¿Está Ud. cansado (-a)? 4. ¿Tiene Ud. que ir al centro? 5. ¿Compra Ud. regalos para sus amigos? 6. ¿Hay una fiesta en su casa el día de su cumpleaños? 7. ¿Recibe Ud. muchos regalos de sus amigos? 8. ¿Sirve Ud. refrescos? (Sirvo, *I serve*). 9. ¿Quiere Ud. tomar refrescos? 10. ¿Le gusta bailar?

LANGUAGE PATTERNS

A

Present Tense of *estar* (to be)

yo	**estoy**	nosotros	**estamos**
tú	**estás**		
Ud. / él / ella	**está**	Uds. / ellos / ellas	**están**

Note the accent mark on all forms of **estar** except **estoy** and **estamos.**

Pan American Union

The Pan American Building in Washington, D.C.

Practice

PERSON-NUMBER SUBSTITUTION

1. José no está en casa los sábados.
   Uds. ______________.
   Yo ______________.
   Nosotros ______________.

2. Mis padres siempre están aquí.
   Tú ______________.
   Guillermo y Ud. ______________.
   Mi hermano y yo ______________.

B

Some Uses of *Estar*

1. ***¿Dónde está*** **Felipe?**	*Where is* Philip?
2. ***Está en*** **la escuela.**	He *is in* school.
3. ***¿Cómo está*** **Ud.?**	*How are* you?
4. **Pedro** ***está enfermo.***	Peter *is ill.*
5. **Dolores** ***está cansada.***	Dolores *is tired.*
6. **El profesor** ***está ocupado.***	The teacher *is busy.*
7. **La muchacha** ***está contenta.***	The girl *is happy.*

In Spanish there are two verbs which mean "to be," **ser** and **estar.** The verb **estar** is used in sentences which tell where someone or something is (see 1 and 2).

The verb **estar** is used with adjectives which describe how someone feels (see 3, 4, 5).
The verb **estar** is used with adjectives which describe a condition which may change from time to time (see 6, 7).

The verb **ser** is used in most other cases.

Practice

ITEM SUBSTITUTION

1. Yo soy de Costa Rica; estoy aquí por un mes de vacaciones.
   ——— México; ————————.
   ——— Arizona; ————————.
   ——— Colorado; ————————.

2. Carlos y yo somos buenos amigos y estamos muy contentos.
   Nosotros ————————.
   Pepe y yo ————————.
   Guillermo y yo ————————.

3. ¿Quién es la muchacha que está en la oficina todos los lunes?
   ¿——— el señor ————————?
   ¿——— el alumno ————————?
   ¿——— la mujer ————————?

4. Creo que Uds. no son perezosos; creo que están cansados.
   Creo que esos muchachos ——; ————.
   Creo que mis amigos ———; ————.
   Creo que sus hermanos ———; ————.

NUMBER SUBSTITUTION

El niño está enfermo.	Los niños están enfermos.
Ud. es amable.	————————.
Yo estoy presente.	————————.
Mi hermano está cansado.	————————.
Ese traje es nuevo.	————————.
Yo soy rubio.	————————.
¿Está Ud. ocupado?	¿————————?
¿Dónde está el profesor?	¿————————?
Su tío es rico.	————————.
Yo estoy cansado.	————————.

Completion

Guillermo está en mi clase de inglés. Guillermo es simpático.

Yo estoy en casa. __________ perezoso.

Los refrescos son buenos. __________ en la mesa.

Estamos en la fiesta. __________ contentos.

Esas muchachas son bonitas. __________ de México.

Dolores es mi hermana. __________ enferma.

Este perro es de Enrique. ______ muy inteligente.

Nuestro automóvil está en la calle Olmedo. __________ nuevo.

Translation

Patricia has invited Richard, the new student in school, to her brother John's birthday party. Richard arrives at the house and Pat opens the door.

P.—Good evening, Ricardo. How are you?

__________________________. ¿__________?

R.—Fine thank you, and you?

__________________________. ¿__________?

P.—I'm fine, thanks. Come in. Everybody (*Todos*) is in the patio. Let's go to the patio.

____.

R.—Be glad to.

____.

P.—Carlota, I want to introduce my friend Ricardo.

____.

C.—Very happy to know you.

____.

R.—The pleasure is mine.

____.

P.—Ricardo is from California. He's in my Spanish class.

____.

C.—How do you like our school?

—¿____?

R.—I like it very much. I'm happy with my classes. All the teachers are very nice.

____.

P.—Here's my brother John.

____.

R.—Glad to know you. Happy birthday.

____.

J.—Thank you very much.

____.

C

How to Express Dates in Spanish—Months of the Year

¿Cuál es la fecha de hoy?	What is the date today?
Es el primero de marzo.	It is the first of March. (It is March 1.)
Es el dos (**tres,** etc.) **de marzo.**	It is the second (third, etc.) of March. (It is March 2, 3, etc.)

In expressing dates in Spanish the day of the month is given first, followed by the month.

Primero is used for "first"; **dos, tres, cuatro,** etc. is used for "second," "third," "fourth," etc.

Another expression commonly used for asking the date is: **¿A cuántos estamos hoy?** The answer would then be: **Estamos a primero** (**dos, tres,** etc.) **de marzo.**

enero, January	**mayo,** May	**septiembre,** September
febrero, February	**junio,** June	**octubre,** October
marzo, March	**julio,** July	**noviembre,** November
abril, April	**agosto,** August	**diciembre,** December

Note that the months of the year in Spanish are not capitalized.

Practice

COMPLETION

Los meses del verano son junio, julio y ______________.
Los meses del otoño son septiembre, octubre y ______________.
Los meses del invierno son diciembre, enero y ______________.
Los meses de la primavera son marzo, abril y ______________.
Los meses de escuela son septiembre, octubre, ______________.

TRANSLATION

It's the first of February.	Es el primero de febrero.
It's the seventh of November.	______________.
It's the fifth of May.	______________.
It's August the second.	______________.
It's April the twentieth.	______________.
It's the first of January.	______________.

It's the eleventh of December. ________________.
It's the thirty-first of July. ________________.
It's March the twenty-third. ________________.
It's the tenth of October. ________________.

Preguntas

1. ¿Cuál es la fecha de hoy? 2. ¿Cuál es el día de su cumpleaños? 3. ¿Cuál es el día de nuestra independencia? 4. ¿Qué día celebramos el Año Nuevo? 5. ¿Qué día celebramos el cumpleaños de Jorge Washington? 6. ¿Cuál es el día de la Navidad (*Christmas*)? 7. ¿Cuándo celebramos el Día de la Raza (*Columbus Day*)?

Adivinanza

¿En qué mes hablan menos las mujeres?

(febrero)

Chiste

Madre: **El día de tu cumpleaños voy a comprarte** (*buy you*) **una torta con siete velitas** (*little candles*).
Niño: **Prefiero siete tortas con una velita.**

Chiapanecas

Emilio De Torre | M.V. De Campo

Un cla - vel cor - té. _ Por la sie - rra fuí _

ca - mi - ni - to de _ mi ran - cho. _

Co - mo el vien - to fué mi ca - ba - llo fiel

a lle - var - me has - ta tu la - do.

Lin - da flor de a - bril, to - ma est - te cla - vel _

que te brin-do con_ pa - sión._
No me di - gas no,_ que en tu bo-ca es-tá_
(clap, clap)
el se-cre-to de_ mi a-mor.
(clap, clap)
Cuan-do la no-che lle - gó,
(clap, clap)
y con su man-to de a-zul
(clap, clap)
el blan-co ran-cho cu-brió,
(clap, clap)
a- le-gre el bai-le em-pe-zó.

Bai - la mi chia-pa-ne-ca.
Bai - la, bai-la con gar-bo.
Bai-la, sua-ve ra - yo de luz (de luz).
Bai - la, mi chia-pa-ne-ca.
Bai - la, bai-la con gar-bo,
que en el bai-le rei - na e-res
(clap, clap)
tú, chia-pa-ne-ca gen-til.

Chiapanecas

Ladies of Chiapas*

(This popular song is known as the "Mexican Clap Hands Song.")

Un clavel corté.	I cut a carnation.
Por la sierra fuí	Over the mountain I went
caminito de mi rancho.	on a path from my ranch.
Como el viento fué	Like the wind went
mi caballo fiel	my faithful horse
a llevarme hasta tu lado.	to take me to your side.
Linda flor de abril,	Pretty April flower,
toma este clavel	take this carnation
que te brindo con pasión.	which I offer you with deep affection.
No me digas no,	Do not say no to me,
que en tu boca está	for on your lips is
el secreto de mi amor.	the secret of my love.
Cuando la noche llegó,	When night arrived,
y con su manto de azul	and with its mantle of blue
el blanco rancho cubrió,	covered the white ranch,
alegre el baile empezó.	merrily the dance began.
Baila, mi chiapaneca.	Dance, my lady of Chiapas.
Baila, baila con garbo.	Dance, dance gracefully.
Baila, suave rayo de luz.	Dance, gentle ray of light.
Baila, mi chiapaneca.	Dance, my lady of Chiapas.
Baila, baila con garbo,	Dance, dance gracefully,
que en el baile	for in the dance
reina eres tú,	you are queen,
chiapaneca gentil.	exquisite lady of Chiapas.

***Chiapas,** a state in Mexico.

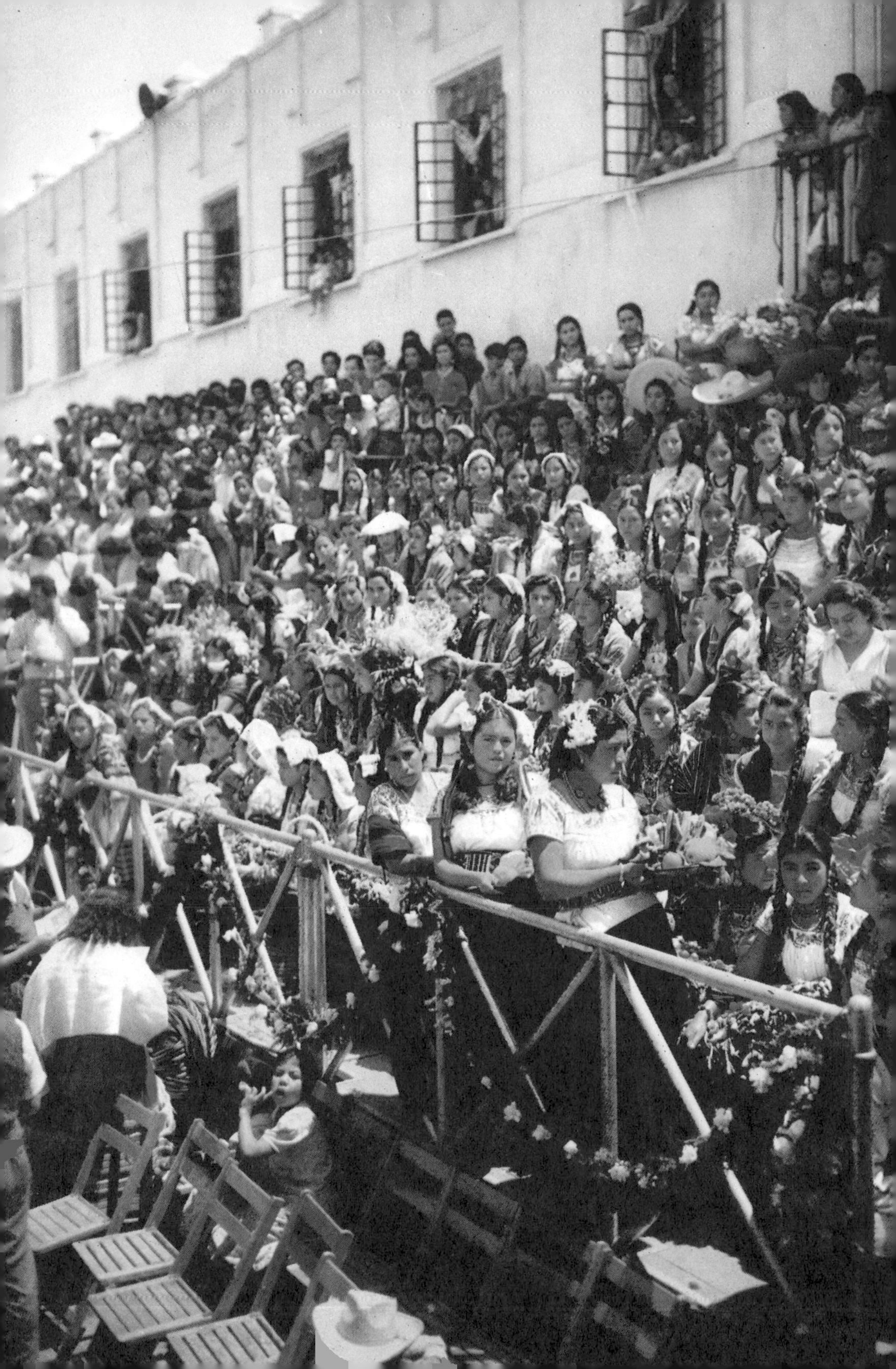

Lección 32

Las fiestas en Hispanoamérica

Los hispanoamericanos celebran muchas fiestas durante el año. Algunas son fiestas nacionales. Cada país celebra el día de la independencia y otros días en honor de sus héroes nacionales. En estos días se ven (*are seen*) muchas banderas en los edificios públicos. Hay desfiles (*parades*) por las calles principales, y las bandas tocan[1] música militar. Siempre hay muchas ceremonias públicas. El presidente y otras personas importantes del país pronuncian discursos (*make speeches*) patrióticos. Por la noche muchos van a la plaza. Todo el mundo[2] está alegre.[3] Por todas partes[4] hay música popular, bailes tradicionales y fuegos artificiales (*fireworks*) hasta[5] la medianoche.

Los hispanoamericanos celebran también muchas fiestas religiosas. Durante estos días hay procesiones religiosas en las calles. La gente[6] asiste a la iglesia y después[7] hay reuniones (*gatherings*) en las casas.

1. **tocar,** to play 2. **todo el mundo,** everybody, everyone 3. **alegre,** happy 4. **por todas partes,** everywhere 5. **hasta,** until, to 6. **la gente,** people 7. **después,** afterwards

La Navidad[1] es una fiesta tan importante para los hispanoamericanos como para nosotros. En las casas hay nacimientos* hechos (*made*) de figuras pequeñas que representan a la Sagrada (*holy*) Familia, los tres Reyes Magos (*Wise Men*), pastores (*shepherds*) y varios animales domésticos. Muy pocas familias tienen árbol de Navidad. Los niños reciben sus regalos el seis de enero,* el Día de los Reyes Magos.

En México se celebran las posadas* desde[2] el diez y seis de diciembre hasta la Nochebuena (*Christmas Eve*). Durante estas nueve noches, grupos de amigos se reúnen (*get together*), forman una procesión y andan[3] por las calles. Van cantando (*singing*) de casa en casa (*from house to house*) pidiendo posada (*asking for lodging*). Por fin (*Finally*) entran en una casa donde se sirven pasteles,[4] dulces[5] y otros refrescos. Allí cantan, bailan y a cierta (*certain*) hora los niños rompen (*break*) la piñata*.

1. **La Navidad,** Christmas 2. **desde,** from, since 3. **andar,** to walk, go 4. **el pastel,** cake 5. **los dulces,** candy

*A **nacimiento** is a miniature scene of the manger in Bethlehem where Christ was born. In some homes the **nacimientos** are very elaborate; in others they are quite simple, containing only the most essential figures.

El seis de enero (January 6) is the day the Three Wise Men brought gifts to the Christ Child. Spanish-speaking children leave their shoes on the balconies or outside their doors so that the Three Wise Men may fill them with gifts as they pass on their way to Bethlehem. The children often leave some straw for the camels of the Three Wise Men.

Posada means lodging. The Christmas celebrations, which last nine days, are called posadas because they commemorate the search of Mary and Joseph for lodging on their journey to Bethlehem. Traditional songs are sung.

Piñata is a clay jug beautifully decorated with crepe paper and made in the form of a flower, animal, boat, or some other object. The jug is filled with candy, nuts, and toys, and is suspended by a rope from the ceiling or balcony. One child at a time is blindfolded and is given a stick with which he tries to break the **piñata.** As he swings at the **piñata,** someone jerks it out of reach. Other children take their turns. Finally someone succeeds in breaking the jug, and there is a mad scramble for the candy, nuts, and toys which come tumbling down and scatter all over the floor.

Choose the word in parentheses which best completes the sentence.

1. Los hispanoamericanos celebran muchas fiestas durante el (día, año). 2. Durante las fiestas nacionales se ven (*are seen*) muchas (ceremonias, banderas) en los edificios públicos. 3. Las bandas (tocan, llevan) música popular. 4. Todo el mundo está (cansado, alegre). 5. Por todas partes hay música y bailes hasta (el mediodía, la medianoche). 6. Durante las fiestas religiosas la gente asiste a las (iglesias, ciudades). 7. (La Navidad, La piñata) es una fiesta importante para los hispanoamericanos. 8. Los niños reciben sus (regalos, refrescos) el seis de enero. 9. En México se celebran (las

posadas, el cumpleaños) desde el diez y seis de diciembre hasta la Nochebuena (*Christmas Eve*). 10. Grupos de amigos forman una procesión y (andan, bailan) por las calles.

Preguntas

1. ¿Celebran los norteamericanos muchas fiestas durante el año? 2. ¿Cuándo celebramos el día de nuestra independencia? 3. ¿Quién es un héroe nacional de los Estados Unidos? 4. ¿Hay muchas banderas en los edificios públicos durante un día de fiesta nacional? 5. ¿Tocan bandas militares? 6. ¿Hay desfiles (*parades*) por las calles? 7. ¿Está alegre todo el mundo? 8. ¿Es la Navidad una fiesta importante para nosotros? 9. ¿Tiene su familia un árbol de Navidad? 10. ¿Cuándo recibimos nuestros regalos de Navidad?

LANGUAGE PATTERNS

Personal Pronouns Used after Prepositions

para ***mí***, for *me*	para ***nosotros*** (-as), for *us*
para ***ti***, for *you* (fam.)	
para ***Ud.***, for *you*	para ***Uds.***, for *you* (pl.)
para ***él***, for *him*	para ***ellos***, for *them* (m.)
para ***ella***, for *her*	para ***ellas***, for *them* (f.)

Personal pronouns used after prepositions are the same as the subject pronouns except for **mí** and **ti.** Common prepositions are:

para, for	**sin,** without	**enfrente de,** in front of, facing
con, with	**en,** in, on	**delante de,** in front of, ahead of
a, to, at	**cerca de,** near	**detrás de,** behind
de, of, from	**lejos de,** far from	**debajo de,** under

Con combines with **mí** and **ti** to become **conmigo** (with me) and **contigo** (with you).
De never contracts with the personal pronoun **él.**

Practice

ITEM SUBSTITUTION

1. Elena vive cerca de mí.
   Tomás—————————.

2. Elena va a la escuela conmigo.
   Tomás—————————.

3. Este libro es para ti.
Este dinero ———.

4. El profesor quiere hablar contigo.
El señor ——————————.

5. No puedo trabajar sin Ud.
No puedo estudiar ———.

6. Julia recibe cartas de él.
Catalina ————————.

7. Mi asiento está delante de ella.
Su amiga ——————————.

8. ¿Quién está detrás de Uds.?
¿Quiénes están ————?

9. Vamos al baile sin ellas.
Vamos al cine ———.

10. La pizarra está enfrente de ellos.
El mapa está enfrente ————.

Number substitution

Alberto va al cine sin ellos.	Alberto va al cine sin él.
Juan vive lejos de mí.	Juan vive lejos de nosotros.
La mesa está detrás de ellas.	————————.
Estos libros son para ti.	————————.
Luisa estudia conmigo.	————————.
Voy a celebrar la fiesta con Uds.	————————.
Elena no quiere ir sin nosotros.	————————.

Response

¿Recibe Ud. cartas de sus amigas?	No, no recibo cartas de ellas.
¿Vive Ud. lejos de su primo?	No, no vivo lejos de él.
¿Van Uds. al baile con Pedro y Antonio?	————————.
¿Quieren ir las muchachas sin Uds.?	————————.
¿Estudia Ud. con Marta?	————————.
¿Va Juan a casa con Ud.?	————————.
¿Habla Ud. mucho de sus padres?	————————.
¿Son los libros para ti?	————————.

Word Study

Many words ending in *-ce* in English end in ***-cia*** in Spanish.

Examples:

independen*ce*	**independen*cia***
residen*ce*	**residen*cia***

Practice

Give the Spanish for each of the following words:

1. reference
2. conference
3. influence
4. notice
5. justice
6. distance
7. importance
8. violence
9. presence

A few words ending in *-ce* in English end in ***-cio*** in Spanish.

Examples:

pala*ce*	**pala*cio***
commer*ce*	**comer*cio***

Practice

Give the Spanish for each of the following words:

1. silence
2. sacrifice
3. vice
4. service
5. novice
6. precipice

TEST YOUR PROGRESS IV

(LECCIONES 25–32)

¿Sí o No?

1. Las muchachas rubias tienen los ojos cafés. 2. Un abogado trabaja en una fábrica. 3. Una avenida es una calle ancha. 4. Siempre llueve mucho en el invierno. 5. Los alumnos van a la escuela en tranvía. 6. La capital de un país es el corazón de la nación. 7. Estamos cansados a las tres de la tarde. 8. Llevamos nuestro dinero en una cartera. 9. Todo el mundo está alegre en esta escuela. 10. Hay tres meses en cada estación del año. 11. Todos los niños comen muchos dulces. 12. Todas las muchachas hacen sus vestidos a mano. 13. Todos los muchachos bailan bien.

VOCABULARY (CHANGE THE SENTENCES TO POSITIVE STATEMENTS, REPLACING THE WORD INDICATED WITH ITS OPPOSITE.)

Pablo Domínguez no es mi primo **menor.**	Pablo Domínguez es mi primo mayor.
El traje no es **caro.**	____________________.
No ganan **mucho** dinero.	____________________.
El niño no está **enfermo.**	____________________.
La hermana de Pedro no es **rubia.**	____________________.
No me gusta **el verano.**	____________________.

Esa iglesia no es **antigua.** ______________________.

El turista no quiere **comprar** un reloj. ______________________.

No llegan a la **media noche.** ______________________.

VOCABULARY (CHOOSE THE WORD THAT IS NOT RELATED TO THE OTHER WORDS IN EACH SERIES.)

1. hombre, gente, niño, bello, mujer
2. blusa, fábrica, abrigo, falda, medias
3. cabeza, pie, traje, ojo, mano
4. avión, tranvía, autobús, tren, pastel
5. abogado, entonces, profesor, médico, comerciante

COMPLETION

Veinte y veinte son __________. Treinta y veinticinco son __________.
Sesenta menos diez es __________. Ochenta y dieciséis son __________.
Ciento menos quince es __________. Sesenta y doce son __________.
Cuarenta y catorce son __________.

Preguntas

1. ¿Son Uds. alumnos aplicados? 2. ¿Hacen Uds. su trabajo en casa? 3. ¿Quieren Uds. recibir buenas notas? 4. ¿Asisten Uds. a la escuela todos los días? 5. ¿Pueden Uds. estudiar en la biblioteca? 6. ¿Están Uds. alegres hoy? 7. ¿Es Ud. un alumno nuevo? 8. ¿Está Ud. contento en esta clase? 9. ¿Hace Ud. sus lecciones todos los días? 10. ¿Puede Ud. estudiar por la noche? 11. ¿Vive su amigo cerca de Ud.? 12. ¿Va su amigo a la escuela con Ud.?

MATCHING (CHOOSE AN APPROPRIATE COMMENT FROM COLUMN B FOR EACH STATEMENT OR QUESTION IN COLUMN A.)

Column A.	Column B.
1. Quiero presentarle a mi profesor.	a. Eres muy amable.
2. ¿Hay mucho tráfico en la calle?	b. No me gusta.
3. Aquí tienes mi libro.	c. Con mucho gusto.
4. ¿Cuánto vale?	d. Mucho gusto, señor.
5. Aquí tiene Ud. un bonito sombrero, señorita.	e. Yo también.
6. Necesito una bolsa nueva.	f. ¡Ya lo creo!
7. ¿Quieres tomar algo?	g. No es caro.

Preguntas

1. ¿A qué hora llega Ud. a la escuela? 2. ¿Puede Ud. hallar sus libros cada día? 3. ¿Baila Ud. bien? 4. ¿Toca Ud. en la orquesta? 5. ¿Necesita Ud. un par de zapatos nuevos? 6. ¿Qué lleva Ud. hoy? 7. ¿Le gustan los dulces? 8. ¿Vende Ud. periódicos? 9. ¿Trata Ud. de ser un buen hijo (una buena hija)? 10. ¿Qué estación del año le gusta más?

DIRECTED QUESTION—ASK SOMEONE:

his address
his telephone number
the date of his birthday
what he needs
what he's doing tonight

if he's busy
if he has to study
if he wants to go to the dance with you
if he can bring a friend
if he's going to wear a tie

-Buenos días, señor Pereda. ¿Cómo está Vd.?
-Muy bien, gracias.
CHOCOLATES
-Déme Vd. diez centavos[1] de chocolates por favor.
-Con mucho gusto.
1 ten cents
-Un momento, Pedro. La moneda[1] no es buena. Es moneda francesa.[2]
1 money
2 French
Entonces,[1] ¡déme Vd. chocolates franceses!
1 then

Lección 33

*En una tienda de comestibles**

Señora Palma—Señor Martínez

Sra. P.—**Buenas tardes, señor Martínez.**
Good afternoon, Mr. Martínez.

Sr. M.—**Muy buenas tardes, señora. ¿Qué desea Ud. hoy?**
A very good afternoon to you, madam. What do you wish today?

Sra. P.—**Quiero una *docena* de *huevos*, una *libra* de *mantequilla* y una *botella* de *leche*.**
I want a dozen eggs, a pound of butter, and a bottle of milk.

Sr. M.—**Muy bien, señora. Aquí tiene Ud. la mantequilla, la leche y los huevos. ¿Algo más, señora?**
Very well, madam. Here are the butter, the milk, and the eggs. Anything else, madam?

Sra. P.—**Sí, necesito *azúcar* y *media* libra de *queso*.**
Yes, I need sugar and half a pound of cheese.

Sr. M.—**¿Cuántas libras de azúcar desea Ud.?**
How many pounds of sugar do you wish?

Sra. P.—**Cinco libras.**
Five pounds.

Sr. M.—**Con mucho gusto. ¿Qué más, señora?**
Gladly. What else, madam?

Sra. P.—**¿Tiene Ud. *verduras frescas* hoy?**
Do you have fresh vegetables today?

Sr. M.—**¡Ya lo creo! Hay *lechugas*, tomates, *espinacas* y *cebollas*. Todas las verduras están muy frescas.**
Yes, indeed! There are lettuce, tomatoes, spinach, and onions. All the vegetables are very fresh.

Sra. P.—**Bien, quiero dos libras de cebollas. Necesito también *patatas*[1] y *guisantes*.**
Fine, I want two pounds of onions. I also need potatoes and peas.

[1]Often called **papas** in Spanish America.

***tienda de comestibles,** grocery store

SR. M.—**Lo siento mucho, señora; hoy no tengo guisantes.**	I am very sorry, madam; today I do not have fresh peas.
SRA. P.—**Pues, *haga Ud. el favor de* darme una *lata* de guisantes.**	Well, please give me a can of peas.
SR. M.—**Con mucho gusto. ¿Desea Ud. frutas también? Tengo muy buenas frutas hoy.**	Gladly. Do you also wish some fruit? I have very good fruit today.
SRA. P.—**¿Qué frutas hay?**	What fruit do you have?
SR. M.—***Naranjas, manzanas,* peras, melones, *uvas* y bananas. Y mire Ud. estas *fresas,* señora.**	Oranges, apples, pears, melons, grapes, and bananas. And look at these strawberries, madam.
SRA. P.—**Sí, me gustan esas fresas. Déme Ud. una caja de fresas. ¿Cuánto cuestan las naranjas?**	Yes, I like those strawberries. Give me a box of strawberries. How much do the oranges cost?
SR. M.—**Cincuenta centavos la docena.**	Fifty cents a dozen.
SRA. P.—**¿Y las manzanas?**	And the apples?
SR. M.—**Diez centavos la libra.**	Ten cents a pound.
SRA. P.—**Pues, déme Ud. tres libras de manzanas y media docena de naranjas.**	Well, give me three pounds of apples and half a dozen oranges.
SR. M.—**Muy bien, señora. ¿Es todo?**	Very well, madam. Is that all?
SRA. P.—**Sí, señor, ¿Pago aquí?**	Yes, sir. Do I pay here?
SR. M.—**No, señora. *Tenga Ud. la bondad de pagar* en la caja.**	No, madam. Please pay at the cashier's desk.
SRA. P.—**Bien, señor. Hágame Ud. el favor de poner todo en mi canasta.**	Very well, sir. Please put everything in my basket.
SR. M.—**Con mucho gusto, señora.**	Gladly, madam.

Preguntas

1. ¿Come Ud. muchos huevos? 2. ¿Usa Ud. mucha mantequilla? 3. ¿Bebe Ud. leche todos los días? 4. ¿Le gusta la verdura? 5. ¿Hay lechugas frescas en el mercado? 6. ¿Prefiere Ud. guisantes frescos o guisantes en lata? 7. ¿Le gustan las espinacas? ¿Las cebollas? 8. ¿Come su familia mucha fruta? 9. ¿Cuestan mucho las naranjas? 10. ¿Prefiere Ud. manzanas verdes o manzanas rojas? 11. ¿Le gustan las fresas? 12. ¿Hay buenas uvas en el mercado ahora?

LANGUAGE PATTERNS

A

Two Ways of Expressing *Please* in Spanish

Haga Ud. el favor de darme una lata de tomates.	Please give me a can of tomatoes.
Tenga Ud. la bondad de pagar aquí.	Please pay here.

Two common ways of expressing "please" in Spanish are: **Haga(me) Ud. el favor de** (Do me the favor of) and **Tenga Ud. la bondad de** (Have the goodness to) followed by the infinitive form of the verb.

Practice

ITEM SUBSTITUTION

1. Haga Ud. el favor de ir al mercado.
   ——————— comprar verduras.
   ——————— darme unas naranjas.
   ——————— poner todo en la canasta.
   ——————— pagar al señor.
   ——————— darme unas manzanas.

2. Tenga Ud. la bondad de ayudar a la señora.
   ——————— preparar la comida.
   ——————— llegar a tiempo.
   ——————— comer con nosotros.
   ——————— pasar al comedor.
   ——————— tocar el piano.

B

Nouns of Weight or Measure

Cuesta diez centavos la libra.	It costs ten cents a pound.
Las naranjas cuestan treinta centavos la docena.	The oranges cost thirty cents a dozen.

In the sentences above, "a pound," "a dozen," are expressed by **la libra** (the pound) and **la docena** (the dozen). In Spanish the definite article is used before a noun of weight or measure when quoting a price.

Practice

ITEM SUBSTITUTION

1. Las naranjas cuestan cincuenta centavos la docena.
   Las manzanas ______________________.
   Los huevos ______________________.

2. La mantequilla cuesta setenta centavos la libra.
   El queso ______________________.
   El jamón ______________________.

3. Los guisantes cuestan treinta centavos la lata.
   Las espinacas ______________________.
   Las peras ______________________.

4. La leche cuesta veinte centavos la botella.
   La crema ______________________.
   La soda de limón ______________________.

5. Las fresas cuestan cuarenta centavos la caja.
   Los dulces ______________________.

CUED RESPONSE

¿Cuánto cuesta una libra de mantequilla?
(ochenta centavos)

Ochenta centavos la libra.

¿Hay verduras frescas hoy? **¡Ya lo creo!**

¿Cuánto cuesta una docena de huevos?
(sesenta centavos) ______________________.

¿Cuánto cuesta una botella de crema?
(treinta centavos) ______________________.

¿Cuánto cuesta una lata de peras?
(cuarenta centavos) ______________________.

¿Cuánto cuesta una caja de dulces?
(un dólar) ______________________.

TRANSLATION

1. I want five pounds of sugar. Quiero cinco libras de azúcar.
2. I want a pound of butter. ______________________.
3. I want a can of coffee. ______________________.
4. I want a can of pears. ______________________.
5. I want a dozen eggs. ______________________.
6. I want a dozen oranges. ______________________.
7. I want a bottle of milk. ______________________.
8. I want a bottle of cream. ______________________.
9. I want a box of candy. ______________________.
10. I want a box of strawberries. ______________________.

Refrán

El amigo en la adversidad es amigo en realidad.	A friend in need is a friend indeed.

Lección 34

Los productos de la América latina

Todos los días llegan a los puertos de los Estados Unidos muchos barcos[1] cargados de (*loaded with*) productos de la América latina. Del Brasil llegan barcos llenos[2] de café; de los puertos de Centro América vienen[3] barcos llenos de plátanos[4], piñas[5] y otras frutas tropicales.

Compramos gran cantidad (*quantity*) de cacao (*cocoa bean*) del Ecuador, de la República Dominicana y de otros países. Del cacao se hace[6] el chocolate. El chocolate se necesita[7] para dulces, bebidas (*beverages*) y pasteles. Compramos también gran cantidad de chicle. El chicle viene de México y de Guatemala.

En muchos países de la América latina se hallan[8] minerales preciosos como el oro,[9] la plata[10] y el platino (*platinum*). México ocupa el primer lugar en la producción de plata; Colombia ocupa el tercer (*third*) lugar en la producción de platino. El Brasil tiene grandes depósitos de hierro (*iron*). En Chile y el Perú hay famosas minas de cobre (*copper*). En Bolivia se produce casi todo el estaño (*tin*) de las Américas.

El petróleo en Venezuela tiene más importancia cada día. Venezuela es el segundo (*second*) país de América en la producción de petróleo.

Los países latinoamericanos exportan grandes cantidades de sus productos a los Estados Unidos. En cambio (*On the other hand*) vendemos a todos los países de la América latina automóviles, tractores y toda clase de maquinaria (*machinery*). Esta dependencia económica resulta en buenas relaciones entre los países de las Américas.

1. **el barco,** boat 2. **lleno (-a),** full 3. **viene(-n),** comes, come 4. **el plátano,** banana 5. **la piña,** pineapple 6. **se hace,** is made 7. **se necesita,** is needed 8. **se hallan,** are found 9. **el oro,** gold 10. **la plata,** silver

¿Sí o No?

1. El café viene del Brasil. 2. El plátano es una fruta tropical. 3. Se necesita el cacao para hacer dulces. 4. Se usa mucho chicle en los Estados Unidos. 5. El oro y la plata son minerales preciosos. 6. Bolivia produce

LOS PRODUCTOS DE LA AMÉRICA LATINA

casi todo el petróleo de las Américas. 7. Recibimos muchos productos de la América latina. 8. México vende muchos automóviles a nuestro país.

Preguntas

1. ¿Tiene su estado un puerto importante? 2. ¿Le gusta viajar en barco? 3. ¿Come Ud. muchos plátanos? 4. ¿De dónde llegan los plátanos? 5. ¿Le gusta el chicle? 6. ¿Se usa mucho oro en los Estados Unidos? 7. ¿Qué país tiene grandes minas de plata? 8. ¿Qué vendemos a los países de la América latina? 9. ¿Es importante el cobre? 10. ¿Hay buenas relaciones entre México y los Estados Unidos?

LANGUAGE PATTERNS

A

Present Tense of *venir* (to come)

yo	**vengo**	nosotros	**venimos**
tú	**vienes**		
Ud. / él / ella	**viene**	Uds. / ellos / ellas	**vienen**

Note that the irregular forms of the verb **venir** are much like those of the verb **tener.**

Practice

ITEM SUBSTITUTION

1. Vengo a tiempo.
   ——— temprano.
   ——— tarde.

2. Siempre venimos a las dos.
   ——————— el sábado.
   ——————— el día de la fiesta.

3. ¿Vienes tú conmigo?
   ¿——— con nosotros?
   ¿——— a mi casa?

4. ¿Viene Ud. por la mañana?
   ¿——— por la noche?
   ¿——— por la tarde?

5. Ellos vienen hoy.
   ———— el lunes.
   ———— todos los días.

Person-number substitution

Uds. vienen de la fiesta.
Tú ————————.
Nosotros ————————.
Ella ————————.
Yo ————————.
Los niños ————————.
Susana y yo ————————.
Jorge ————————.
Ricardo ————————.
María y Rosa ————————.

Response

¿Viene Ud. temprano o tarde?	Vengo tarde.
¿Viene Ud. con Pepe o con Ricardo?	Vengo con Ricardo.
¿Viene Dolores con José o con Arturo?	————————.
¿Viene su amigo en auto o a pie?	————————.
¿Vienen Uds. el sábado o el domingo?	————————.
¿Vienen Uds. por la mañana o por la tarde?	————————.
¿Vienes tú hoy o mañana?	————————.
¿Vienes con tu hermano o sin tu hermano?	————————.
¿Vienen tus tíos de México o de Panamá?	————————.
¿Vienen en barco o en avión?	————————.

B

Uses of Reflexive *Se* with Third Person Singular and Plural.

La casa *se ve* desde aquí.	The house *is seen* from here.
Las casas *se ven* desde aquí.	The houses *are seen* from here.
***No se usa* el libro.**	The book *is not used.*
***No se usan* los libros.**	The books *are not used.*

In Spanish the reflexive **se** with the third person singular or plural form of the verb is often used when no definite person or persons are specified as involved in the action.

Aquí se habla español. Spanish is spoken here. One speaks Spanish here. People speak Spanish here. **Se necesitan muchos libros.** Many books are needed. They need many books. One needs many books.

In such constructions the subject frequently follows the verb.

Practice

Repetition

Aquí se habla español.
Se usa mucho papel en esta clase.
Se produce café en el Brasil.
El chocolate se hace del cacao.
Se ve la iglesia desde aquí.
Se dice que el señor es rico.
Se exportan muchos productos de los Estados Unidos.
Se ven muchos automóviles en la calle.
Se venden legumbres frescas en esa tienda.
Se leen muchas revistas en los Estados Unidos.

Replacement

Se produce mucho café.	Se produce mucho café.
______ muchos artículos.	Se producen muchos artículos.
Se venden ______.	______.
______ la ropa.	______.
Se hace ______.	______.
______ los vestidos.	______.
Se necesitan ______.	______.
______ más dinero.	______.
Se usa ______.	______.
______ automóviles nuevos.	______.
Se ven ______.	______.
______ la avenida.	______.

Did you know that

1. Brazil supplies two-thirds of the world's coffee.
2. Most of the world's emeralds come from Colombia.
3. Panama hats are made in Ecuador. They are called **sombreros de jipijapa.**
4. Chile is the leading producer of nitrates. Nitrates are used for fertilizers and explosives.
5. Cuba is called the "Sugar Bowl" of the world.
6. Costa Rica is referred to as "Banana Land."
7. The island of Trinidad off the coast of Venezuela is noted for its asphalt lake.
8. Chile leads the American continent in copper exports.

Lección 35

*Las tres comidas**

el desayuno

el almuerzo

la comida

ANA—BERTA

A.—¿Qué toma Ud. para el *desayuno*?	What do you have for breakfast?
B.—Generalmente tomo *jugo de naranja*, cereal con crema y huevos con *tocino*.	I generally have orange juice, cereal with cream, and bacon and eggs.
A.—¿*Bebe Ud.* café o leche?	Do you drink coffee or milk?
B.—Bebo leche y algunas veces chocolate.	I drink milk and sometimes chocolate.
A.—¿Come Ud. *pan tostado* o *panecillos* en su desayuno?	Do you eat toast or rolls with your breakfast?
B.—Prefiero pan tostado con mantequilla y *jalea*.	I prefer toast with butter and jelly.
A.—¿*Almuerza Ud.* en casa o en la cafetería de la escuela?	Do you eat lunch at home or in the school cafeteria?
B.—Siempre almuerzo en la cafetería.	I always eat lunch in the cafeteria.
A.—¿Hay buenos sándwiches en la cafetería?	Are there good sandwiches in the cafeteria?

*Las tres comidas, The three meals

B.—¡Ya lo creo! Hay sándwiches de *pollo*, de *jamón* y de queso.

Yes, indeed! There are chicken, ham, and cheese sandwiches.

A.—¿Sirven chocolate en la cafetería?

Do they serve chocolate in the cafeteria?

B.—Sí, sirven chocolate, leche y jugos de frutas.

Yes, they serve chocolate, milk, and fruit juices.

A.—¿Hay buenos *postres* en la cafetería?

Are there good desserts in the cafeteria?

B.—Sí, hay *pastel de manzana*, *helado* y otros postres deliciosos.

Yes, there are apple pie, ice cream, and other delicious desserts.

A.—¿Qué toma Ud. para el *almuerzo*?

What do you have for lunch?

B.—Generalmente tomo un sándwich, una *ensalada*, leche y helado.

I generally have a sandwich, a salad, milk, and ice cream.

A.—¿No *tiene Ud. hambre* cuando sale de la escuela?

Aren't you hungry when you leave school?

B.—No, no tengo mucha hambre pero siempre *tengo sed*. Cuando llego a casa tomo un *vaso* de leche o una limonada.

No, I am not very hungry but I am always thirsty. When I arrive home, I have a glass of milk or lemonade.

A.—¿A qué hora come su familia?

At what time does your family eat dinner?

B.—Comemos a las siete de la noche.

We eat dinner at seven in the evening.

A.—¿Come su familia siempre en casa?

Does your family always eat dinner at home?

B.—No, algunas veces comemos en un restaurante. Hay un buen restaurante cerca de nuestra casa.

No, sometimes we eat in a restaurant. There is a good restaurant near our house.

A.—¿Qué sirven en el restaurante?

What do they serve in the restaurant?

B.—Sirven de todo: sopa, *carne*, *pescado*, pollo, varias *legumbres*, ensaladas, café, té o leche.

They serve everything: soup, meat, fish, chicken, several vegetables, salads, coffee, tea or milk.

A.—¿No sirven postres?

Don't they serve desserts?

B.—¡Ya lo creo! Para mí la *comida* no es completa sin postre.

Yes, indeed! For me dinner is not complete without dessert.

A.—Ni para mí y siempre prefiero helado de chocolate.

Nor for me, and I always prefer chocolate ice cream.

LANGUAGE PATTERNS

A

Use of *De* in Expressions with Food

jugo *de* naranja	orange juice
un sándwich *de* pollo	a chicken sandwich
pastel *de* manzana	apple pie

To express in Spanish what a food contains, the English phrase must be changed. Examples: orange juice, "juice *of* orange"; a chicken sandwich, "a sandwich *of* chicken"; apple pie, "pie *of* apple."

Practice

ITEM SUBSTITUTION

1. Tomo jugo de naranja.
   ______ piña.
   ______ manzana.
   ______ tomate.

2. Tráigame un sándwich de pollo.
   ______ queso.
   ______ jamón.
   ______ tocino.

3. Prefiero sopa de legumbres.
   ______ cebolla.
   ______ pollo.
   ______ tomate.

4. Me gusta el pastel de manzana.
   ______ chocolate.
   ______ fresa.
   ______ banana.

5. Quiero una ensalada de legumbres.
   ______ patatas.
   ______ lechuga.
   ______ pollo.

6. Se sirven helados de chocolate.
   ______ vainilla.
   ______ fresa.

RESPONSE (ANSWER THE QUESTION AS SUGGESTED BY THE MODEL.)

1. Para el desayuno—
   ¿quiere Ud. pan tostado o panecillos? Prefiero pan tostado.
   ¿quiere Ud. jalea de fresa o mermelada? ______.
   ¿quiere Ud. leche o café? ______.
   ¿quiere Ud. huevos con tocino o con jamón? ______.

2. Para el almuerzo—

¿va Ud. a tomar sopa de tomate o sopa de guisante?	Voy a tomar __________.
¿va Ud. a tomar un sándwich de pollo o de jamón?	________________.
¿va Ud. a tomar helado de chocolate o de vainilla?	________________.

3. Para la comida—

¿prefiere Ud. carne o pescado?	Tráigame __________.
¿prefiere Ud. patatas o verduras?	________________.
¿prefiere Ud. una ensalada de tomate o de lechuga?	________________.
¿prefiere Ud. pastel de manzana o de fresa?	________________.

B

Some Expressions with *Tener*

***Tengo* hambre.**	*I am* hungry.
***Tenemos* sed.**	*We are* thirsty.
¿*Tiene Ud*. frío?	*Are you* cold?
***No tengo* calor.**	*I am not* warm.

In Spanish, ***tener*** (to have) is used when one speaks of being hungry, thirsty, cold, or warm (note that when speaking of cold or warm *weather*, the expression is ***hace* frío, calor**).

¿Tiene Ud. *mucha* hambre (sed)?	Are you *very* hungry (thirsty)?
Tengo *mucho* calor (frío).	I am *very* warm (cold).

Mucho(-a), not **muy,** is used to express "very" in these expressions.

Practice

PERSON-NUMBER SUBSTITUTION

1. Roberto no tiene hambre.
   Tú __________.
   Nosotros __________.
   Yo __________.

2. Tenemos mucho calor.
   Todos __________.
   Yo __________.
   Ud. __________.

3. El perro tiene sed.
Ellos ———.
Yo ———.
Nosotros ———.

4. Tú tienes frío.
Los niños ——.
Ud. ———.
Nosotros ——.

ITEM SUBSTITUTION

1. Cuando tengo hambre como pan.
——————— un sándwich.
——————— una manzana.

2. Cuando tengo calor no me gusta trabajar.
——————— estudiar.
——————— comer.

3. Tomamos leche cuando tenemos sed.
——— un refresco ———.
——— una limonada ———.

4. ¿No tienes frío sin tu abrigo?
¿——— sin tu suéter?
¿——— sin los zapatos?

Preguntas

1. ¿Hay una buena cafetería en su escuela? 2. ¿A qué hora se sirve el almuerzo? 3. ¿Tiene Ud. mucha hambre al mediodía? 4. ¿Toma Ud. un vaso de leche cuando llega a casa? 5. ¿A qué hora se sirve la comida en su casa? 6. ¿Le gustan las espinacas? 7. ¿Qué ensalada prefiere Ud.? 8. ¿Come Ud. carne y papas todos los días? 9. ¿Cuál es su postre favorito? 10. ¿Tiene Ud. sed ahora?

Lección 36

¿Qué comen los hispanoamericanos?

Wide World Photo

Coffee break at a sidewalk café in Rio de Janeiro

Las mujeres de Hispanoamérica pasan mucho tiempo en la preparación de la comida. Las mujeres tienen que ir al mercado muy temprano para comprar carne, verduras frescas, frutas y otras cosas[1] que necesitan.

El desayuno no es una comida grande. Generalmente consta de una taza[2] de chocolate o una taza de café con leche. Al mediodía se come la comida principal del día. Las oficinas y las tiendas se cierran[3] por dos o tres horas. Todos los padres van a casa a comer con la familia. En la comida se sirve sopa, pescado, carne, ensalada y postre. Algunas personas duermen[4] la siesta antes de[5] volver[6] al trabajo.

A las cuatro y media o cinco de la tarde muchos toman la merienda (*snack*), que consta de chocolate o café y pan dulce (*sweet roll*) o pastel. A estas horas los restaurantes y cafés al aire libre (*open air*) están llenos de gente. La cena[7] es de las siete a las nueve de la noche. Es también una comida bastante grande.

1. **la cosa,** thing 2. **la taza,** cup 3. **se cierran,** are closed 4. **duermen,** (they) sleep; **duermen la siesta,** they take a nap 5. **antes de,** before 6. **volver,** to return 7. **la cena,** supper

SANBORNS CAFE

HOTEL DEL PRADO MEXICO, D.F.

LUNES 3 DE AGOSTO DE 1964 *MONDAY, AUGUST 3, 1964*

COMIDA DEL DIA 8.00

(Table d'Hôte Dinner)

A Escoger: Choice:

Jugo de Piña
Pineapple Juice

Sopa de Verdura
Vegetable Soup

A Escoger: Choice:

Filete Salisbury, Salsa de Tomate
Salisbury Steak, Tomato Sauce

Chuletas de Puerco
Pork Chops

Spaghetti con Hígados de Pollo
Spaghetti and Chicken Livers

A Escoger Dos:	Choice of Two:
Papas Fritas a la Americana	American Fried Potatoes
Ejotes con Tocino	Green Beans and Bacon
Frijoles Mexicanos o Arroz	Mexican Beans or Rice

Ensalada de Ciruelas Pasas Rellenas
Stuffed Prune Salad

Panecillos Surtidos y Mantequilla
Assorted Rolls and Butter

Sorbete de Limón, Pastas
Lemon Sherbet, Cookies

Café, Té o Leche
Coffee, Tea, or Milk

PLATO SUELTO 6.00

(Plate Dinner)

Anteriores Entrées con 2 Verduras, Panecillos con Mantequilla y Bebida
Above Dinner Entrées with 2 Vegetables, Rolls and Butter, and Choice of Beverage

En general los hispanoamericanos comen las mismas cosas que comemos nosotros en los Estados Unidos. Sin embargo (*Nevertheless*), cada país tiene algunos platos (*dishes*) tradicionales. El arroz con pollo (*chicken and rice*) y el cocido (*stew*) se comen en muchos países. En cada región se preparan de distintas (*different*) maneras. En los países donde se cultiva el maíz (*corn*), como en México y en Guatemala, mucha gente come tortillas*. En estos países se comen también tacos*, enchiladas* y tamales*. En todos los países se come mucho pan. En los países donde se cultiva el trigo (*wheat*), como en la Argentina, el pan es barato.

Los hispanoamericanos no beben tanta leche como nosotros. Toman chocolate o café con leche. En algunos países de la América del Sur los habitantes beben yerba mate*. Muy pocos hispanoamericanos toman agua[1] con sus comidas.

1. **el agua,** water

*A **tortilla** is a flat thin cornmeal pancake; **tamales** consist of corn meal filled with chopped meat, peppers, etc. wrapped in corn husks and steamed; a **taco** is a toasted tortilla, folded over like a sandwich and filled with chopped meat, lettuce, peppers, etc.; an **enchilada** is a rolled tortilla filled with a mixture of chopped meat or chicken, cheese, onions, peppers, etc., and covered with a hot sauce; **yerba mate,** a popular drink throughout South America, is a kind of tea made of leaves grown in Paraguay and Brazil.

¿Sí o No?

1. Las mujeres de Hispanoamérica generalmente no sirven comidas preparadas en latas. 2. Para el desayuno los hispanoamericanos toman café con leche y un postre. 3. Durante el mediodía los cafés están llenos de gente. 4. Muchos hombres van a casa para tomar la merienda. 5. Las mujeres no duermen la siesta. 6. La cena se sirve muy tarde. 7. El arroz con pollo se sirve en casi todos los países. 8. Siempre se sirve un vaso de agua con las comidas. 9. En la Argentina se comen muchas tortillas. 10. Uno de los productos principales que se cultiva en México es el maíz.

Preguntas

1. ¿Tenemos platos tradicionales en los Estados Unidos? 2. ¿Le gustan los platos mexicanos? 3. ¿Come Ud. mucho pan? 4. ¿Toma Ud. agua con todas las comidas? 5. ¿Pasa su madre mucho tiempo en la cocina? 6. ¿Va su padre a casa para tomar el almuerzo? 7. ¿A qué hora comen Uds.? 8. ¿Cuáles son los platos favoritos de su familia? 9. ¿Duerme Ud. la siesta antes de volver a la escuela? 10. ¿Hay restaurantes al aire libre (*open air*) en su ciudad?

LANGUAGE PATTERNS

A

Present Tense of Vowel-Changing Verbs: *e* to *ie*

***cerrar* (to close)**

yo ***cie*rro** la puerta	nosotros **cerramos** la puerta
tú ***cie*rras** la puerta	
Ud. / él / ella } ***cie*rra** la puerta	Uds. / ellos / ellas } ***cie*rran** la puerta

***perder* (to lose)**

yo ***pie*rdo** el libro	nosotros **perdemos** el libro
tú ***pie*rdes** el libro	
Ud. / él / ella } ***pie*rde** el libro	Uds. / ellos / ellas } ***pie*rden** el libro

***preferir* (to prefer)**

yo **pref*ie*ro** leche	nosotros **preferimos** leche
tú **pref*ie*res** leche	
Ud. / él / ella } **pref*ie*re** leche	Uds. / ellos / ellas } **pref*ie*ren** leche

Some verbs change the stem vowel **e** to ***ie***. This vowel change appears in all of the forms of the singular and in the third person plural (the stressed syllable): ***cie*rro, *cie*rras, *cie*rra, *cie*rran.** The stem vowel does not change in the **nosotros** form of the verb: **cerramos.**

Some common vowel-changing verbs which change **e** to **ie** are:

cerrar, to close	**entender,** to understand
empezar, to begin	**sentir,** to feel sorry
pensar, to think, to intend to	**preferir,** to prefer
perder, to lose	**querer,** to want, to wish

Vowel-changing verbs whose vowel **e** changes to **ie** will be indicated in the vocabulary in the following way: **cerrar (ie); perder (ie).**

Practice

Person-number substitution

1. José cierra las ventanas.
   Nosotros cerramos las ventanas.
   Yo ________________.
   Uds. ________________.
   Tú ________________.
   La muchacha ________________.
   Juan y yo ________________.

2. Ese alumno no entiende la lección.
   Juan y yo no entendemos la lección.
   Ud. ________________.
   Los muchachos ________________.
   Tú ________________.
   Nosotros ________________.
   Yo ________________.

3. Ud. empieza a trabajar.
   Isabel y yo empezamos a trabajar.
   Las muchachas ________________.
   Tú ________________.
   Ella ________________.
   Nosotros ________________.
   Yo ________________.

4. Elena siempre pierde algo.
   Nosotros siempre perdemos algo.
   Yo ________________.
   Los niños ________________.
   Tú ________________.
   Pablo ________________.
   Ud. y yo ________________.

5. Carmen quiere comer temprano.
   Nosotros queremos comer temprano.
   Tú ________________.
   La familia ________________.
   Ellas ________________.
   Yo ________________.
   Tú y yo ________________.

6. Ud. prefiere almorzar en casa.
   Nosotros preferimos almorzar en casa.
   Tú ________________.
   Yo ________________.
   Mi padre ________________.
   Mi hermano y yo ________________.
   Luisa y Ana ________________.

Response

1. ¿Cierra Ud. el libro? Sí, cierro el libro.
   ¿Entiende Ud. el español? ________________.
   ¿Empieza Ud. a estudiar? ________________.
   ¿Pierde Ud. muchas cosas? ________________.
   ¿Prefiere Ud. comer aquí? ________________.

2. ¿Prefieren Uds. leche?	Sí, preferimos leche.
¿Entienden Uds. todo?	______________.
¿Quieren Uds. comer?	______________.
¿Empiezan Uds. a hablar?	______________.
¿Pierden Uds. mucho tiempo?	______________.

REPLACEMENT

Yo quiero ese periódico.	Yo quiero ese periódico.
Nosotros ______________.	Nosotros queremos ese periódico.
______________ estos libros.	______________.
Tú ______________.	______________.
______ pierdes ______.	______________.
Nosotros ______________.	______________.
______________ la revista.	______________.
Yo ______________.	______________.
______ entiendo ______.	______________.
______________ al profesor.	______________.
Nosotros ______________.	______________.
______________ la lección.	______________.
______ empezamos ______.	______________.
Juan ______________.	______________.
______________ este trabajo.	______________.
______ prefiere ______.	______________.
Carlos y yo ______________.	______________.
______________ esa tienda.	______________.
______ cerramos ______.	______________.
Uds. ______________.	______________.

B
Present Tense of Vowel-Changing Verbs: *o* to *ue*

	almorzar (to eat lunch)	*volver* (to return)	*dormir* (to sleep)
yo	**alm*ue*rzo**	**v*ue*lvo**	**d*ue*rmo**
tú	**alm*ue*rzas**	**v*ue*lves**	**d*ue*rmes**
Ud. / él / ella	**alm*ue*rza**	**v*ue*lve**	**d*ue*rme**
nosotros	**almorzamos**	**volvemos**	**dormimos**
Uds. / ellos / ellas	**alm*ue*rzan**	**v*ue*lven**	**d*ue*rmen**

In the vowel-changing verbs on p. 194, the vowel **o** in the stem of the verb changes to **ue** in all the singular forms and in the third person plural: **vuelvo, vuelves, vuelve, vuelven.** The vowel **o** does not change in the **nosotros** form **(volvemos).**
Some common vowel-changing verbs which change the **o** to **ue** are:

almorzar, to lunch	**encontrar,** to meet, to find	**dormir,** to sleep
contar, to count	**recordar,** to remember	**poder,** to be able, can
costar, to cost	**volver,** to return	

Vowel-changing verbs which change the **o** to **ue** will be indicated in the vocabulary in the following way: **almorzar (ue), volver (ue).**

Practice

REPETITION

1. Yo almuerzo a la una.
   Yo encuentro a mi amigo.
   Yo vuelvo a casa.

2. Ud. duerme mucho.
   Carlos no recuerda el número.
   El no puede leer.

3. Los amigos almuerzan en casa.
   Uds. no encuentran sus libros.
   Ellos no recuerdan todo.

4. Nosotros dormimos ocho horas.
   Marta y yo encontramos al profesor.
   Mi amigo y yo podemos trabajar.
   Nosotros volvemos temprano.
   El y yo almorzamos en la escuela.

PERSON-NUMBER SUBSTITUTION

1. La madre no encuentra al niño.
   Nosotros ——————.
   Ud. ——————.
   Yo ——————.
   Los amigos ——————.
   Tú ——————.
   Carmen y yo ——————.

2. Carlos almuerza a las once.
   Nosotros ——————.
   Tú——————.
   Uds. ——————.
   Yo——————.
   Elena ——————.
   Ella y yo ——————.

3. Pedro vuelve a la casa.
   Nosotros ————.
   Yo ————.
   Los alumnos ————.
   Ud. ————.
   Ana y yo ————.
   Tú ————.

4. Ud. duerme mucho.
   Nosotros ————.
   Yo ————.
   Los niños ————.
   Tú ————.
   Alicia ————.
   Mi hermano y yo—.

Completion

No puedo cerrar la ventana; no cierro la ventana.
Uds. no pueden volver temprano; no vuelven temprano.
Carmen no puede almorzar con nosotros; no almuerza con nosotros.
Tú no puedes dormir mucho; ______________________.
Nosotros no podemos entender todo; ______________________.
Yo no puedo empezar el trabajo; ______________________.
José no puede encontrar su pluma; ______________________.
Juan y yo no podemos almorzar sin Ud.; ______________________.
Tú no puedes recordar el número; ______________________.

Preguntas

1. ¿Cierra Ud. la puerta cuando estudia? 2. ¿Almuerza Ud. con sus amigos? 3. ¿A qué hora vuelven Uds. a la clase? 4. ¿Pierden Uds. los libros? 5. ¿Entiende Ud. el español? 6. ¿Pueden Uds. estudiar en la biblioteca? 7. ¿Prefieren los alumnos ver una película? 8. ¿Duermen Uds. la siesta en la escuela?

Versos

Mi cabra no es tonta	My goat is not stupid
pero sí es muy chistosa.	but she surely is very funny.
Come todo lo que ve	She eats everything she sees
y no le importa qué.	and she doesn't care what it is.
Me da muy buena leche	She gives me very good milk
y queso, el mejor que hay.	and the very best cheese there is.
Lo que come yo no sé	I don't know what she eats
porque no me importa qué.	'cause I don't care what it is.

Lección 37

Un sábado en el parque

Me gusta dar un paseo por el parque.

CONCHITA—AMALIA

C.—**¿Quiere Ud. ir al parque el sábado?**	Do you want to go to the park on Saturday?
A.—**¡Qué buena idea! Siempre *me divierto* en el parque. ¿A qué hora quiere Ud. ir?**	What a good idea! I always enjoy myself in the park. At what time do you want to go?
C.—**A las diez de la mañana.**	At ten in the morning.
A.—**Es muy temprano. *Me acuesto* tarde los viernes, y no *me levanto* antes de las diez.**	It's very early. I go to bed late on Fridays, and I don't get up before ten.
C.—**¿A qué hora toman Uds. el desayuno?**	At what time do you have breakfast?
A.—**Tomamos el desayuno a las diez.**	We have breakfast at ten.

C.—**¿Puede Ud. estar *lista* a las once?**	Can you be ready at eleven?
A.—***Creo que sí.***	I think so.
C.—**Voy a preparar algunos sándwiches para nuestro almuerzo.**	I'm going to prepare some sandwiches for our lunch.
A.—**No es necesario. Hay un buen restaurante cerca del parque.**	It isn't necessary. There is a good restaurant near the park.
C.—**Siempre hay mucha gente en el restaurante y es más agradable almorzar en el parque.**	There are always a lot of people in the restaurant and it's more pleasant to eat lunch in the park.
A.—***Es verdad.* ¿Hay mesas en el parque?**	That's true. Are there tables in the park?
C.—**No, pero siempre *me siento* en algún *banco* cerca del lago.**	No, but I always sit down on some bench near the lake.
A.—**¿Qué piensa Ud. hacer después del almuerzo?**	What do you intend to do after lunch?
C.—**Podemos *dar un paseo* por el parque o visitar el jardín zoológico.**	We can take a walk through the park or visit the zoo.
A.—**Está bien.**	All right.
C.—**Pues, hasta el sábado.**	Well, I'll see you on Saturday.

¿Sí o No?

1. Conchita quiere ir al parque el sábado. 2. Amalia cree que es buena idea. 3. Es agradable almorzar en el parque. 4. Amalia puede estar lista a las diez. 5. Conchita quiere preparar algunos sándwiches porque no hay restaurante cerca del parque. 6. Hay varias mesas en el parque. 7. Después del almuerzo las muchachas piensan dar un paseo. 8. Siempre hay mucha gente cerca del lago.

LANGUAGE PATTERNS

Present Tense of Reflexive Verbs

***levantarse* (to get up)**

yo	***me* levanto** tarde	nosotros	***nos* levantamos** tarde
tú	***te* levantas** tarde		
Ud. / él / ella	***se* levanta** tarde	Uds. / ellos / ellas	***se* levantan** tarde

***divertirse* (*ie*) (to enjoy oneself, to have a good time)**

yo	***me* divierto** aquí	nosotros	***nos* divertimos** aquí
tú	***te* diviertes** aquí		
Ud., él, ella	***se* divierte** aquí	Uds., ellos, ellas	***se* divierten** aquí

A reflexive verb is one which acts upon or reflects back to the subject: I wash myself, she dresses herself, we enjoy ourselves, etc.

Some verbs are reflexive in Spanish but not in English, for example: **me levanto** (I get up, "I get myself up"), **se sienta** (he sits down, "he seats himself"); **me llamo** (my name is, "I call myself").

The reflexive pronouns used with reflexive verbs are: **me, te, se, nos, se.** These pronouns precede the verb. (Exceptions to this rule will be presented in a later lesson.)

A few of the most common reflexive verbs are: **llamarse** (to be called, named), **levantarse** (to get up); **sentarse (ie)** (to sit down); **acostarse (ue)** (to go to bed, to lie down); **divertirse (ie)** (to enjoy oneself, to have a good time).

Practice

PERSON-NUMBER SUBSTITUTION

1. Yo me levanto a las seis.
   Tú ——————.
   Ramón ——————.
   Nosotros ——————.
   Uds. ——————.
   Lupe y Gloria ———.

2. Juan se acuesta tarde.
   Tú ——————.
   Uds. ——————.
   Yo ——————.
   Nosotros ——————.
   La familia ——————.

3. Conchita se sienta cerca del lago.
   Uds. ——————.
   Nosotros ——————.
   Yo ——————.
   Ud. ——————.
   Tú ——————.
   José y Lupe ——————.

4. Jorge se divierte en la escuela.
   Carlos y Pepe ——————.
   Yo ——————.
   Nosotros ——————.
   Tú ——————.
   Uds. ——————.
   Ud. ——————.

NUMBER SUBSTITUTION

Me siento aquí.	Nos sentamos aquí.
Uds. se divierten mucho.	Ud. se divierte mucho.
Los niños se acuestan a las nueve.	______.
Nos levantamos tarde.	______.
El alumno se sienta cerca de la puerta.	______.
Me divierto en la fiesta.	______.
Tú siempre te sientas en el banco.	______.
Nos acostamos temprano.	______.

Preguntas

1. ¿A qué hora se levanta Ud.? 2. ¿Se acuesta Ud. temprano durante la semana? 3. ¿Se divierten los alumnos en la escuela? 4. ¿Se sienta Ud. siempre cerca de sus amigos? 5. ¿Es agradable estudiar en la biblioteca? 6. ¿Le gusta dar un paseo? 7. ¿Piensa Ud. ver a sus amigos el sábado? 8. ¿Está Ud. siempre listo a tiempo?

Lección 38

*Los deportes en Hispanoamérica**

Manuel Pérez, como muchos jóvenes[1] hispanoamericanos, es aficionado[2] a los deportes. Juega[3] al fútbol (*soccer*), al básquetbol y al tenis, pero su deporte favorito es el béisbol. Es miembro de un buen equipo[4] de béisbol. Todos los sábados Manuel y sus amigos juegan en el parque contra[5] algún otro equipo de la ciudad y casi siempre ganan.[6]

Enrique Pérez, el hermano mayor de Manuel, es aficionado al fútbol. Este deporte es muy popular en Hispanoamérica y en muchos países hay ligas (*leagues*) profesionales de fútbol.

El señor Pérez es miembro de un club deportivo (*sport*). Hay muchos clubs deportivos en Hispanoamérica. La familia Pérez pasa los domingos en el club. El padre juega al golf o monta a caballo[7] con sus amigos. Casi todos los hispanoamericanos saben[8] montar a caballo.

El club deportivo tiene una piscina[9] grande; sin embargo (*however*), muchos jóvenes prefieren nadar[10] en la playa[11] de la ciudad. Hay muchas playas bonitas en Hispanoamérica.

A veces la familia Pérez asiste a una corrida de toros[12] el domingo. En México y en varios otros países la corrida de toros es el deporte nacional. Sin embargo, en algunos países de Hispanoamérica la corrida está prohibida.

La familia Pérez y sus amigos asisten también a los partidos[13] de jai alai. El jai alai es un juego[14] de pelota[15] de origen español. Se parece (*It resembles*) a nuestro juego de handball. Este deporte tiene muchos aficionados entusiastas en México y en Cuba.

1. **joven (jóvenes),** young; **el joven,** young man 2. **ser aficionado (-a) a,** to be fond of; **el aficionado,** fan 3. **jugar,** to play 4. **el equipo,** team 5. **contra,** against 6. **ganar,** to win 7. **montar a caballo,** to ride horseback 8. **saber,** to know, to know how 9. **la piscina,** swimming pool 10. **nadar,** to swim 11. **la playa,** beach 12. **la corrida de toros,** bullfight 13. **el partido,** game (match) 14. **el juego,** game 15. **la pelota,** ball

***Los deportes en Hispanoamérica,** sports in Spanish America

¿Sí o No?

1. Hay muchos deportes en Hispanoamérica. 2. El juego de fútbol tiene muchos aficionados. 3. Todas las escuelas tienen un buen equipo de béisbol. 4. No es fácil ganar todos los partidos. 5. Los jóvenes juegan al tenis en la playa. 6. Es necesario saber nadar. 7. Hay piscinas públicas en muchas ciudades. 8. Las muchachas no pueden jugar a la pelota. 9. Es difícil montar a caballo. 10. Todos los países de Hispanoamérica tienen corridas de toros.

LANGUAGE PATTERNS

A

Present Tense of *saber* (to know, to know how)

yo	**sé** nadar	nosotros	**sabemos** nadar
tú	**sabes** nadar		
Ud. / él / ella	**sabe** nadar	Uds. / ellos / ellas	**saben** nadar

The present tense of **saber** is regular except for the **yo** form **(sé)**.

Practice

Item substitution

1. Yo sé la dirección.
   —— el número.
   —— el camino.

2. Este muchacho no sabe estudiar.
   —————— leer.
   —————— escribir.

3. ¿Sabes (tú) quién es?
   ¿——— qué quiere?
   ¿——— dónde está?

4. Esos jóvenes saben montar a caballo.
   —————— tocar la guitarra.
   —————— jugar al jai alai.

5. María y yo sabemos nadar.
   —————— bailar.
   —————— tocar el piano.

Person-number substitution

1. Ese niño sabe bailar.
   Tú ——————.
   Los muchachos ——.
   Yo ——————.

2. Ellos saben montar a caballo.
   Nosotros ——————.
   Paco ——————.
   Tú y yo ——————.

B

Present Tense of *jugar* (to play)

yo	**juego** al tenis	nosotros	**jugamos** al tenis
tú	**juegas** al tenis		
Ud. / él / ella	**juega** al tenis	Uds. / ellos / ellas	**juegan** al tenis

The vowel changing verb **jugar** changes **u** to **ue** in all the forms of the singular and in the third person plural.

Practice

ITEM SUBSTITUTION

1. Yo juego a la pelota.
   ——— al béisbol.
   ——— al tenis.

2. Jugamos en el parque.
   ——— en el patio.
   ——— en la playa.

3. Tú no juegas al fútbol.
   ——— al golf.
   ——— al tenis.

4. Mi hermano juega con el equipo.
   ——— con sus amigos.
   ——— en el partido.

5. Uds. juegan después de trabajar.
   ——— después de estudiar.
   ——— después de leer.

RESPONSE

¿Juega Ud. con el equipo? Sí, ———.
¿Juegan Uds. el sábado? ———.
¿Juega Ud. con sus amigos? ———.
¿Juegan Uds. en la escuela? ———.
¿Juegas al tenis? ———.

C

Uses of *Jugar* and *Tocar*

Juego al béisbol.	I play baseball.
Juegan al fútbol.	They play football.
¿Toca Ud. el piano?	Do you play the piano?
Toco el violín.	I play the violin.

Jugar (to play) is used when referring to playing some game; **tocar** (to play) is used when referring to playing an instrument.

Jugar is generally followed by **a** before the name of the game: **Juego *al* tenis.**

Practice

TRANSLATION

1. John plays tennis.	Juan juega al tenis.
2. Pedro plays with the team.	________.
3. My friend plays the violin.	________.
4. Carmen plays in the orchestra (*orquesta*).	________.
5. Fernando plays ball.	________.
6. Arturo does not play the guitar.	________.
7. Pepe plays baseball.	________.
8. María plays with the children.	________.
9. Susana plays the piano.	________.

D

Shortening of Adjectives

Tomás es un *buen* muchacho.	Tom is a *good* boy.
Es un *mal* hijo.	He is a *bad* son.
Enero es el *primer* mes del año.	January is the *first* month of the year.
Vive en el *tercer* piso.	He lives on the *third* floor.
Se sientan en *algún* banco.	They sit down on *some* bench.

but

Tomás es un muchacho *bueno*.	Tom is a *good* boy.
Vivo en la *primera* casa.	I live in the *first* house.
***Algunos* bancos son cómodos.**	*Some* benches are comfortable.

The adjectives **bueno, primero, tercero,** and **alguno,** like **uno,** drop the final **-o** when they come immediately before a masculine singular noun. Note that the short form **algún** requires an accent mark.
The **o** is not dropped when these adjectives follow the noun: **un muchacho bueno, un niño malo.**
The feminine and the plural endings of these adjectives are never dropped: **la primera casa, buenas muchachas.**

Es un *gran* médico.	He is a *great* doctor.
Es una *gran* mujer.	She is a *great* woman.

but

Son *grandes* héroes.	They are *great* heroes.
Es un hombre *grande*.	He is a *big* man.

The adjective **grande** drops the final **-de** and becomes **gran** when it precedes a singular masculine or feminine noun.
Gran before a noun means "great." **Grande** following a noun means "large" or "big."

Practice

ITEM SUBSTITUTION

1. ¡Qué mal tiempo!
   ¡——— trabajo!
   ¡——— niña!

2. Es el primer día.
   ——— partido.
   ——— lección.

3. Vivo en el tercer edificio.
   ——— piso.
   ——— casa.

4. El joven quiere algún papel.
   ——— periódico.
   ——— revista.

NUMBER SUBSTITUTION

Son malos caminos.	Es un mal camino.
Son buenas ideas.	———.
Los primeros días son difíciles.	———.
Son buenos amigos.	———.
Algunos equipos siempre ganan.	———.
Son asientos malos.	———.
Uds. son alumnos buenos.	———.

ITEM SUBSTITUTION

1. Es un gran general.
   ——— médico.
   ——— héroe.
   ——— deporte.

2. Son grandes amigos.
   ——— aficionados.
   ——— partidos de tenis.
   ——— fiestas nacionales.

3. Es una gran señora.
   ——— amiga.
   ——— mujer.
   ——— nación.

4. En nuestra ciudad hay un parque grande.
   ——— una piscina ———.
   ——— muchos edificios —.
   ——— algunas fábricas —.

Preguntas

1. ¿Hay corridas de toros en los Estados Unidos? 2. ¿Cuál es nuestro deporte nacional? 3. ¿Qué deporte le gusta más? 4. ¿Juegan Uds. a la pelota en la escuela? 5. ¿Tiene su escuela un buen equipo de fútbol? 6. ¿En qué mes se juega el primer partido de fútbol? 7. ¿Ganan Uds. muchos partidos? 8. ¿Va Ud. a la playa durante el verano? 9. ¿Sabe Ud. nadar? 10. ¿Le gusta montar a caballo? 11. ¿Sabe Ud. tocar la guitarra? 12. ¿Toca Ud. en la orquesta de la escuela?

Word Study

Many verbs in Spanish have a corresponding noun which refers to the person who performs the action of the verb. This noun is formed by dropping the **-r** of the infinitive and adding **-dor (-dora)**.

Examples: jugar, to play; **el jugador,** the player
vender, to sell; **el vendedor,** the seller

Practice

Form the corresponding noun for each of the following verbs:

1. **trabajar,** to work; **el** ———, the worker
2. **explorar,** to explore; **el** ———, the explorer
3. **pescar,** to fish; **el** ———, the fisherman
4. **cazar,** to hunt; **el** ———, the hunter
5. **boxear,** to box; **el** ———, the boxer
6. **nadar,** to swim; **el** ———, the swimmer
7. **libertar,** to liberate; **el** ———, the liberator
8. **conquistar,** to conquer; **el** ———, the conqueror
9. **descubrir,** to discover; **el** ———, the discoverer
10. **exportar,** to export; **el** ———, the exporter
11. **importar,** to import; **el** ———, the importer
12. **observar,** to observe; **el** ———, the observer

Amapola

Joseph M. LaCalle
De a - mor — en los hie - rros de tu
re - ja, — de a - mor —
es - cu - ché la tris - te que - ja, —

de a - mor___ que so-nó en mi co - ra -
zón,___ di - ción-do-me a-sí___
CHORUS
con su dul - ce can - ción.___ A - ma-
po - la,___ lin - dí - si - ma A-ma-
po - la,___ se - rá siem-pre mi
al - ma tu - ya so - la.___ Yo te
quie - ro,___ a - ma - da ni - ña

mí - a, — i - gual que a-ma la
flor la luz del dí - a. — A-ma-
po - la, — lin-dí - si - ma A-ma-
po - la, — no se - as tan in-
gra - ta y á - ma-me. — A-ma-
po - la, — A-ma-po-la, — ¿cómo
pue-des tú vi-vir tan so - la? —

Amapola

Poppy

(Well-known Spanish song which became popular in the United States under the title of "My Pretty Little Poppy")

De amor	Of love
en los hierros de tu reja,	at the bars of your window,
de amor	of love
escuché la triste queja,	I heard the sad lament,
de amor	of love
que sonó en mi corazón	which echoed in my heart
diciéndome así	saying to me
con su dulce canción—	with its soft sweet song—
Coro:	Chorus:
Amapola, lindísima Amapola,	Poppy, most beautiful Poppy,
será siempre mi alma tuya sola.	my heart shall always belong to you alone.
Yo te quiero, amada niña mía,	I love you, my beloved,
igual que ama la flor	even as the flower
la luz del día.	loves the light of day.
Amapola, lindísima Amapola,	Poppy, most beautiful Poppy,
no seas tan ingrata	don't be so heartless
y ámame.	and (please) love me,
Amapola, Amapola,	Poppy, Poppy,
¿cómo puedes tú vivir tan sola?	how can you live so alone?

Lección 39

Una conversación por teléfono

DOLORES—CARLOS—ANA

D.—*¡Bueno*!*	Hello!
C.—¿Está Ana?	Is Ann at home?
D.—*¿Quién habla?*	Who is speaking?
C.—*Habla Carlos.*	Charles speaking.
D.—Un momentito. Creo que Ana está en el patio.	Just a moment. I believe that Ann is in the patio.
A.—*¿Qué tal*, Carlos?	How are you, Charles?
C.—Bien, gracias. ¿Qué hace Ud. el sábado?	Fine, thanks. What are you doing on Saturday?
A.—El sábado *por la tarde* voy al cine con mi hermanito; por la noche no hago *nada*.	Saturday afternoon I am going to the movies with my little brother; in the evening I am not doing anything.
C.—¿Quiere Ud. ir conmigo a una fiesta *en casa de* Carmen?	Do you want to go with me to a party at Carmen's house?
A.—¿A qué hora empieza la fiesta?	At what time does the party begin?
C.—Empieza a las siete.	It begins at seven.
A.—¿Por qué *tan* temprano?	Why so early?
C.—Carmen va a servir una comida mexicana a las siete y media.	Carmen is going to serve a Mexican meal at seven-thirty.
A.—*¡Qué bueno!* Me gusta la comida mexicana.	How nice! I like Mexican food.
C.—Después de la comida vamos a bailar. Carmen tiene algunos *discos* nuevos.	After dinner we are going to dance. Carmen has some new records.
A.—¿Van a *vestir* las muchachas traje de sport?	Are the girls going to wear sport clothes?
C.—No sé. Generalmente *visten*	I don't know. Generally they wear

***Diga** and **aló** are also used by many Spanish-speaking people when answering the telephone.

¡Bueno!

traje de sport. Ud. puede *llamar* a Carmen por teléfono.	sport clothes. You can call Carmen on the phone.
A.—**Primero, tengo que *pedir* permiso a mis padres. Siempre *pido* permiso *para* salir *de noche*.**	First, I have to ask my parents' permission. I always ask permission (in order) to go out at night.
C.—**¿Puede Ud. estar lista a las seis y media?**	Can you be ready at six-thirty?
A.—**Creo que sí.**	I think so.
C.—**Entonces, voy a pasar por su casa a las seis y media en punto.**	Then I'll come by your house at six-thirty sharp.

Preguntas

1. ¿Quién llama a Ana por teléfono? 2. ¿Dónde está Ana? 3. ¿Qué hace Ana el sábado por la noche? 4. ¿Dónde hay una fiesta? 5. ¿A qué hora empieza la fiesta? 6. ¿Qué va a servir Carmen? 7. ¿Qué van a hacer los muchachos después de la comida? 8. ¿Qué visten las muchachas generalmente? 9. ¿A quiénes (*Whom*) pide permiso Ana para salir de noche? 10. ¿A qué hora va a pasar Carlos por la casa de Ana?

LANGUAGE PATTERNS

Present Tense of Vowel-Changing Verbs Which Change *e* to *i* — *servir* (to serve)

yo	**s*i*rvo**	nosotros	**servimos**
tú	**s*i*rves**		
Ud. / él / ella	**s*i*rve**	Uds. / ellos / ellas	**s*i*rven**

A few vowel-changing verbs which end in **-ir** change the stem vowel ***e*** to ***i*** in all the forms of the singular and in the third person plural of the present tense. The **nosotros** form is regular.

Some common verbs which change the ***e*** to ***i*** are: **servir** (to serve); **pedir** (to ask for); **vestir** (to wear, dress); **repetir** (to repeat). (The ***e*** in the stressed syllable of **repetir** changes to ***i***: **rep*i*to, rep*i*tes,** etc.)

Vowel-changing verbs whose ***e*** changes to ***i*** will be indicated in the vocabulary in the following manner: **servir (i), pedir (i).**

Practice

PERSON-NUMBER SUBSTITUTION

1. Nosotros servimos la comida.
   Yo ______.
   Ellos ______.
   Tú ______.
   Mi madre ______.
   Ella y yo ______.
   Uds. ______.

2. Repetimos los ejercicios en casa.
   Yo ______.
   Uds. ______.
   Luisa ______.
   Tú ______.
   Mis amigos ______.
   Ud. y yo ______.

3. Pedimos dinero al padre.
   Ud. ______.
   Los muchachos ______.
   Tú ______.
   Mi hermano y yo ______.
   Yo ______.

4. Tú siempre vistes traje de sport.
   Tus amigos ______.
   Yo ______.
   Mi hermana ______.
   Ella y yo ______.
   Uds. ______.

¿Quién habla?

RESPONSE

¿Vas a pedir dinero a tu padre?	Siempre pido dinero a mi padre.
¿Van Uds. a servir la comida temprano?	Siempre servimos la comida temprano.
¿Va Ud. a repetir las palabras difíciles?	______.
¿Va a vestir Carmen la blusa azul?	______.
¿Van Uds. a pedir una revista española?	______.
¿Vas a servir refrescos?	______.
¿Van Uds. a repetir el ejercicio?	______.
¿Visten Uds. traje de sport?	______.

ORIGINAL DIALOGUE

Betty calls her friend Isabel. Her little sister Gloria answers the phone and asks who it is.

G.—______ ¿______?

Betty tells her, and says she wants to talk to Isabel.

B.—______.

Gloria says, "Just a moment."

G. ______.

Isabel goes to the phone and greets her friend Betty.

I. ______.

Betty asks if she's busy tomorrow afternoon.

B.—¿ ______?

Isabel says no she isn't doing anything tomorrow.

I. ______.

Betty asks if she can go to town with her. She wants to buy some records.

B.—¿ ______? ______.

Isabel is delighted! She asks if they're going by bus.

I.—¡ ______! ¿______?

Betty says she doesn't know. She's going to ask her father for the car.

B.—______.

Isabel asks what time Betty wants to go.

I.—¿ ______?

Betty says at two o'clock.

B.—______.

Isabel asks why so early.

I.—¿ ______?

Betty says her mother always serves dinner early.

B.——————————————————.

"All right," says Isabel. "See you tomorrow."

I. ——————————————————.

Chistes

El amigo:—**Estás con el teléfono en la mano por media hora y no dices ni una palabra.**

El esposo:—**Es que estoy hablando (speaking) con mi esposa.**

Seis meses antes, él habla y ella escucha (listens)

Seis meses después, ella habla y él escucha.

Diez años después, hablan los dos al mismo tiempo y los vecinos escuchan.

Lección 40

Los pueblos hispanoamericanos

Para conocer (*to know*) a los hispanoamericanos es necesario visitar sus pueblos. En los pueblos se conservan las tradiciones y las costumbres del país.

Todos los pueblos tienen una plaza principal. Las calles del pueblo conducen (*lead*) a esta plaza. En la plaza hay árboles y flores, una fuente en el centro y varios bancos. En la plaza se encuentran tiendas, cafés, restaurantes y otros edificios. El edificio más alto, más bello y más importante es siempre la iglesia del pueblo.

Las mejores casas del pueblo son generalmente de estilo español con rejas (*iron grilles*) en las ventanas y una puerta enorme que conduce a un patio bonito. Hay también casas primitivas donde viven los pobres. Muchas de estas casas están situadas en las colinas (*hills*) que rodean (*surround*) el pueblo.

La vida diaria (*daily*) de un pueblo es tranquila (*calm*), casi monótona. Nadie[1] tiene prisa.[2] Los hombres se levantan temprano y van al trabajo. Muchos cultivan la tierra;[3] algunos trabajan en las minas o en las pequeñas industrias del pueblo.

1. **nadie,** no one, nobody 2. **tener prisa,** to be in a hurry 3. **la tierra,** land, earth

Mientras[1] los hombres están trabajando*, las mujeres se quedan[2] en casa cuidando de (*taking care of*) los niños y preparando las comidas. En los pueblos las mujeres tienen que ir por[3] agua a la fuente de la plaza. Generalmente lavan[4] la ropa en algún arroyo (*stream*) que corre[5] por el pueblo. Mientras las mujeres están lavando la ropa, charlan (*they chat*) con sus amigas.

Por la noche los hombres vuelven a casa. Después de la cena, se pasean[6] por la plaza donde encuentran a sus amigos. Pasan el tiempo en algún café hablando de los asuntos (*affairs*) del día mientras toman café o algún refresco. A lo lejos (*In the distance*) se puede (*one can*) oír[7] la música de guitarra de algún novio[8] que está dando serenata (*serenading*) a su novia.

Los domingos por la mañana se oyen[9] las campanas (*bells*) de la iglesia llamando a la gente a la misa (*Mass*). Por la tarde muchos visitan a sus amigos, o van a la plaza para oír la banda municipal. En la plaza los niños se divierten jugando, corriendo* y saltando (*jumping*). Los jóvenes se divierten también galanteando (*flirting*) a las muchachas del pueblo.

1. **mientras,** while 2. **quedarse,** to remain, stay 3. **por,** for, by, through 4. **lavar,** to wash 5. **correr,** to run 6. **pasearse,** to take a walk 7. **oír,** to hear 8. **novio (-a),** a boy (girl) friend, sweetheart 9. **se oyen,** are heard

*Verb forms ending in ***-ando*** or ***-iendo*** correspond to the English verb form ending in *-ing*. Ex.: **cultiv*ando*,** cultivat*ing*; **corr*iendo*,** runn*ing*.

Choose the word or phrase in parentheses which best completes the sentence.

1. Para conocer (*to know*) a los hispanoamericanos es necesario visitar (las ciudades, los pueblos, las calles). 2. En la plaza los habitantes se sientan en (los árboles, las flores, los bancos). 3. El edificio más alto y más bello del pueblo es (la tienda, la iglesia, el café). 4. Los pobres viven en (casas de estilo español, casas primitivas, casas modernas). 5. En los pueblos nadie tiene (sed, hambre, prisa). 6. Mientras los hombres están trabajando, las mujeres (se quedan en casa, se pasean, cultivan la tierra). 7. Los domingos por la tarde muchos van a la plaza para oír (la música de algún novio, la banda municipal, las campanas (*bells*) de la iglesia).

Preguntas

1. ¿Hay una plaza bonita en su ciudad? 2. ¿Tiene su ciudad una banda municipal? 3. ¿Se pasea Ud. por el parque los domingos? 4. ¿Se queda Ud. en casa los sábados? 5. ¿Corre Ud. cuando tiene prisa? 6. ¿Encuentra Ud.

a sus amigos en el cine? 7. ¿Tiene Ud. novio (-a)? 8. ¿Lava Ud. su ropa? 9. ¿Estudia Ud. mientras está en la escuela?

LANGUAGE PATTERNS

A

The Present Participle and the Present Progressive Tense

hablar, to speak	**habl*ando*,** speak*ing*
correr, to run	**corr*iendo*,** runn*ing*
vivir, to live	**viv*iendo*,** liv*ing*

The present participle in Spanish corresponds to the *-ing* form of the English verb.

The present participle is formed in Spanish by dropping the ending of the infinitive and adding **-ando** for **-ar** verbs and **-iendo** for **-er** and **-ir** verbs.

Estoy hablando.	I am speaking.
Está jugando.	He is playing.
Estamos comiendo.	We are eating.
¿Están Uds. escribiendo?	Are you writing?
Los hombres están trabajando.	The men are working.

The verb **estar** is used with the present participle to describe an action that is taking place at the moment. The present tense of **estar,** used with the present participle, is known as the present progressive. Note the difference between the simple present and the present progressive: **Juan estudia el español,** John is studying Spanish; **Juan está estudiando en su cuarto,** John is studying in his room (right now).

Practice

PERSON-NUMBER SUBSTITUTION

1. Ana está hablando por teléfono.
   Yo ______________.
   Uds. ______________.
   Nosotros ______________.
   Tú ______________.
   Ella ______________.

2. Estamos jugando con los niños.
   Ud. ______________.
   Yo ______________.
   Ellas ______________.
   Tú ______________.
   Lupe y yo ______________.

3. Juan está estudiando la lección.
Tú ____________________.
Nosotros ____________________.
Yo ____________________.
Uds. ____________________.
El ____________________.

4. Pepe está cerrando las ventanas.
Uds. ____________________.
Yo ____________________.
Nosotros ____________________.
Tú ____________________.
Roberto ____________________.

TRANSFORMATION

Uds. estudian el español.	Uds. están estudiando el español.
Hablamos de muchas cosas.	Estamos hablando de muchas cosas.
El hombre cultiva la tierra.	____________________.
La mujer lava la ropa.	____________________.
Pienso en mi amigo.	____________________.
Celebramos el cumpleaños de José.	____________________.
Alberto toca el disco nuevo.	____________________.

PERSON-NUMBER SUBSTITUTION

1. Rosa está aprendiendo el español.
Nosotros ____________________.
Los muchachos ____________________.
Tú ____________________.
Ella ____________________.
Yo ____________________.
Ud. ____________________.

2. Estamos leyendo un libro interesante.
El profesor ____________________.
Tú ____________________.
Uds. ____________________.
Yo ____________________.
El ____________________.
Ud. ____________________.

3. Están escribiendo una carta.
Yo ____________________.
Nosotros ____________________.
Ud. ____________________.
Mis padres ____________________.
Tú ____________________.

4. Carolina está haciendo un suéter.
Mis amigas ____________________.
Yo ____________________.
Nosotros ____________________.
Tú ____________________.
Mi madre ____________________.

TRANSFORMATION

Leemos las noticias.	Estamos leyendo las noticias.
¿Qué escribes en el papel?	¿Qué estás escribiendo en el papel?
¿Qué hacen los muchachos?	¿____________________?
Vendo mi coche.	____________________.
¿Qué come el niño?	¿____________________?
Mi primo aprende a bailar.	____________________.

B

Present Tense of *oír* (to hear)

yo	**oigo**	nosotros	**oímos**
tú	**oyes**		
Ud. / él / ella	**oye**	Uds. / ellos / ellas	**oyen**

Practice

ITEM SUBSTITUTION

1. No oigo el teléfono.
   ——— el reloj.
   ——— nada.

2. Tú oyes al niño.
   ——— a tu vecino.
   ——— a tu amigo.

3. ¿Oye Ud. el aeroplano?
   ¿——— las campanas de la iglesia?
   ¿——— el tren?

4. Uds. no oyen la música.
   ——— la canción.
   ——— a los actores.

5. Oímos los pájaros.
   ——— la orquesta.
   ——— la banda.

TRANSFORMATION

El alumno no puede oír al profesor.	El alumno no oye al profesor.
Ellos pueden oír el tráfico de la calle.	Ellos oyen el tráfico de la calle.
Podemos oír las campanas.	________.
Yo no puedo oír nada.	________.
El niño puede oír a su madre.	________.
Uds. pueden oír la banda.	________.

TEST YOUR PROGRESS V

(LECCIONES 33–40)

¿Sí o No?

1. Es agradable dar un paseo por el bosque. 2. Cuando tenemos prisa corremos. 3. Hay una piscina en todos los parques públicos. 4. Mucha gente va a la playa en el verano. 5. Todas las escuelas tienen un buen equipo. 6. La leche se vende en latas. 7. Las mujeres prefieren quedarse en casa. 8. El alumno aplicado está siempre listo. 9. Todas las muchachas tienen novio. 10. El oro vale mucho. 11. La sopa se usa para lavar. 12. El tocino es un postre. 13. Cuando tenemos sed tomamos agua. 14. Nadie gana siempre.

Vocabulary (Choose the word that is not related to the other words in each series.)

1. plátano, piña, uva, fresco, manzana
2. cena, cosa, comida, desayuno, almuerzo
3. taza, arroz, maíz, cebolla, guisantes
4. deporte, equipo, disco, juego, aficionado
5. pañuelo, traje, bolsa, partido, vestido

Vocabulary (Repeat the following sentences replacing the word indicated with its opposite.)

1. Ellos no pueden **venir** a las dos. 2. **Todo el mundo** quiere hablar. 3. No le gusta **acostarse** temprano. 4. Quiero **abrir** la puerta. 5. Juan siempre **pierde** algo. 6. Ese camino es **bueno.** 7. Le gusta jugar **antes de** estudiar. 8. Tomo café **con** azúcar.

Number substitution

Los primeros días son difíciles.	El primer día es difícil.
Los jóvenes son buenos amigos de Ricardo.	________.
¿Hay algunas cosas en la mesa?	________.
Estos hombres son grandes artistas.	________.
Sus tías son buenas amigas de mi madre.	________.
Las primeras casas son blancas.	________.
Algunos muchachos siempre llegan tarde.	________.
Esas alumnas son grandes amigas de la profesora.	________.

Substitution (Replace the subject with the word in parentheses.)

Yo entiendo el español. (Mis amigos) Mis amigos entienden el español.

El niño pierde la pelota.	(Nosotros)	______________.
Tú duermes mucho.	(Uds.)	______________.
No encontramos a nuestros amigos.	(Yo)	______________.
Fernando pide huevos con tocino.	(Nosotros)	______________.
Volvemos a casa tarde.	(Mi padre)	______________.
Repetimos las frases.	(Tú)	______________.
Alberto no recuerda nada.	(El y yo)	______________.
Ellos prefieren pescado.	(Yo)	______________.
Empezamos a trabajar.	(Ricardo)	______________.

COMPLETION

Quieren volver temprano y (vuelven temprano).
No quiero cerrar las ventanas y ______________.
Tú quieres dormir ocho horas y ______________.
Mi madre no quiere servir pollo y ______________.
No queremos jugar y ______________.
Ud. no quiere pensar y ______________.
No quieren pedir permiso y ______________.
Queremos repetir las palabras y ______________.
Quiero contar los libros y ______________.

SUBSTITUTION (PRESENT—PRESENT PROGRESSIVE TENSE)

Paco no trabaja en la oficina.	Paco no está trabajando en la oficina.
Los niños juegan.	______________.
Luisa no escribe la carta.	______________.
El tren llega.	______________.
Preparamos la comida.	______________.
Los muchachos no estudian.	______________.
Rodrigo mira la pizarra.	______________.
Leo un libro interesante.	______________.
¿Quién canta?	¿ ______________?

COMPLETION

Me llamo Carmen, y esa muchacha (se llama Carmen).
Marta no se levanta temprano, y sus hermanos ______________.
Nos acostamos tarde, y nuestro vecino ______________.
Mi amigo se queda en casa esta noche, y yo ______________.
Los muchachos se sientan cerca de la puerta, y nosotros ______________.
Yo siempre me divierto mucho, y Dolores y Lupe ______________.

Preguntas

1. ¿Llama Ud. a sus amigos por teléfono todos los días? 2. ¿Estudia Ud. mientras está mirando la televisión? 3. ¿Tiene Ud. hambre cuando llega de la escuela? 4. ¿Toma Ud. un vaso de leche y algún postre? 5. ¿Le gusta dormir la siesta por la tarde? 6. ¿Qué hace Ud. antes de la comida? 7. ¿A qué hora se sirve la comida en su casa? 8. ¿Prefiere Ud. verduras frescas o verduras en lata? 9. ¿Quién lava los platos después de la comida? 10. ¿Se quedan Uds. en casa por la noche? 11. ¿Vienen amigos a visitar a su familia? 12. ¿A qué hora se acuestan Uds.?

Niño querido

Arranged by Pauline Bogart

Ni - ño que - ri - do, duér-me-te ya

que mien-tras tan-to te can-ta ma - má.

(Spanish Lullaby)

Niño querido, **duérmete ya** **que mientras tanto** **te canta mamá.**	Darling baby, go to sleep now while your mother sings to you.
Los pajarillos **duermen también** **mientras sus padres** **buscan que comer.**	The little birds are also asleep while their parents are searching for food.

Herbert C. Lanks from F.P.G.

A Peruvian village girl

Lección 41

*Preparativos para el viaje**

¿Cuánto equipaje llevamos?

EL SEÑOR ROBERTS—EL SEÑOR BROWN (SU AMIGO)

SR. B.—**¿Cuándo *sale Ud.* para México?**	When are you leaving for Mexico?
SR. R.—***Salgo* la semana *próxima*.**	I am leaving next week.
SR. B.—**¿Viajan Uds. en automóvil?**	Are you traveling by automobile?
SR. R.—**No, viajamos en avión.**	No, we are traveling by plane.
SR. B.—**Un viaje en automóvil es más interesante y los caminos son excelentes.**	A trip by automobile is more interesting and the roads are excellent.
SR. R.—**Ud. *tiene razón*, pero en avión llegamos a la ciudad de México en unas ocho horas.**	You are right, but by plane we arrive in Mexico City in about eight hours.
SR. B.—**¿Lleva Ud. a toda la familia?**	Are you taking the whole family?
SR. R.—**¡Ya lo creo!**	Yes, indeed!

***Preparativos para el viaje,** Preparations for the trip

SR. B.—**¿Es su primer viaje a México?**	Is it your first trip to Mexico?
SR. R.—**Para mí, no, pero es el primer viaje para mi *esposa* y mis hijos.**	Not for me, but it is the first trip for my wife and children.
SR. B.—**¿Necesitan Uds. pasaporte?**	Do you need a passport?
SR. R.—**No, solamente *tarjeta* de turista y *ya la* tenemos.**	No, only a tourist card and we already have it.
SR. B.—**¿Lleva Ud. cheques de *viajero*?**	Are you taking traveler's checks?
SR. R.—**Sí, siempre llevo cheques de viajero, pero todavía no *los* tengo.**	Yes, I always take traveler's checks, but I don't have them yet.
SR. B.—**Ud. puede comprar cheques de viajero en el Banco Nacional.**	You can buy traveler's checks at the National Bank.
SR. R.—**No los necesito hasta la semana próxima.**	I don't need them until next week.
SR. B.—**¿Llevan Uds. mucho *equipaje*?**	Are you taking much luggage?
SR. R.—**No podemos llevar mucho en avión. Llevamos solamente cuatro *maletas*.**	We can't take much by plane. We are taking only four suitcases.
SR. B.—**¿*Conoce Ud*. a algunas personas en México?**	Do you know some people in Mexico?
SR. R.—**Sí, *conozco* al señor Mendoza; es el representante mexicano de nuestra compañía.**	Yes, I know Mr. Mendoza; he is the Mexican representative of our company.
SR. B.—**Ud. habla español, ¿no es verdad?**	You speak Spanish, isn't that so?
SR. R.—***Lo* hablo un poco y lo entiendo *bastante bien*.**	I speak it a little and I understand it quite well.
SR. B.—**¿*Cuánto tiempo* se quedan Uds. en México?**	How long are you staying in Mexico?
SR. R.—**Un mes. ¿Y Ud. no piensa *hacer un viaje* este verano?**	One month. And don't you intend to take a trip this summer?
SR. B.—**Este verano, no. *Tal vez* el año próximo. Adiós pues, y *feliz viaje*.**	Not this summer. Perhaps next year. Well, good-by and have a nice trip.
SR. R.—**Muchísimas gracias. Hasta luego.**	Thank you very much. See you later.
SR. B.—**Hasta la vista.**	See you later.

Choose the word or expression in parentheses that completes the sentence according to the preceding conversation.

1. El señor Roberts sale para México (el año próximo, la semana próxima). 2. La familia viaja (en avión, en automóvil). 3. Es el (primer, tercer) viaje a México para su familia. 4. Necesitan (pasaporte, tarjeta de turista). 5. Puede comprar (cheques de viajero, equipaje) en el banco. 6. Lleva solamente cuatro (esposas, maletas). 7. El señor Roberts y su familia piensan quedarse en México (un mes, ocho horas). 8. El señor Roberts entiende el español (bastante bien, un poco). 9. El señor Mendoza es el representante (mexicano, norteamericano) de la compañía. 10. El señor Brown no piensa hacer un viaje (este verano, el año próximo).

¿Sí o No?

1. Cada hombre tiene esposa. 2. Los padres siempre tienen razón. 3. Todos los alumnos de esta clase van a estudiar el español el año próximo. 4. Algunos alumnos ya hablan bien el español. 5. Algunos alumnos se quedan en la escuela hasta las cuatro de la tarde. 6. Es agradable hacer un viaje. 7. El viajero siempre se divierte mucho. 8. Cuatro maletas es mucho equipaje.

LANGUAGE PATTERNS

A

Present Tense of *conocer* (to know)

yo	**conozco** al señor	nosotros	**conocemos** al señor
tú	**conoces** al señor		
Ud. / él / ella	**conoce** al señor	Uds. / ellos / ellas	**conocen** al señor

Note that the present tense of the verb **conocer** is formed like regular **-er** verbs except for the **yo** form (**conozco**).

Practice

ITEM SUBSTITUTION

1. Yo conozco la ciudad.
   ———— el parque.
   ———— el pueblo.
   ———— el país.

2. Ud. conoce al joven.
   ———— a la muchacha.
   ———— esta revista.
   ———— a mi amigo.

3. Conocemos a su hija.
______ a la familia.
______ esa escuela.
______ a los profesores.

4. Mis padres conocen la capital.
______ los mercados.
______ a los señores.
______ a la profesora.

PERSON-NUMBER SUBSTITUTION

1. Yo conozco a ese muchacho.
Ud. ______.
Mis amigos ______.
Tú ______.
Nosotros ______.
Ellos ______.

2. Ud. no conoce esta ciudad.
Los turistas ______.
Tú ______.
Yo ______.
Nosotros ______.
El señor ______.

B

Uses of *Conocer* and *Saber*

¿Conoce Ud. al señor Alvarado?	Do you know Mr. Alvarado?
Conozco la ciudad.	I know the city.
Sé la lección.	I know the lesson.
Saben hablar inglés.	They know how to speak English.

Conocer means "to know" in the sense of to be acquainted with or to know a person. **Saber** means "to know" in the sense of to know something or to know how to do something.

Practice

COMPLETION (Complete with **sé** or **conozco** as required.)

1. Yo sé hablar español.
Yo conozco al señor Mendoza.
______ su dirección.
______ a sus hijos.
______ el número de la casa.
______ leer el francés.

2. Conozco la ciudad de San José.
______ su país.
______ donde viven.
______ el pueblo.
______ donde está.

TRANSLATION

1. Do you know Peter Morales? ¿______?
2. He is in my Spanish class. ______.
3. Do you know where he lives? ¿______?
4. I know the house, but I don't know the number. ______.
5. Do you know his brother Miguel? ¿______?

6. I know that he has a brother. ______________________.
7. Does he know how to play the guitar? ¿______________________?
8. I think so. ______________________.

C

Object Pronouns *lo, la, los, las*.

Ud. entiende *el español*.	You understand *Spanish*.
Ud. *lo* entiende.	You understand *it*.
Ud. tiene *la tarjeta*.	You have *the card*.
Ud. *la* tiene.	You have *it*.
Yo necesito *los cheques*.	I need *the checks*.
Yo *los* necesito.	I need *them*.
Uds. llevan *las maletas*.	You are taking *the suitcases*.
Uds. *las* llevan.	You are taking *them*.

In each of the sentences above, the verb has a direct object. When the object of the verb is a pronoun, it precedes the verb in these sentences. The direct object pronoun **lo** (it) stands for a masculine singular noun; **la** (it) for a feminine singular noun; **los** (them) for a masculine plural noun; **las** (them) for a feminine plural noun.

Practice

Response

1. ¿Entiende Ud. el español? Sí, lo entiendo.
   ¿Entiende Ud. el francés? ____________.
   ¿Entiende Ud. el deporte? ____________.
   ¿Entiende Ud. el problema? ____________.

2. ¿Tiene Ud. la tarjeta? Sí, la tengo.
   ¿Tiene Ud. la carta? ____________.
   ¿Tiene Ud. la dirección. ____________.
   ¿Tiene Ud. la pelota? ____________.

3. ¿Necesita Ud. los cheques? Sí, los necesito.
   ¿Necesita Ud. los libros? ____________.
   ¿Necesita Ud. los discos? ____________.
   ¿Necesita Ud. los papeles? ____________.

4. ¿Tienen Uds. las maletas? Sí, ya las tenemos.
   ¿Tienen Uds. las camisas? ____________.

¿Tienen Uds. las blusas? ______________.
¿Tienen Uds. las corbatas? ______________.

5. ¿Cierra Juan el libro? Sí, lo cierra.
¿Cierra Juan las ventanas? __________.
¿Cierra Juan la puerta? __________.
¿Cierra Juan los ojos? __________.

6. ¿Dónde está la casa? No la veo.
¿Dónde están los pájaros? ________.
¿Dónde está el avión? ________.
¿Dónde están las sillas? ________.

7. ¿Conocen Uds. las costumbres? Sí, las conocemos bien.
¿Conocen Uds. los pueblos? ________________.
¿Conocen Uds. la ciudad? ________________.
¿Conocen Uds. el país? ________________.

D

Present Tense of *salir* (to leave, to go out)

yo	**salgo** temprano	nosotros	**salimos** temprano
tú	**sales** temprano		
Ud. / él / ella	**sale** temprano	Uds. / ellos / ellas	**salen** temprano

The present tense of the verb **salir** is formed like regular **-ir** verbs except for the **yo** form (**salgo**).
Salir is followed by **de** when one is leaving (going out of) a place.

Salen de la ciudad. They are leaving the city.

Practice

PERSON-NUMBER SUBSTITUTION

1. Salimos por esa puerta.
Yo ______________.
Tú y Pablo ________.
Ud. ______________.
Enrique y yo ______.
Tú ______________.

2. Ellos salen de la escuela a las tres.
Anita y yo ______________.
Ernesto ______________.
Tú ______________.
Yo ______________.
Uds. ______________.

Preguntas

1. ¿Sale su familia para México este verano? 2. ¿Sale Ud. con sus amigos los sábados? 3. ¿A qué hora salen Uds. de la escuela? 4. ¿Salen los alumnos por las puertas o por las ventanas? 5. ¿Sale Ud. para la escuela tarde o temprano? 6. ¿Quién sale de esta clase primero?

Refrán

De la mano a la boca se pierde la sopa.	There is many a slip twixt the cup and the lip. (From the hand to the mouth the soup is lost.)

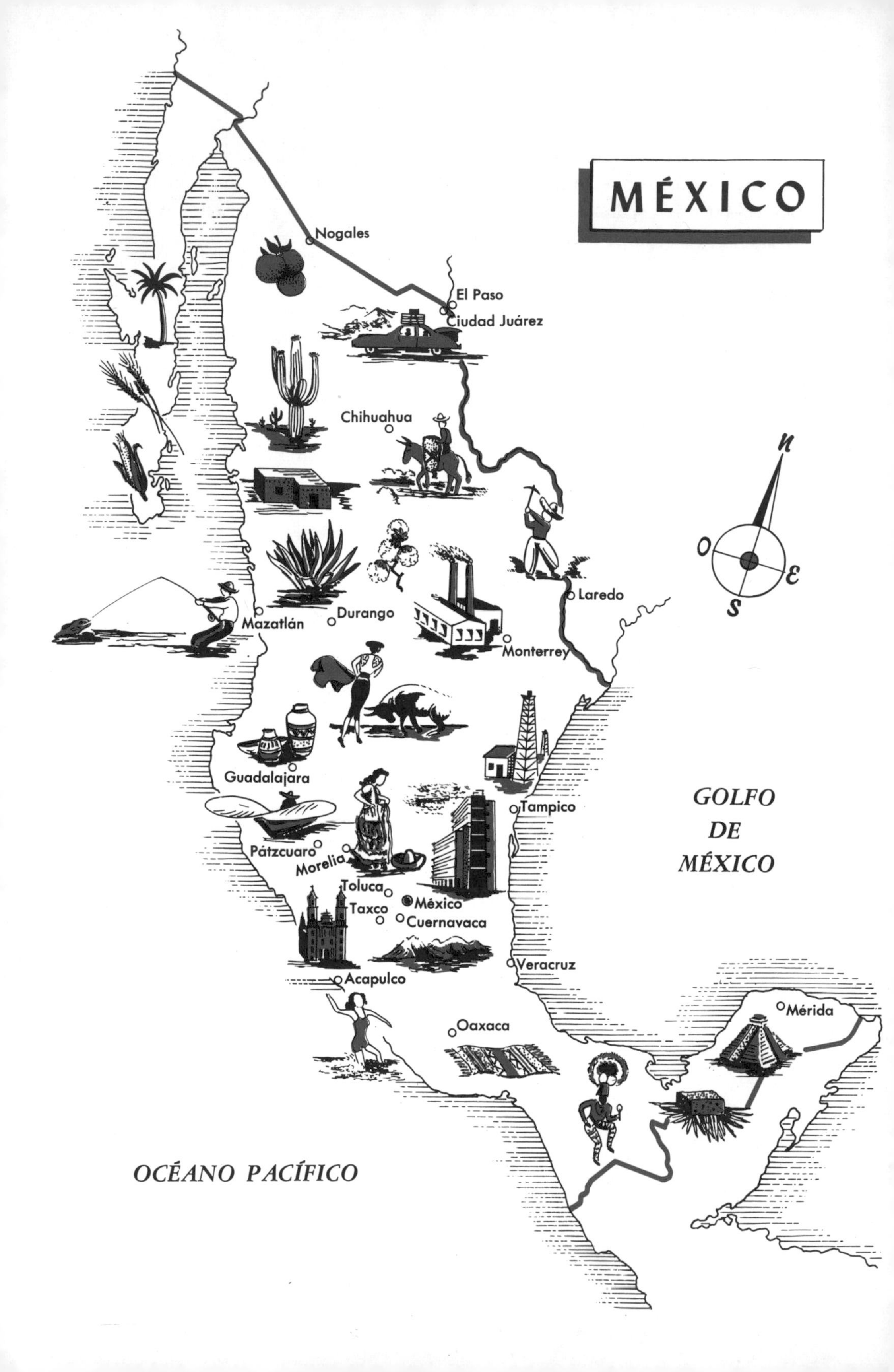
MÉXICO
Nogales
El Paso
Ciudad Juárez
Chihuahua
n
O
E
S
Laredo
Mazatlán
Durango
Monterrey
Guadalajara
Tampico
GOLFO
DE
MÉXICO
Pátzcuaro
Morelia
Toluca
México
Taxco
Cuernavaca
Veracruz
Acapulco
Mérida
Oaxaca
OCÉANO PACÍFICO

Lección 42

México, tierra de contrastes

Todos los años, miles (*thousands*) de turistas de los Estados Unidos visitan a México. Algunas personas vuelven al país por segunda[1] y tercera vez.[2] ¿Qué atractivos tiene México para estos viajeros?

México es uno de los países más interesantes de nuestro hemisferio. Es una tierra de lindos[3] paisajes (*landscapes*), de vivos[4] colores y de grandes contrastes. Desde la frontera hasta la capital, en un viaje por automóvil, el viajero cruza (*crosses*) desiertos, valles fértiles y montañas altas. Puede ver volcanes cubiertos de (*covered with*) nieve[5] y regiones tropicales con plantas de muchos colores. En su viaje el turista encuentra ciudades modernas y pueblos primitivos.

Por las carreteras del país se ven automóviles de los últimos[6] modelos y también indios con sus burros llevando productos al mercado. Cerca de las carreteras hay haciendas enormes de familias ricas y también pequeños terrenos donde los indios pobres cultivan su maíz.

En México el turista puede admirar iglesias magníficas y palacios coloniales construidos por los españoles. También puede ver las pirámides y los antiguos templos de los indios. Todos estos edificios de los tiempos pasados forman fuerte[7] contraste con las casas modernas y los rascacielos (*skyscrapers*) construidos en los últimos años.

Los habitantes del país también ofrecen[8] contrastes interesantes para el turista. En las ciudades se ven personas que visten a la última moda (*style*) como nosotros. En los pueblos y en el campo se ven muchos indios que todavía conservan sus antiguas tradiciones y que visten los trajes típicos de su región.

México, país de contrastes por sus paisajes, habitantes y tradiciones, interesa mucho a los visitantes. Todos dicen,[9] después de un viaje a México, que algún día esperan (*they hope*) visitar el país otra vez.[10]

1. **segundo (-a),** second. 2. **la vez (**pl. **veces),** time 3. **lindo (-a),** pretty 4. **vivo (-a),** bright, lively 5. **la nieve,** snow 6. **último (-a),** last, latest 7. **fuerte,** strong 8. **ofrecer,** to offer 9. **dicen,** (they) say 10. **otra vez,** again

H. Armstrong Roberts

Commuters along a rural road

A modern highway built with beauty as well as utility in mind

H. Armstrong Roberts

Oxcarts in this brickyard show no sign of mechanization

Oil, one of Mexico's most important industries

Myers from Three Lions

¿Sí o No?

1. Muchos turistas vuelven a México por segunda vez. 2. México es una tierra de mucha nieve. 3. Los volcanes están cubiertos de plantas tropicales. 4. Por las carreteras se ven automóviles de los últimos modelos. 5. Cerca de las carreteras hay haciendas enormes de familias pobres. 6. En México hay pirámides y templos construidos por los indios. 7. Los edificios antiguos forman fuerte contraste con las casas modernas. 8. En el campo se ven muchos indios que visten a la última moda. 9. Los indios viven en palacios coloniales. 10. En las ciudades las personas modernas visten los trajes típicos de su región.

Preguntas

1. ¿Visitan muchos turistas a los Estados Unidos? 2. ¿Es interesante nuestro país? 3. ¿Hay grandes contrastes en nuestro país? 4. ¿Encuentra Ud. por las carreteras muchos automóviles de los últimos modelos? 5. ¿Hay en los Estados Unidos edificios de los tiempos pasados? 6. ¿Ofrecen los habitantes muchos contrastes interesantes? 7. ¿Hay indios en los Estados Unidos? 8. ¿Conservan los indios sus antiguas tradiciones? 9. ¿Visten trajes típicos de su región?

LANGUAGE PATTERNS

A

Present Tense of *decir* (to say, to tell)

yo	**digo** la verdad	nosotros	**decimos** la verdad
tú	**dices** la verdad		
Ud. / él / ella	**dice** la verdad	Uds. / ellos / ellas	**dicen** la verdad

Practice

Person-number substitution

1. Ud. no dice nada.
   Ellos ——————.
   Yo ——————.
   Nosotros ———.
   Tú ——————.
   El alumno ——.

2. Uds. lo dicen por última vez.
   Yo ——————————.
   Nosotros ——————.
   El profesor ————.
   Tú ——————————.
   Todos ——————.

3. Ellos dicen que la muchacha es linda.	4. ¿Qué dice la carta?
Mi hermano ____________.	¿________ los periódicos?
Yo ____________.	¿________ tú?
Nosotros ____________.	¿________ nosotros?
Muchos ____________.	¿________ la noticia?
Tú ____________.	¿________ los señores?

B

Expressions with *Vez*

la primera, (segunda, etc.) **vez**	the first, (second, etc.) time
otra vez	again (another time)
una vez	once (one time)
dos veces	twice (two times)
algunas veces	sometimes
muchas veces	often (many times)
en vez de	instead of
tal vez	perhaps

Vez (pl. **veces**), meaning "time," is used in the sense of the number of times something takes place.

Practice

TRANSLATION

1. The teacher says it once.	El profesor lo dice una vez.
2. He says it for the second time.	____________.
3. He says it several times.	____________.
4. He says it often.	____________.
5. He says it again.	____________.
6. He says it sometimes.	____________.
7. He says it twice.	____________.

Preguntas

1. ¿Cuántas veces al día come Ud.? 2. ¿Repite Ud. los ejercicios varias veces? 3. ¿Habla Ud. con su amigo en vez de estudiar? 4. ¿Quiere Ud. ir al cine hoy, o tal vez mañana? 5. ¿Lee Ud. algunos libros por segunda vez? 6. ¿Le gusta llevar zapatos nuevos por primera vez? 7. ¿Usa Ud. el teléfono muchas veces durante el día?

Lección 43

En el avión

¿A qué altura estamos volando?

EL SEÑOR ROBERTS—SU ESPOSA—SUS HIJOS, MARGARET (17 AÑOS) Y TOM (14 AÑOS)—LA CAMARERA (STEWARDESS)*

SR. R.—***(A la camarera)*** **¿Llega a tiempo el avión?**
(*To the stewardess*) Is the plane arriving on time?

C.—**Sí, señor, vamos a aterrizar en pocos minutos.**
Yes, sir, we are going to land in a few minutes.

T.—**¿A qué altura estamos *volando*?**
At what altitude are we flying?

C.—**En este momento estamos volando a quince *mil* pies.**
At this moment we are flying at 15,000 feet.

M.—**Miren Uds. *aquellas* dos montañas.**
Look at those two mountains.

C.—**Son los famosos volcanes Ixtacíhuatl y Popocatépetl.**
They are the famous volcanos Ixtaccihuatl and Popocatepetl.

T.—**¡Están *cubiertos de* nieve!**
They are covered with snow!

M.—**¡Qué magníficos son!**
How magnificent they are!

C.—**Estamos aterrizando. Hagan Uds. el favor de abrocharse el cinturón.**
We are landing. Please fasten your belts.

*also called **sobrecargo, aeromoza, azafata**

En el aeropuerto

LOS SEÑORES ROBERTS—SUS HIJOS MARGARET Y TOM—UN INSPECTOR DE INMIGRACIÓN—EL SEÑOR MENDOZA

T.—*¡Cuántos pasajeros!*

What a lot of passengers!

I.—**(*Al Sr. Roberts*) Tenga Ud. la bondad de pasar a la oficina de inmigración con su tarjeta de turista.**

(*To Mr. Roberts*) Please go to the immigration office with your tourist card.

SRA. R.—**Aquí llega el equipaje.**

Here comes the baggage.

I.—**Señora, tenga Ud. la bondad de *abrir* las maletas para la inspección.**

Madam, please open the suitcases for the inspection.

SRA. R.—**(*Abriendo las maletas*) Con mucho gusto.**

(*Opening the suitcases*) Gladly.

I.—**¿Tienen Uds. algo que declarar?**

Do you have anything to declare?

SRA. R.—**No, señor, *llevamos* solamente ropa de uso personal.**

No, sir, we are carrying only clothes for personal use.

I.—**(*Examinando las maletas*) Está bien, señora. Ya puede cerrar las maletas.**

(*Examining the suitcases*) All right, madam. You can close the suitcases now.

SR. R.—**(*Saliendo de la oficina de inmigración*) Vamos. Todo está listo.**

(*Leaving the immigration office*) Let's go. Everything is ready.

M.—**Papá, aquel señor que está cerca de la puerta nos *mira* con atención. Creo que lo conoce a Ud.**

Dad, that man who is near the door is looking at us attentively. I believe that he knows you.

Aquí llega el equipaje.

Sr. R.—¡Claro que me conoce! Es mi buen amigo Carlos Mendoza.
Of course he knows me! He is my good friend Charles Mendoza.

Sr. M.—*Bienvenidos* a México.
Welcome to Mexico.

Sr. R.—Quiero presentarle a mi familia. Ud. ya conoce a mi esposa.
I want to introduce my family. You already know my wife.

Sr. M.—¡Cierto que la conozco! ¿Cómo está Ud., señora?
Certainly I know her! How are you, madam?

Sra. R.—Muy bien, gracias, y tan contenta de venir a México.
Very well, thanks, and so glad to come to Mexico.

Sr. R.—Mi hija Margaret y mi hijo Tom.
My daughter Margaret and my son Tom.

M. y T.—Mucho gusto en conocerlo, señor.
Very glad to meet you, sir. (How do you do?)

Sr. R.—¿Y cómo está su familia?
And how is your family?

Sr. M.—Todos están bien, gracias. Mi *coche* está a la *entrada*, a la disposición de Uds.
All are well, thanks. My car is at the entrance, at your disposal.

Sr. R.—Muchas gracias. Ud. es muy amable. Tenemos cuartos reservados en el Hotel Eldorado, en el Paseo de la Reforma.
Thank you very much. You are very kind. We have reserved rooms at the Hotel Eldorado on Reforma Boulevard.

Sr. M.—*¡Qué suerte!* Está cerca de nuestra casa. *A sus órdenes*.
What luck! It is near our house. At your service.

(Todos entran en el coche.)
(*All enter the car.*)

¿Sí o No?

1. La familia Roberts viaja por avión. 2. El avión está volando a una altura de cinco mil pies. 3. Los volcanes están cubiertos de nieve. 4. La señora Roberts abre las maletas para la inspección. 5. Los señores Roberts llevan comida para su uso personal. 6. No tienen nada que declarar. 7. El señor Mendoza mira a la familia Roberts con atención. 8. El señor Mendoza presenta[1] su esposa a los señores Roberts.

[1]When an indirect object and a direct object appear together, the personal **a** before the direct object is often omitted.

Preguntas

1. ¿Hay montañas cubiertas de nieve en los Estados Unidos? 2. ¿Le gusta viajar por avión? 3. ¿Vuelan los aviones a gran altura? 4. ¿Tiene su

ciudad un aeropuerto? 5. ¿Se permite llevar mucho equipaje en un avión? 6. Algunos pasajeros viajan sin maletas, ¿verdad? 7. ¿Es necesario abrir las maletas? 8. ¿Llegan todos los aviones a tiempo? 9. ¿Son todos sus amigos bienvenidos en su casa? 10. ¿Tiene su familia un coche nuevo?

TRANSLATION

1. At what altitude are we flying?	¿ ______________ ?
2. How magnificent they are!	¡ ______________ !
3. Where is my baggage?	¿ ______________ ?
4. Welcome to the United States.	______________.
5. I want to introduce my friend to you.	______________.
6. Very glad to meet you. (How do you do?)	______________.
7. All right.	______________.
8. What luck!	¡ ______________ !
9. At your service.	______________.
10. In a few minutes.	______________.

LANGUAGE PATTERNS

A

Personal Pronouns—Direct Object of Verb

Carlos *me* ayuda.	Charles helps *me*.
El profesor *lo* mira.	The teacher looks *at you* (*him*).
Yo no *la* veo.	I don't see *you* (*her*).
¿Quién *nos* llama?	Who is calling *us*?
El señor *los* conoce.	The gentleman knows *them* (*you*).

me, me	**nos,** us
te, you (fam.)	
lo, you, him,* it (m.)	**los,** you, them (m.)
la, you, her, it (f.)	**las,** you, them (f.)

*Some Spanish-speaking people use **le** rather than **lo** for the direct object pronoun "you" and "him."

In Spanish direct object pronouns precede the verb. (Exceptions to this rule will be presented in lessons 45 and 46.)

Note that **lo** is used for both "you" (m.) and "him"; **la** for "you" (f.) and "her"; **los** or **las** for "you" (pl.) and "them." The meaning is generally indicated by the rest of the sentence. However, when the meaning may not be clear, the phrases **a Ud., a él, a ella,** etc., may be added. Example:

El profesor *lo* llama *a Ud*. The teacher is calling *you*.
El profesor *lo* llama *a él*. The teacher is calling *him*.

Practice

NUMBER SUBSTITUTION

El señor lo mira a él.	El señor los mira a ellos.
Conchita las invita a Uds.	Conchita la invita a Ud.
El profesor lo llama a Ud.	________.
Francisco me visita.	________.
Yo siempre te encuentro aquí.	________.
Inés no los conoce a Uds.	________.
Ernesto me ayuda.	________.
Yo las veo en la calle.	________.

SUBSTITUTION (NOUN—PRONOUN)

1. Ud. mira a Conchita.	Ud. la mira.
Ud. mira al señor.	________.
Ud. mira a las muchachas.	________.
Ud. mira a los pasajeros.	________.

2. No veo la montaña.	No la veo.
No veo a mis amigos.	________.
No veo al señor Mendoza.	________.
No veo a sus hijas.	________.

ITEM SUBSTITUTION

1. Carmen lo invita a él.	Carmen lo invita.
________ a Ud. (f.)	Carmen la invita.
________ a mí.	Carmen me invita.
________ a ellos.	________.
________ a nosotros.	________.
________ a ti.	________.
________ a María Luisa.	________.
________ a Paco y a Tomás.	________.

2. Arturo los conoce a Uds.	Arturo los conoce.
________ a él.	________.
________ a mí.	________.

________ a las muchachas. ________.
________ a nosotros. ________.
________ a Ud. (m.) ________.
________ a Uds. (f.) ________.
________ a ti. ________.

CUED RESPONSE

¿Encuentra Ud. a los niños?	No, no los encuentro.
¿Encuentra Ud. a Anita?	No, ________.
¿Me llamas a mí?	Sí, ________.
¿Nos llama el profesor?	Sí, el profesor ____.
¿Me mira Ud. a mí?	Sí, ________.
¿Nos mira el señor?	Sí, el señor ______.
¿Los visitan a Uds. los amigos?	Sí, los amigos ______.
¿Te visita Felipe?	Sí, Felipe ______.
¿Invita Ud. a María?	No, ________.

B

The Adjective *Aquel*

aquel **hombre,** *that* man

aquella **mujer,** *that* woman

aquellos **muchachos,** *those* boys

aquellas **muchachas,** *those* girls

Aquel, aquella (that) and **aquellos, aquellas** (those) are used when referring to or pointing out an object or a person some distance from the speaker.

Practice

ITEM SUBSTITUTION

1. No conozco a aquel señor.
   ________ pasajero.
   ________ hombre.
   ________ profesor.

2. Aquella muchacha es simpática.
   ____ profesora ______.
   ____ señora ______.
   ____ mujer ______.

3. Aquellos edificios son grandes.
   ____ aviones ______.
   ____ autobuses ______.
   ____ cuadros ______.
   ____ libros ______.

4. Aquellas señoras son de México.
   ____ mujeres ______.
   ____ personas ______.
   ____ revistas ______.
   ____ muchachas ______.

5. ¿Ve Ud. aquellos pájaros?
¿ ______ avión?
¿ ______ fábricas?
¿ ______ casa?
¿ ______ árboles?
¿ ______ rancho?

6. La profesora llama a aquellos muchachos.
______ señorita.
______ alumno.
______ jóvenes.
______ muchacho.

TRANSLATION

1. Do you see those mountains? ¿______?
2. Yes, I see them. ______.
3. Do you know that man? ¿______?
4. Yes, I know him. ______.
5. Are you calling those boys? ¿______?
6. No, I'm calling you. ______.
7. Are you inviting us? ¿______?
8. Yes, of course, I'm inviting you. ______.
9. Are you looking at those girls? ¿______?
10. No, I'm looking at you. ______.

Refrán

Más vale pájaro en mano que ciento volando.

A bird in the hand is worth two in the bush. (A bird in the hand is worth more than a hundred flying.)

Lección 44

La ciudad de México

La ciudad de México es una de las bellas capitales de la América latina. Está situada en el centro de un valle fértil, rodeado de (*surrounded by*) montañas altas y volcanes. Tiene un clima ideal durante todo el año por (*because of*) su altura de 7300 (siete mil trescientos) pies sobre[1] el nivel del mar (*sea level*).

La capital es el corazón de la República mexicana porque es el centro del gobierno, del comercio y de la vida cultural del país. Es una gran metrópoli con unos tres millones de habitantes. Tiene hoteles modernos, restaurantes excelentes, teatros, cines y cabarets. Sus avenidas están llenas de automóviles, taxis y autobuses. En las calles principales hay una multitud de gente, damas elegantes, hombres de negocios,[2] estudiantes, turistas, vendedores (*vendors*), criadas e* indios.

México es una ciudad cosmopolita y también es una ciudad de viejas[3] tradiciones y monumentos históricos. Está construida sobre las ruinas de Tenochtitlán, antigua capital del imperio[4] azteca. Todavía se pueden ver (*can be seen*) las grandes pirámides y ruinas de templos de las civilizaciones indias. Después de la conquista española, y durante los tres siglos[5] de la época[6] colonial, fue (*it was*) la ciudad más importante del Nuevo Mundo. Muchas iglesias y casas de la época colonial se conservan todavía en la ciudad.

Como todas las ciudades latinoamericanas, la ciudad de México tiene una gran plaza central. Esta plaza se llama el Zócalo. Al norte del Zócalo está la famosa catedral de México, la más grande y la más antigua del continente norteamericano. Varios edificios públicos están en esta plaza. El Palacio Nacional, al este, es un edificio inmenso donde el Presidente de la República y otros oficiales tienen sus oficinas. En las estrechas[7] calles

1. **sobre,** above, upon 2. **los negocios,** business 3. **viejo (-a),** old 4. **el imperio,** empire 5. **el siglo,** century 6. **la época,** period, time 7. **estrecho (-a)**, narrow

***Y** (and) is changed to **e** when it comes before a word beginning with **i** or **hi: criadas e indios; padre e hijo.**

Leding from Monkmeyer

The 400-year-old Cathedral of Mexico City

J. Kessler

A section of the Paseo de la Reforma

Ministry of Communications and Public Works

Pease from Monkmeyer

The Paseo de la Reforma meets Avenida Juárez.

PAWA

que se encuentran cerca del Zócalo hay varios edificios históricos. Esta es la parte vieja de la ciudad.

La avenida más elegante de la ciudad es el Paseo de la Reforma. Es una avenida ancha con árboles altos, flores bonitas y estatuas de los héroes nacionales. La avenida se extiende desde el centro de la ciudad hasta el Bosque de Chapultepec, parque famoso de la capital. Muchas antiguas residencias coloniales y muchos edificios modernos dan al (*face*) Paseo. Es la avenida favorita de los mexicanos y también de los turistas.

Preguntas

1. ¿Es bella la capital de México? 2. ¿Dónde está situada? 3. ¿Cómo es el clima? 4. ¿Por qué es el corazón de la República? 5. ¿Cuántos habitantes tiene la ciudad de México? 6. ¿Qué encontramos en las avenidas y calles principales de la ciudad? 7. ¿Cómo se llama la gran plaza central de la ciudad de México? 8. ¿Qué edificio importante se halla en esta plaza? 9. ¿Qué es el Paseo de la Reforma? 10. ¿Qué es el Bosque de Chapultepec?

LANGUAGE PATTERNS

Numbers 100 through 1,000,000

100 **ciento (cien)**	800 **ochocientos (-as)**
200 **doscientos (-as)**	900 **novecientos (-as)**
300 **trescientos (-as)**	1,000 **mil**
400 **cuatrocientos (-as)**	2,000 **dos mil**
500 **quinientos (-as)**	100,000 **cien mil**
600 **seiscientos (-as)**	1,000,000 **un millón**
700 **setecientos (-as)**	2,000,000 **dos millones**

Ciento and **millón** are pluralized but **mil** is not: **doscientos, dos millones,** but **dos mil. Cientos** becomes **cientas** before a feminine noun: **doscientas muchachas, quinientas sillas. Un** is used before **millón** but is not used before **ciento** and **mil**: **Ciento,** one hundred; **mil,** one thousand; but, **un millón,** one million.

cien personas	one hundred persons
cien mil dólares	one hundred thousand dollars
cien millones	one hundred million

Ciento becomes **cien** before a noun and before **mil** and **millones.**

American Airlines

The National Palace on the east side of the Zócalo

dos millones de habitantes	two million inhabitants
tres millones de dólares	three million dollars

Millón (million) requires **de** when followed immediately by a noun.

3400	**tres mil cuatrocientos**
1960	**mil novecientos sesenta**

In multiples of 100 above a thousand, the thousand or thousands are expressed first, followed by the hundreds. (In English we may say thirty-four hundred; in Spanish we must say three thousand four hundred.)

Practice

RESPONSE

¿Tiene Juan doscientos discos?	No, Juan tiene trescientos discos.
¿Hay trescientas niñas aquí?	No, hay cuatrocientas niñas aquí.
¿Tiene el profesor cuatrocientos libros?	______________.
¿Hay quinientos alumnos en la escuela?	______________.
¿Aprende Ud. seiscientas palabras?	______________.
¿Tiene el señor setecientos dólares?	______________.
¿Hay ochocientas personas en el teatro?	______________.
¿Hay novecientas sillas aquí?	______________.

CUED RESPONSE

¿Cuántas iglesias hay en la ciudad? (100)	Hay cien iglesias en la ciudad.
¿Cuánto cuesta aquel edificio? ($100,000)	______________.
¿Cuántos pies de altura tiene el monumento? (110)	______________.
¿Cuántas personas trabajan en esta fábrica? (550)	______________.
¿Cuántos años hay en un siglo? (100)	______________.
¿Cuántos indios viven en aquel pueblo? (700)	______________.
¿Cuántos aficionados asisten a la corrida de toros? (5,000)	______________.

TRANSLATION

1. one hundred students ______________
2. five hundred boys ______________
3. two hundred girls ______________
4. one million inhabitants ______________
5. four million dollars ______________
6. three thousand feet ______________
7. seven hundred persons ______________
8. nine hundred years ______________
9. one thousand pounds ______________
10. six thousand fans (*aficionados*) ______________

Preguntas

1. ¿Cuántos habitantes hay en su ciudad? 2. ¿Tiene su ciudad viejas tradiciones? 3. ¿Son las calles de su ciudad anchas o estrechas? 4. ¿Hay casas de la época colonial en su ciudad? 5. ¿Cuántas escuelas secundarias hay en la ciudad? 6. ¿Cuántos alumnos asisten a su escuela? 7. ¿Cuántos años tiene Ud.? 8. ¿En qué año nació Ud. (*were you born*)? Nací (*I was born . . .*) 8. ¿Es su padre un hombre de negocios? 10. ¿Quiere Ud. ganar un millón de dólares?

Refrán

Cortesía de boca mucho vale y poco cuesta.	Courtesy is worth a lot and costs little.

Georgia Engelhard from F P G

A picturesque hotel in Taxco, Mexico

Lección 45

En el hotel

Deseamos dos cuartos con baño.

Los señores Roberts, Margaret, Tom, un empleado (*employee*),
el ***mozo*** (*porter*), la camarera (*chambermaid*)

E.—**Buenas tardes, señor. ¿En qué puedo servirle?**	Good afternoon, sir. What can I do for you?
Sr. R.—**Somos los señores Roberts de Texas y tenemos cuartos reservados en este hotel.**	We are Mr. and Mrs. Roberts from Texas and we have reserved rooms in this hotel.
E.—**Un momento, por favor; vamos a ver. Sí, hay dos cuartos reservados para Uds. ¿Quieren Uds. verlos?**	One moment, please; let's see. Yes, there are two reserved rooms for you. Do you want to see them?
Sr. R.—**¿Son cuartos con baño?**	Are they rooms with baths?
E.—**Sí, señor, cada cuarto tiene un baño.**	Yes, sir, each room has a bath.
Sra. R.—**¿*Dan a* la calle?**	Do they face the street?
E.—**Sí, los cuartos dan al Paseo de la Reforma.**	Yes, the rooms face Reforma Boulevard.
Sr. R.—**¿Cuál es el precio de los cuartos?**	What is the price of the rooms?

E.—**Ochenta pesos* o siete dólares diarios.**	Eighty pesos or seven dollars a day.
Sr. R.—**Está bien.**	All right.
E.—**¿Es todo su equipaje?**	Is this all your baggage?
Sr. R.—**Sí, es todo.**	Yes, that is all.
E.—**(*Al mozo*) Lleve Ud. las maletas a los cuartos trescientos cincuenta y trescientos cincuenta y uno.**	(*To the porter*) Take the suitcases to rooms 350 and 351.
M.—***Por aquí*, señores, por favor.**	This way, please.
(Todos *suben* en el ascensor.)	(*All go up in the elevator.*)
M.—**¿Dónde *pongo* las maletas, señora?**	Where do I put the suitcases, madam?
Sra. R.—**Póngalas Ud. *allí*.**	Put them there.
M.—**¿Abro las ventanas?**	Shall I open the windows?
Sra. R.—**No, no las abra Ud. ahora. Hace fresco.**	No, do not open them now. It is cool.
M.—**Muy bien, señora.**	Very well, madam.
Sr. R.—**Esto es para Ud. (*dándole una propina*).**	This is for you (*giving him a tip*).
M.—**Muchas gracias, señor. Aquí tiene Ud. la *llave* del cuarto. *Si* necesitan Uds. algo, pueden llamar a la camarera.**	Thank you very much, sir. Here is the key to the room. If you need anything, you can call the chambermaid.
(Sale del cuarto.)	(*He leaves the room.*)
Sr. R.—**(*A su esposa*) ¿Te gustan los cuartos?**	(*To his wife*) Do you like the rooms?
Sra. R.—**Sí, me gustan mucho.**	Yes, I like them very much.
Tom **(En la ventana)**	*Tom* (*At the window*)
T.—**Miren el tráfico en el Paseo.**	Look at the traffic on the Paseo.
Marg.—**¡Qué bonitos son aquellos monumentos!**	How pretty those monuments are!
(Alguien llama a la puerta.)	(*Someone knocks at the door.*)
Sr. R.—***¡Adelante!***	Come in!
C.—**Buenas tardes, señora. Aquí tienen Uds. una botella de agua filtrada.**	Good afternoon, madam. Here is a bottle of distilled water.
Sra. R.—**Tráiganos también más toallas, por favor.**	Also bring us more towels, please.
C.—**Sí, señora. En seguida las traigo.**	Yes, madam. I'll bring them immediately.

*Según el cambio actual, siete dólares equivalen a unos 87.50 pesos.

¿Dónde está la peluquería?

SR. R.—**¿Dígame, señorita, hay *peluquería* en el hotel?**	Tell me, Miss, is there a barber shop in the hotel?
C.—***Abajo* a la entrada del hotel hay una peluquería y también un *salón de belleza*.**	Downstairs at the entrance of the hotel there is a barber shop and also a beauty parlor.
SR.R.—**Gracias. *Más tarde bajamos*.**	Thank you. We'll go down later.
C.—**A sus órdenes, señores.** **(Sale del cuarto.)**	At your service. (*She leaves the room.*)

¿Sí o No?

1. La familia Roberts es de Texas. 2. Tienen dos cuartos reservados sin baño. 3. Los cuartos dan a la calle. 4. El precio de los cuartos es siete pesos diarios. 5. El número del cuarto es trescientos cincuenta y ocho. 6. La familia Roberts sube en el ascensor. 7. Los cuartos están en el primer piso. 8. El mozo no abre las ventanas. 9. El señor Roberts da una propina al mozo. 10. Margaret necesita más toallas. 11. La camarera trae (*brings*) la llave del cuarto. 12. La peluquería y el salón de belleza están a la entrada del hotel. 13. Los cuartos le gustan mucho a la señora Roberts. 14. La familia Roberts tiene mucho equipaje. 15. Tom ve mucho tráfico en el Paseo de la Reforma. 16. Margaret llama a la puerta. 17. Todos van a bajar más tarde a la calle.

VOCABULARY DRILL—OPPOSITES

Repeat the following sentences, replacing the word indicated with its opposite listed in the column to the right.

1. El señor **baja** en el ascensor.	a. allí
2. El mozo pone las maletas **aquí.**	b. sale de
3. El mozo **cierra** las ventanas.	c. recibe
4. **Nadie** llama a la puerta.	d. sube
5. La camarera **entra en** la sala.	e. en seguida
6. La señora baja al salón de belleza **más tarde.**	f. alguien
7. El mozo **da** la propina.	g. pocas
8. Hay **muchas** toallas en el cuarto de baño.	h. abre

Preguntas

1. ¿Tienen todos los hoteles ascensor? 2. ¿Le gusta subir y bajar en el ascensor? 3. ¿Hay una peluquería cerca de su casa? 4. ¿Va su madre al salón de belleza todas las semanas? 5. ¿Llama Ud. a la puerta antes de entrar en su casa? 6. ¿Dan las ventanas de su alcoba a la calle? 7. ¿Abren Uds. las ventanas por la noche? 8. ¿Usan Uds. muchas toallas? 9. ¿Contesta Ud. en seguida todas las cartas que recibe? 10. Cuando alguien llama a su puerta, ¿dice Ud. "adelante"?

LANGUAGE PATTERNS

A

Present Tense of *dar*, *poner*, *traer*

dar **(to give)**

yo	**doy** la pelota a Paco	nosotros	**damos** la pelota a Paco
tú	**das** la pelota a Paco		
Ud. / él / ella	**da** la pelota a Paco	Uds. / ellos / ellas	**dan** la pelota a Paco

Practice

PERSON-NUMBER SUBSTITUTION

1. Tomás da una propina al mozo.
   Yo ——————.
   Los viajeros ——————.
   Nosotros ——————.

2. Mi hermana da un paseo.
   Ella y yo ——————.
   Tú ——————.
   Mis amigos ——————.

3. Tú das el libro a Pedro.
Uds. ____________.
Yo ____________.
Ana ____________.
Nosotros ____________.

4. Yo doy la maleta al mozo.
Tú ____________.
Nosotros ____________.
Ellos ____________.
Ud. ____________.

poner (to put)

yo	**pongo** las maletas allí	nosotros	**ponemos** las maletas allí
tú	**pones** las maletas allí		
Ud. / él / ella	**pone** las maletas allí	Uds. / ellos / ellas	**ponen las** maletas allí

Practice

Number substitution

Ellas ponen la comida en la mesa. — Ella pone la comida en la mesa.
Yo pongo las frutas en el plato. — ____________.
Tú pones la ensalada aquí. — ____________.
Las muchachas ponen los vasos allí. — ____________.
Nosotros ponemos el pan en la mesa. — ____________.
Uds. ponen el postre en la mesa. — ____________.

Response

¿Pone Ud. las flores aquí? — Sí, las pongo aquí.
¿Pone Ud. las tazas aquí? — ____________.
¿Pone Ud. la ensalada en la mesa? — ____________.
¿Pone Ud. la leche en la mesa? — ____________.
¿Ponen Uds. la crema en la botella? — ____________.
¿Ponen Uds. el pan en el plato? — ____________.
¿Pone Ud. los vasos allí? — ____________.
¿Pone Ud. la carne en la mesa? — ____________.

traer (to bring)

yo	**traigo** los dulces	nosotros	**traemos** los dulces
tú	**traes** los dulces		
Ud. / él / ella	**trae** los dulces	Uds. / ellos / ellas	**traen** los dulces

Practice

PERSON-NUMBER SUBSTITUTION

1. María trae el pastel de chocolate.
   Uds. ______.
   Tú ______.
   Tú y yo ______.
   Yo ______.

2. Traemos los discos nuevos.
   Ramón ______.
   Tú ______.
   Uds. ______.
   Yo ______.

REPLACEMENT

Tú das la leche a los niños.
Yo ______.
______ el almuerzo ______.
Alicia ______.
______ trae ______.
______ a la escuela.
Yo ______.
______ las frutas ______.
Uds. ______.

Tú traes las frutas en la canasta.
Nosotros ______.
______ ponemos ______.
Yo ______.
______ en la mesa.
______ los vasos ______.
Mi madre ______.
______ allí.
Tú ______.

B

Commands of Regular Verbs—*usted* and *ustedes* forms.

entr*ar*	**Entr*e* Ud.** por favor.	**Entr*en* Uds.** por favor.
contest*ar*	**Contest*e* Ud.**	**Contest*en* Uds.**
le*er*	**Le*a* Ud.** la carta.	**Le*an* Uds.** la carta.
abr*ir*	**Abr*a*** las ventanas.	**Abr*an*** las ventanas.

The **usted** command of **-ar** verbs is formed by adding **-e** to the stem of the verb; the command of **-er** and **-ir** verbs is formed by adding **-a** to the stem of the verb. The plural, **ustedes,** adds an **-n** to the singular form.
In commands, the pronoun **Ud.** or **Uds.** is generally included, and follows the verb. In English, "you" is usually understood and not expressed.

Practice

REJOINDER

1. Quiero pasar. Pues, pase Ud.
   Quiero leer. Pues, lea Ud.
   Quiero ayudar. ______.
   Quiero comer. ______.
   Quiero contestar. ______.

2. Queremos bailar. — Bien, bailen Uds.
Queremos abrir la puerta. — Bien, abran Uds. la puerta.
Queremos cantar. — ____________.
Queremos asistir a la fiesta. — ____________.
Queremos comprar dulces. — ____________.
Queremos comer con ellos. — ____________.
Queremos leer la carta. — ____________.

C

Commands of Vowel-Changing and Irregular Verbs.

cerr*ar*	Yo **cierro** la puerta.	**Cierr*e*(n) Ud.(s.)** la puerta.
volv*er*	Yo **vuelvo** en seguida.	**Vuelv*a*(n) Ud.(s.)** en seguida.
serv*ir*	Yo **sirvo** los dulces.	**Sirv*a*(n) Ud.(s.)** los dulces.
pon*er*	Yo **pongo** las maletas aquí.	**Pong*a*(n) Ud.(s.)** las maletas aquí.
hac*er*	Yo **hago** el trabajo.	**Hag*a*(n) Ud.(s.)** el trabajo.
tra*er*	Yo **traigo** el disco.	**Traig*a*(n) Ud.(s.)** el disco.

Commands of vowel-changing verbs and of most of the irregular verbs are formed by replacing the **-o** of the first person singular of the present tense (**yo** form) with the appropriate ending, that is, with **-e** in **-ar** verbs, and with **-a** in **-er** or **-ir** verbs.

dar	**Dé Ud.** la llave a Tomás.	**Den Uds.** la llave a Tomás.
ir	**Vaya Ud.** a la oficina.	**Vayan Uds.** a la oficina.

Note that the command forms of **dar** and **ir** are not formed like those of other irregular verbs. (The **yo** form of **dar** and **ir** does not end in **-o**.) The accent mark on the **é** of **dé** distinguishes it from **de,** meaning "of" or "from."

Practice

RESPONSE

¿Pongo los papeles allí? — Sí, ponga Ud. los papeles allí.
¿Cierro la maleta? — Sí, ____________.
¿Voy con el señor? — ____________.
¿Pido la llave? — ____________.
¿Vuelvo a las dos? — ____________.
¿Vengo aquí? — ____________.
¿Doy la tarjeta al señor? — ____________.

Rejoinder

Voy a cerrar la puerta.	No, no cierre Ud. la puerta.
Vamos a volver tarde.	No, no vuelvan Uds. tarde.
Voy a dormir allí.	______.
Vamos a servir la comida.	______.
Voy a traer los refrescos.	______.
Vamos a poner la mesa.	______.
Voy a pedir dinero.	______.
Vamos a ir con ella.	______.
Voy a decir la verdad.	______.
Vamos a dar un paseo.	______.
Voy a salir en seguida.	______.
Vamos a hacer el trabajo.	______.

D

Position of Object Pronouns with Commands

***Tráiganos* Ud. más toallas.**	*Bring* us more towels.
***Póngalo* Ud. aquí.**	*Put it* here.
***Abralos* Ud.**	*Open them.*
***Levántese* Ud.**	*Stand up.*
but	
***No los abra* Ud.**	*Don't open them.*
***No se levante* Ud.**	*Don't stand up.*
***No lo ponga* Ud. aquí.**	*Don't put it* here.

Object pronouns follow and are attached to the verb in an affirmative command, but come before the verb in a negative command.

Note that when a pronoun is attached to the verb, a written accent mark is needed to indicate the original stress of the verb.

Practice

Substitution (noun—pronoun)

1. Compre Ud. la corbata.	Cómprela Ud.
Abra Ud. las ventanas.	Abralas Ud.
Escriban Uds. el ejercicio.	______.
Pongan Uds. los libros en la mesa.	______.
Invite Ud. a Eduardo.	______.
Conteste Ud. la carta.	______.
Lean Uds. las frases.	______.

2. No abran Uds. los libros. — No los abran Uds.
No mire Ud. la pizarra. — __________.
No escriban Uds. las palabras. — __________.
No dé el regalo al niño. — __________.
No hagan el trabajo ahora. — __________.
No traiga los discos hoy. — __________.

REJOINDER

No lo hago.	Sí, hágalo Ud.	No los traigo.	Sí, tráigalos Ud.
No me levanto.	__________.	No me siento.	__________.
No la contesto.	__________.	No lo creo.	__________.
No lo digo.	__________.	No las llamo.	__________.

RESPONSE

¿Nos sentamos aquí? — No, no se sienten Uds. aquí.
¿Los pongo allí? — __________.
¿La invito a la fiesta? — __________.
¿Lo hago en seguida? — __________.
¿Las escribimos en la pizarra? — __________.
¿Lo compramos hoy? — __________.
¿Las abrimos aquí? — __________.
¿La visitamos esta tarde? — __________.

Refrán

Cuando una puerta se cierra, otra se abre. — Never give up. (When one door is shut, another may open.)

United Fruit Co.

First Communion, a significant day in this Panamanian girl's life

A Honduran family shopping for fruits and vegetables

United Fruit Co.

Lección 46

Los mercados mexicanos

Pocos lugares son tan interesantes como (*as interesting as*) un mercado mexicano. En cada pequeño pueblo de México hay un día de mercado una vez a la semana (*a week*). Los mercados de algunos pueblos son conocidos (*known*) por sus productos especiales; otros son famosos por los distintos[1] artículos que producen los indios de la región.

El día de mercado es muy importante en la vida de los indios. Podemos verlos desde la mañana muy temprano llegando con sus productos y sus animales a la plaza del pueblo. Unos llevan sobre sus espaldas (*back*) grandes bultos (*bundles*); otros llegan con sus burros cargados de (*loaded with*) mercancías (*merchandise*). Cada vendedor tiene su puesto[2] donde arregla (*he arranges*) sus productos en forma artística. El indio y su familia pasan todo el día en el mercado charlando (*chatting*) con sus amigos y vecinos, vendiendo algunas cosas y cambiando[3] otras. El día de mercado es para ellos una reunión social.

En las ciudades grandes hay mercado todos los días. La ciudad de México tiene varios mercados buenos. El más importante es el de la Merced que se extiende por varias calles de la ciudad. Podemos ver en este mercado

1. **distinto (-a),** different 2. **el puesto,** stand, stall 3. **cambiar,** to exchange, change

productos de todas las regiones del país. En una sección se vende una gran variedad de frutas y legumbres. En otra parte se hallan distintas clases de carne y pescado. Una parte del mercado está dedicada (*devoted*) a todas las cosas típicas de México. Hay montones (*piles*) de sombreros, huaraches y sarapes. Se ven petates (*straw mats*) y canastas (*baskets*) de todos los tamaños (*sizes*), y objetos de toda clase de alfarería (*pottery*). En algunos puestos podemos comprar juguetes[1] y dulces; en otros se venden flores fragantes de muchos colores y hasta (*even*) pájaros en jaulas (*cages*).

Todos los días miles de personas van de compras al mercado de la Merced. Llevan canastas para poner las cosas que compran. Muchas familias mandan[2] a sus criadas al mercado. Si la señora de la casa va al mercado, la criada la acompaña con la canasta en la mano. En el mercado de la Merced como en todos los mercados mexicanos no hay precios fijos (*fixed*). Los vendedores piden un precio por sus mercancías y los compradores (*buyers*) ofrecen la mitad[3]. Es costumbre regatear (*to bargain*).

Desde la mañana hasta la tarde el mercado mexicano es un lugar de movimiento y gran actividad. Por todas partes se oyen las voces[4] y los gritos[5] de los vendedores. Los turistas que visitan un mercado mexicano no lo olvidan[6] jamás[7].

1. **el juguete,** toy 2. **mandar,** to send 3. **la mitad,** half 4. **la voz** (pl. **voces**), voice 5. **el grito,** shout 6. **olvidar,** to forget 7. **jamás,** never

Many familiar products are sold in Mexico City's supermarkets.

Dick Hayman

¿Sí o No?

1. El mercado es un lugar pintoresco. 2. En los pueblos pequeños hay mercados todos los días. 3. Los indios llegan al mercado por la tarde. 4. Para los indios un día de mercado es una reunión social. 5. La Merced es un mercado importante. 6. En la Merced se venden cosas de distintas regiones. 7. Los mexicanos usan puestos para poner las cosas que compran. 8. Muchas familias mandan a sus criadas al mercado. 9. Los compradores pagan el primer precio que pide el vendedor. 10. Hay gran actividad en un mercado mexicano.

Preguntas

1. ¿Cambian Uds. los papeles en la clase? 2. ¿Manda Ud. cartas a sus amigos? 3. ¿Olvida Ud. su libro algunas veces? 4. ¿Da Ud. la mitad de su almuerzo a su amigo? 5. ¿Le gusta a Ud. comprar juguetes? 6. ¿Tiene Ud. buena voz? 7. ¿Se oyen gritos en nuestros mercados? 8. ¿Podemos ver cosas de distintos países en nuestros mercados? 9. ¿Es su mercado un lugar interesante? 10. ¿Hay puestos de flores en nuestros mercados?

LANGUAGE PATTERNS

A

Position of Object Pronouns with Infinitives and with Present Participles

Podemos *verlos*.	We can *see them*.
Mucho gusto en *conocerlo*.	Very glad *to meet you*. (How do you do?)
Está *mirándolo*.	He is *looking at it*.
Estamos *abriéndolas*.	We are *opening them*.

Object pronouns generally follow and are attached to the infinitive and the present participle.
Note that when the pronoun is attached to the present participle, a written accent mark is needed to indicate the original stress of the verb.

Practice

RESPONSE

¿Los ve Ud.?	No, no puedo verlos.
¿Lo oye Ud.?	No, no puedo oírlo.
¿Las comprende Ud.?	______________.

¿Lo hace Ud.? ______________.
¿Los manda Ud.? ______________.
¿Lo paga Ud.? ______________.
¿Las cambia Ud.? ______________.

Rejoinder

Yo lo sé. Y yo quiero saberlo también.
Yo me lavo las manos. Y yo quiero lavarme las manos también.
Yo los tomo. ______________.
Yo me siento allí. ______________.
Yo lo creo. ______________.
Yo lo olvido. ______________.
Yo los conozco. ______________.

Response

¿Estás lavando los platos? Sí, estoy lavándolos.
¿Está Ud. leyendo esto? Sí, estoy leyéndolo.
¿Estás llamando a Elena? ______________.
¿Está Ud. bailando el tango? ______________.
¿Está Ud. abriendo las ventanas? ______________.
¿Está Ud. preparando la comida? ______________.
¿Estás escribiendo tu lección? ______________.

Substitution (noun—pronoun)

Inés va a comprar un vestido. Inés va a comprarlo.
Luis está vendiendo sus libros. Luis está vendiéndolos.
No quiero abrir la puerta. ______________.
Están mirando los precios. ______________.
No puedo encontrar la llave. ______________.
Estoy preparando mis lecciones. ______________.
No pueden oír las voces. ______________.
Quiero presentar a mi amigo. ______________.
Haga Ud. el favor de traer los libros. ______________.
Estoy leyendo la revista. ______________.

Translation

1. The key? I can't find it. ¿La llave? No puedo encontrarla.
2. The newspaper? Who wants to read it? ¿______? ¿______________?
3. The house? We're selling it. ¿______? ______________.
4. The shoes? I can change them. ¿______? ______________.

5. The pencil? I'm using it. ¿——— ? ———————.
6. That girl? I want to know her. ¿——— ? ———————.
7. The numbers? I'm writing them. ¿——— ? ———————.
8. The letters? They're going to send them. ¿——— ? ———————.
9. That movie! I can't forget it. ¡——— ! ———————.
10. The toys? She wants to buy them. ¿——— ? ———————.

Una tarde fresquita de mayo

ví que cor - ta - ba un cla - vel. —
Y le di - je: - Jar - di - ne - ra her-
mo - sa, ¿ me das u - na ro - sa? ¿ me
1
das un cla - vel? — Yo la
2
das un cla - vel ? —

Una tarde fresquita de mayo On a cool afternoon in May

(Spanish song written about one hundred years ago)

Una tarde fresquita de mayo
monté en mi caballo
y salí a pasear
por la senda donde mi morena
graciosa y hermosa
solía pasar.

Yo la ví que cortaba una rosa,
yo la ví que cortaba un clavel,
y le dije:—Jardinera hermosa,

¿me das una rosa?
¿me das un clavel?

Y ella dijo muy fina y galante:
—Al instante yo se los daré
si me jura que nunca ha tenido
flores en la mano
de otra mujer.

—Yo te juro que eres la primera
de quien flores espero tener.
Por lo tanto, jardinera hermosa,
¿me das una rosa?
¿me das un clavel?

On a cool afternoon in May
I mounted my horse
and I went for a ride
down the path where my
lovely dark-eyed beauty
often used to walk.

I saw her cutting a rose,
I saw her cutting a carnation,
and I said to her: "Beautiful gardener,

will you give me a rose?
will you give me a carnation?"

And she said so fine and so gallant:
"I shall give them to you right away
if you'll swear that you've never had
flowers from the hand
of another woman."

"I swear that you are the first
from whom flowers I hope to receive.
Therefore, beautiful gardener,
will you give me a rose?
will you give me a carnation?"

Lección 47

Un picnic en el parque

SR. ROBERTS, SU ESPOSA, SUS HIJOS MARGARET y TOM, LOS SEÑORES MENDOZA, SUS HIJOS DOLORES (18 AÑOS), ALBERTO (16 AÑOS) Y CARLITOS (13 AÑOS).

Todos llevan *cestas* (*baskets*) llenas de comida.

SR. M.—**Tenemos que *buscar* un buen sitio para nuestro picnic.**
We have to look for a good spot for our picnic.

D.—**Miren Uds. allá. Hay una mesa con dos bancos *bajo* aquel árbol.**
Look over there. There is a table with two benches under that tree.

C.—**Pues, vamos; yo *tengo mucho apetito*.**
Well, let's go; I am very hungry.

A.—**Carlitos siempre tiene apetito.**
Charlie is always hungry.

(Todos se dirigen hacia la mesa.)
(*All go toward the table.*)

D.—**Voy a *poner la mesa*, mamá. ¿Dónde están los *platos*?**
I am going to set the table, mother. Where are the plates?

SRA. M.—**Los platos, los *tenedores*, los *cuchillos* y las *cucharas* están en la cesta grande.**
The plates, the forks, the knives and the spoons are in the large basket.

M.—**¿Puedo ayudarle a poner la mesa, Dolores?**
Can I help you set the table, Dolores?

D.—**Gracias, Margarita; por favor, mamá, déle el *mantel* y las *servilletas*.**
Thanks, Margaret; please, mother, give her the tablecloth and napkins.

SRA. M.—**Aquí están, Margarita.**
Here they are, Margaret.

(Le da el mantel y las servilletas. Las dos muchachas ponen la mesa. La señora Mendoza *saca* los sándwiches de una cesta, y los pone en un plato grande. Hay sándwiches de jamón, de queso y de atún.)
(*She gives her the tablecloth and the napkins. The two girls set the table. Mrs. Mendoza takes the sandwiches out of a basket and puts them on a large plate. There are ham, cheese, and tuna sandwiches.*)

M.—**¡Qué montón de sándwiches! ¿Quién va a comer todo esto?**

What a pile of sandwiches! Who is going to eat all of this?

D.—**Ud. no conoce a mi hermanito; come por cuatro.**

You don't know my little brother; he eats for four.

C.—**Mamá, ¿no hay pollo *frito*?**

Mother, isn't there any fried chicken?

Sra. M.—**¡Ya lo creo!**

Yes, indeed!

Sr. M.—**A mí también me gusta el pollo frito.**

I also like fried chicken.

(Todos se sientan a la mesa. La señora Mendoza les pasa los platos con la comida.)

(*Everyone sits down at the table. Mrs. Mendoza passes them the plates with the food.*)

T.—**El pollo frito está delicioso.**

The fried chicken is delicious.

Sra. M.—**Por favor, tome Ud. más (*ofreciéndole el plato con pollo*).**

Please take more (*offering him the plate with the chicken*).

T.—**Gracias, señora.**

Thank you, madam.

A.—**¿Quién quiere limonada? Voy a traerles unas limonadas. Aquí cerca hay un puesto de refrescos.**

Who wants lemonade? I'm going to bring you some lemonade. Here nearby, there is a refreshment stand.

Sra. R.—**No me traiga Ud. limonada; *nunca* la tomo.**

Don't bring me any lemonade; I never drink it.

Sra. M.—***Ni yo tampoco*. Más tarde la señora Roberts y yo vamos a tomar café en el restaurante del parque.**

Neither do I. Later Mrs. Roberts and I are going to have some coffee in the park restaurant.

D.—**Voy a dar un paseo con Margarita. Quiero *enseñarle* los sitios interesantes del parque.**

I am going to take a walk with Margaret. I want to show her the interesting spots in the park.

C.—**Tom, ¿sabes *remar*? Podemos ir a remar en el lago.**

Tom, do you know how to row? We can go rowing in the lake.

T.—**Sí, sé remar, pero hay muchas canoas en el lago hoy. Prefiero visitar el jardín zoológico.**

Yes, I know how to row, but there are many canoes in the lake today. I prefer to visit the zoo.

Sra. R.—**(*A su esposo*) Y tú, ¿qué vas a hacer?**

(*To her husband*) And you, what are you going to do?

Sr. R.—**El señor Mendoza y yo nos quedamos aquí. Yo quiero hablarle de un negocio.**

Mr. Mendoza and I are staying here. I want to speak to him of a business matter.

Sra. R.—**¡Así son los hombres! ¡Siempre *piensan en* los negocios!**

Men are like that! They always think of business!

¿Sí o No?

1. Las dos familias buscan un buen sitio para su picnic. 2. Encuentran un sitio bajo un árbol. 3. Nadie tiene mucho apetito. 4. Las muchachas van a poner la mesa. 5. Sacan el mantel y las servilletas. 6. Ponen un tenedor, un cuchillo y una cuchara para cada persona. 7. No hay pollo frito. 8. Las madres nunca toman limonada. 9. Después de la comida todos quieren dar un paseo. 10. Carlitos sabe remar. 11. Los hombres jamás piensan en los negocios.

Preguntas

1. ¿Le gusta comer bajo un árbol? 2. ¿Sabe Ud. remar? 3. ¿Le gusta nadar en un lago? 4. ¿Ayuda Ud. a su madre a poner la mesa? 5. ¿Usan Uds. servilletas de papel? 6. ¿Enseña Ud. su papel a sus amigos? 7. ¿Busca Ud. sus libros todas las mañanas? 8. ¿Piensa Ud. en su clase de español durante el fin de semana?

LANGUAGE PATTERNS

Personal Pronouns—Indirect Object of Verb

Ana *me* habla.	Ana speaks *to me.*
Tomás *te* enseña el lago.	Tom shows the lake *to you.*
Dolores *le* da (a Ud., a él, a ella) un tenedor.	Dolores gives *you* (*him*, *her*) a fork.
Alberto *nos* pasa los platos.	Albert passes the plates *to us.*
Mi madre *les* sirve (a Uds., a ellos, a ellas) la comida.	My mother serves *you* (*them*) the dinner.

me, to me	**nos,** to us
te, to you (fam.)	
le, to you, to him, to her	**les,** to you, to them

An indirect object pronoun in English is often preceded by the preposition "to." The preposition "to" is always implied, even though it may not be expressed: He brings us the book. (He brings the book to us.) **Nos trae el libro.**

Note that **le** may mean "to you," "to him," "to her"; and **les** may mean "to you" (pl.) or "to them". If the meaning of **le** or **les** is not indicated by the rest of the sentence, **a Ud., a él,** etc. may be added: **Les doy el**

libro a ellos, I give them the book. **Les doy el libro a Uds.,** I give you the book.

Alberto *le* habla.	Alberto speaks *to her.*
Alberto quiere hablar*le*.	Alberto wants to speak *to her.*
Alberto está hablándo*le*.	Alberto is speaking *to her.*
Háble*le* Ud.	Speak *to her.*
No *le* hable Ud.	Don't speak *to her.*

An indirect object pronoun, like the direct object pronoun, generally comes immediately before the verb, but follows and is attached to the verb when used with an infinitive, a present participle, or an affirmative command; as with the direct object pronoun, it precedes the verb in a negative command.

Practice

PERSON-NUMBER SUBSTITUTION

1. El señor te dice la dirección. (a mí) El señor me dice la dirección.
   (a ella) ________________.
   (a nosotros) ________________.
   (a ellos) ________________.
   (a Ud.) ________________.
   (a Carlos) ________________.
   (a Uds.) ________________.

2. Eduardo quiere hablarme. (a ellos) Eduardo quiere hablarles.
   (a nosotros) ________________.
   (a Ud.) ________________.
   (a ti) ________________.
   (a las muchachas) ________________.
   (a Ud. y a Juan) ________________.
   (a Dolores) ________________.

3. Ana está enseñándole la casa. (a Uds.) Ana está enseñándoles la casa.
   (a mí) ________________.
   (a su amiga) ________________.
   (a nosotros) ________________.
   (a ti) ________________.
   (a Pedro y a Luis) ________________.
   (a Carlos) ________________.

El pollo frito está delicioso. Tome Ud. más, por favor.

4. Pásele Ud. los papeles. (a mí) Páseme Ud. los papeles.
(a ellos) ______.
(a nosotros) ______.
(a él) ______.
(a ellas) ______.

5. No le mande dulces. (a mí) No me mande dulces.
(a ellos) ______.
(a nosotros) ______.
(a él) ______.
(a ellas) ______.

SUBSTITUTION (NOUN—PRONOUN)

El señor da una propina al mozo.	El señor le da una propina.
Dolores habla a Margarita.	______.
Juan dice "feliz viaje" a sus amigos.	______.
Yo pido dinero a mis padres.	______.
Ud. quiere mandar un regalo a María.	______.
Voy a escribir una carta a Pedro.	______.
El profesor está hablando a las muchachas.	______.

La señora está ofreciendo más sándwiches a Tomás y a Carlos. ________.
Lea Ud. la carta a Luisa. ________.
Hable Ud. al profesor. ________.
No diga Ud. eso a los niños. ________.
No enseñe Ud. su papel a Ricardo. ________.
Tomás da el papel a Dolores. ________.
Alberto manda las flores a la señorita. ________.

TRANSLATION

1. The teacher shows her the book. El profesor le enseña el libro.
   The teacher shows me the book. ________.
   The teacher shows you the book. ________.
   The teacher shows us the book. ________.
   The teacher shows them the book. ________.

2. Catherine wants to tell you something. Catalina quiere decirle algo.
   Catherine wants to tell me something. ________.
   Catherine wants to tell them something. ________.
   Catherine wants to tell you (fam.) something. ________.
   Catherine wants to tell us something. ________.

3. Henry is offering her his car. Enrique está ofreciéndole su coche.
   Henry is offering you (pl.) his car. ________.
   Henry is offering us his car. ________.
   Henry is offering them his car. ________.
   Henry is offering him his car. ________.

4. Give her six forks. Déle seis tenedores.
   Give them six forks. ________.
   Give me six forks. ________.
   Give him six forks. ________.
   Give us six forks. ________.

5. Don't give me the knives. No me dé los cuchillos.
   Don't give them the knives. ________.
   Don't give her the knives. ________.
   Don't give us the knives. ________.
   Don't give him the knives. ________.

6. She likes the park. | Le gusta el parque.
   I like the park. | ________.
   They like the park. | ________.
   We like the park. | ________.
   You (pl.) like the park. | ________.

7. Richard brings us more books. | Ricardo nos trae más libros.
   Richard brings you more books. | ________.
   Richard brings him more books. | ________.
   Richard brings me more books. | ________.
   Richard brings them more books. | ________.

Niño indio

Indian boy

Niño indio de los llanos,
conmigo ven a jugar.
Todos los niños de América
siempre nos hemos de amar.

Indian boy of the plains,
come and play with me.
All the children of America
must always love one another.

Niño indio de los bosques,
conmigo ven a cantar.
Todos los niños de América
haremos un solo hogar.

Indian boy of the forests,
come and sing with me.
All the children of America
will make a single home.

Niño indio, niño indio,
yo te enseñaré a leer.
Todos los niños de América
tenemos sed de aprender,
pues la ignorancia esclaviza
y el saber nos da el poder.

Indian boy, Indian boy,
I shall teach you to read.
All the children of America
thirst for knowledge,
since ignorance enslaves
and knowledge gives us power.

Niño indio, niño indio,
conmigo ven a jugar.
Todos los niños de América
siempre nos hemos de amar.

Indian boy, Indian boy,
come and play with me.
All the children of America
must always love one another.

—*Gastón Figueira*

Camera Clix

Lección 48

El Bosque de Chapultepec

Cushing

The Castle of Chapultepec

El Bosque de Chapultepec es el parque más grande y más antiguo de la ciudad de México. Es también uno de los parques más hermosos de las Américas. Todavía hay en el parque árboles gigantes (*giant*) de los tiempos de los aztecas. Moctezuma, el emperador azteca, usaba (*used*) este parque como campo de recreo (*playground*). Uno de los árboles lleva el nombre de «árbol de Moctezuma» y tiene más de (*than*) doscientos pies de altura. En el parque hay muchas otras especies (*kinds*) de árboles, arbustos (*shrubs*) y flores. Anchas avenidas, paseos[1] y sendas (*paths*) cruzan[2] el parque en todas direcciones.

Para los habitantes de la ciudad, este parque es un lugar favorito de recreo. Tiene campos[3] para juegos de pelota, lagos con canoas, jardín zoológico, tiovivo (*merry-go-round*) para los niños y muchos otros atractivos.

1. **el paseo,** walk, boulevard 2. **cruzar,** to cross 3. **el campo,** field

Todos los domingos el Bosque se llena (*is filled*) de gente. Por la mañana pasean (*ride*) a caballo grupos de charros* con su traje pintoresco.[1] Por la tarde muchos van al Bosque para escuchar[2] la música que toca una orquesta o una banda municipal.

Uno de los mayores (*major*) atractivos del Bosque es el Castillo (*Castle*) de Chapultepec que está situado en un cerro (*hill*). El castillo sirvió de (*served as*) palacio al emperador Maximiliano y más tarde fue (*it was*) la residencia de los presidentes de México. El Castillo es hoy día (*nowadays*) un museo histórico nacional, abierto (*open*) al público. Miles de personas lo visitan los domingos. Desde las magníficas terrazas del Castillo se puede admirar el bello panorama de la inmensa ciudad dominada a lo lejos (*in the distance*) por los dos volcanes Ixtaccíhuatl y Popocatépetl.

1. **pintoresco,** picturesque 2. **escuchar,** to listen to

***Un charro,** a Mexican horseman or cowboy

¿Sí o No?

1. El Bosque de Chapultepec es uno de los parques famosos de las Américas. 2. En el parque hay árboles enormes de la época de Moctezuma. 3. Miles de familias mexicanas visitan el parque los domingos. 4. Por la mañana se pueden ver grupos de charros montados a caballo. 5. El traje de los charros es muy pintoresco. 6. Por todas partes en el parque se encuentran hermosos paseos. 7. Los jóvenes se divierten en el parque jugando a la pelota o remando en el lago. 8. Mucha gente va al parque los domingos a escuchar la música de la banda municipal. 9. El Presidente de México vive en el Castillo de Chapultepec. 10. Desde el Castillo se puede ver toda la ciudad de México.

Preguntas

1. ¿Hay un parque histórico en su estado? 2. ¿Visitan el parque muchos turistas? 3. ¿Ofrece su estado muchos o pocos atractivos? 4. ¿Cruzan su estado las carreteras del país? 5. ¿Hay muchos paseos hermosos en su ciudad? 6. ¿Dónde están las residencias más bonitas de la ciudad? 7. ¿Tiene su ciudad un campo para juegos de pelota? 8. ¿Cuál es el edificio más importante de la ciudad? 9. ¿Hay un campo de recreo cerca de su casa? 10. ¿Prefiere Ud. escuchar una banda o una orquesta? 11. ¿Hay muchos parques hermosos en los Estados Unidos? 12. ¿Cuál es el lugar favorito de recreo para los habitantes de su ciudad?

LANGUAGE PATTERNS

Spanish Verbs Which Have an English Preposition Included in Their Meaning

***Escucha* la música.**	He *listens to* the music.
***Mira* su reloj.**	He *looks at* his watch.
***Buscan* un sitio.**	They *look for* a spot.
***Pide* el menú.**	He *asks for* the menu.
***Esperan* el tren.**	They *wait for* the train.

The prepositions "to," "at," "for" which follow some verbs in English are included in the meaning of the Spanish verb and therefore are not translated.

Note that if the direct object of these verbs is a definite person, the personal **a** is required:

Escucha a María.	but	**Escucha la música.**
Mira al hombre.	but	**Mira su reloj.**
Buscan a los niños.	but	**Buscan un sitio.**

Practice

TRANSLATION

1. He listens to the music. Escucha la música.
   He listens to the record. ______________.
   He listens to the game. ______________.
   He listens to the dance. ______________.

2. We look at the clock. Miramos el reloj.
   We look at the shoes. ______________.
   We look at the film. ______________.
   We look at the beach. ______________.

3. They look for a spot. Buscan un sitio.
   They look for the ball. ______________.
   They look for the entrance. ______________.
   They look for the elevator. ______________.

4. I ask for the menu. Pido el menú.
   I ask for the address. ________.
   I ask for the telephone number. ________.
   I ask for the book. ________.

5. You are waiting for a train. Esperas un tren.
   You are waiting for a bus. ________.
   You are waiting for the meal. ________.
   You are waiting for a streetcar. ________.

TRANSLATION

1. We listen to the band. ________.
2. We listen to the teacher. ________.
3. I am looking for my book. ________.
4. I am looking for my friend. ________.
5. We are waiting for our car. ________.
6. We are waiting for Tom. ________.
7. Enrique is looking at the pretty girl. ________.
8. Enrique is looking at the door. ________.
9. Who is asking for a glass of water? ¿________?
10. What are you asking for? ¿________?
11. What are you looking at? ¿________?
12. What are you looking for? ¿________?

Refranes

Poco a poco, se va lejos. Little by little one goes far.

Antes de hablar, es bueno pensar. Think before you speak. (Before speaking it is good to think.)

TEST YOUR PROGRESS VI

(LECCIONES 41–48)

¿Sí o No?

1. Hay cien años en un siglo. 2. Un hombre de ochenta años es viejo. 3. Nadie quiere jugar en la nieve. 4. Cada coche tiene una llave distinta. 5. Todo el mundo espera hacer un viaje largo algún día. 6. Tomamos sopa con un tenedor. 7. Hay un ascensor en todas las casas. 8. Todos los muchachos fuertes son también inteligentes. 9. Compramos cucharas en una tienda de ropa. 10. Los viajeros llevan su dinero en una maleta. 11. Se necesita un campo grande para el juego de béisbol.

VOCABULARY (GIVE THE FOLLOWING SENTENCES REPLACING THE WORD INDICATED WITH ITS OPPOSITE.)

1. **Alguien** está ausente. 2. Hoy es el **último** día del mes. 3. Mi amigo tiene **buena** suerte. 4. Me gusta **dar** regalos. 5. Vivimos en una calle **estrecha.** 6. Mi tío quiere **enseñar** el español. 7. Siempre llego **tarde** a la clase. 8. Vamos a **bajar** en el ascensor. 9. El perro no quiere **salir.** 10. Mi hermano siempre **busca** algo.

MATCHING

Column A	Column B
1. Salimos para México mañana.	a. ¡Adelante!
2. Nunca tomo café.	b. Tal vez en el verano.
3. Alguien está a la puerta.	c. Creo que sí.
4. ¿Cuándo piensa su familia hacer un viaje?	d. Muchas gracias.
5. ¿Vas al baile esta noche?	e. ¡Feliz viaje!
6. Siempre llegas tarde.	f. Lo siento mucho.
7. Recuerdos a todos.	g. Ni yo tampoco.

RESPONSE

¿Pone Ud. la mesa en casa?	No pongo la mesa en casa.
¿Conoce Ud. a muchos alumnos en la escuela?	______________.
¿Sale Ud. de noche?	______________.
¿Da Ud. el número de su teléfono a todos sus amigos?	______________.
¿Dice Ud. siempre lo que piensa?	______________.
¿Ofrece Ud. su asiento a las señoras?	______________.

¿Viene Ud. en seguida cuando oye la voz de su padre? ____________________.
¿Hace Ud. un viaje todos los veranos? ____________________.

TRANSFORMATION

Juan no quiere abrir la puerta.	Abra Ud. la puerta.
Yo no quiero cantar la canción.	Cante Ud. la canción.
Luisa no quiere leer en voz alta.	____________________.
Tomás no quiere escribir en la pizarra.	____________________.
Su amigo no quiere decir la verdad.	____________________.
Yo no quiero ir a la biblioteca.	____________________.
Antonio no quiere dar su libro a Pedro.	____________________.
Dolores no quiere traer su guitarra.	____________________.
Yo no quiero cerrar las ventanas.	____________________.
Mi amigo no quiere venir temprano.	____________________.
Roberto no quiere volver a casa.	____________________.

SUBSTITUTION (NOUN—PRONOUN)

Andrés no tiene su libro.	Andrés no lo tiene.
No conozco a esa muchacha.	____________________.
¿Dónde pongo las cucharas?	¿____________________?
Cambiamos los papeles.	____________________.
Tengo que ver a Elena.	____________________.
Podemos oír los aviones.	____________________.
Llame Ud. a Pedro.	____________________.
Cierre Ud. las ventanas.	____________________.
No abran Uds. los libros.	____________________.
No olvide Ud. su bolsa.	____________________.
¿Por qué no das una propina al mozo?	¿Por qué no le das una propina?
El profesor explica la lección a los alumnos.	____________________.
Diga Ud. a Julia que estoy enferma.	____________________.
Quiero mandar un regalo a los niños.	____________________.

RESPONSE

¿Me llama el profesor?	Sí, el profesor te llama.
¿Puedes ayudarnos?	____________________.
¿Le escribe a Ud. su amigo?	____________________.
¿Los visitan a Uds. sus primos?	____________________.
¿Quiere Ud. decirme algo?	____________________.
¿Nos mandan los boletos hoy?	____________________.
¿Te da tu padre el coche?	____________________.
El profesor quiere hablarles a Uds., ¿verdad?	____________________.

Repetition

Hay 700 cuartos en aquel hotel.
México tiene más de 3,000,000 de habitantes.
Aquella montaña tiene una altura de 2,000 pies.
Mandamos 100 tarjetas de Navidad.
El equipaje pesa (*weighs*) 200 libras.
Nací (*I was born*) en el año 1950.
Mi padre tiene un cheque de 500 dólares.

Preguntas

1. ¿Es su padre un hombre de negocios? 2. ¿Va su madre al salón de belleza una vez por semana? 3. ¿Le gustan a Ud. los colores vivos? 4. ¿Piensa Ud. estudiar el español el año próximo? 5. ¿Qué dice Ud. cuando alguien llama a la puerta? 6. ¿Cuántas veces por día come Ud.? 7. ¿Trae Ud. su suéter a la escuela? 8. ¿Usa su familia servilletas de papel? 9. ¿Pone Ud. sus libros bajo la cama? 10. ¿Cierran Uds. la puerta con llave antes de salir?

Adiós, mi chaparrita

I. Fernández Esperón

Adiós, mi chaparrita

(Mexican Folk Song)

Adiós, mi chaparrita,
no llores por tu Pancho,
que si se va del rancho
muy pronto volverá.

Verás que del bajío
te traigo cosas buenas,
y un beso, que tus penas
muy pronto olvidarás.

Los moñitos pa' tus trenzas
y pa' tu mamacita
rebozos de bolita
y naguas de percal.
¡Ay, caray!

Goodby, my darling,
don't weep for your Pancho,
for if he leaves the ranch
very soon he will return.

You'll see that from the lowland
I'll bring you many good things,
and a kiss, so that your sorrows
you'll very soon forget.

I'll bring ribbon bows for your tresses,
and for your dearest mother
I'll bring polka dot shawls
and petticoats of percale.
Oh, goodness me!

Lección 49

Dolores y Margaret van de compras

¿Cuál es su último precio?

SRA. ROBERTS, MARGARET ROBERTS, DOLORES MENDOZA.
Las dos muchachas vuelven al hotel con los *brazos* (*arms*) llenos de paquetes.

SRA. R.—**¡Cuántas cosas compraron Uds.!**	What a lot of things you bought!
M.—**Sí, Dolores me llevó a la Tienda Maya.**	Yes, Dolores took me to the Maya Shop.
D.—**Esta semana hay una gran *venta* y todos los precios están rebajados.**	This week there is a big sale and all the prices are reduced.
M.—**¡Mire Ud. esta falda, mamá! ¿Le gusta?**	Look at this skirt, mother. Do you like it?
SRA. R.—**Es preciosa.**	It's lovely.

M.—**La amiga de Dolores es *dependienta* en la tienda, y ella nos atendió.**	Dolores' friend is a saleslady in the store and she waited on us.
SRA. R.—**¿Compró Ud. también una falda, Dolores?**	Did you also buy a skirt, Dolores?
D.—**No, yo compré una blusa bordada.**	No, I bought an embroidered blouse.
M.—**Yo también vi una blusa que me gustó mucho y la compré para mi tía Juana. Es toda hecha a mano.**	I also saw a blouse which I liked very much and I bought it for my aunt Jane. It is all made by hand.
SRA. R.—**¿Y qué hay en ese paquete grande?**	And what is there in that large package?
M.—**Son dos sarapes bonitos.**	They are two pretty sarapes.
SRA. R.—**¿Dónde los compraron Uds.?**	Where did you buy them?
D.—**Cuando salimos de la tienda vimos a un indio vendiendo estos sarapes.**	When we left the store we saw an Indian selling these sarapes.
M.—**Dolores *le preguntó:—¿A cómo* vende Ud. los sarapes?—El respondió:—A treinta pesos cada uno.**	Dolores asked him, "For how much do you sell the sarapes?" He replied, "Thirty pesos each."
D.—**Yo le ofrecí quince, pero él dijo:—Imposible, señorita, no puedo venderlos por menos de veinticinco pesos; es el último precio.**	I offered him fifteen but he said, "Impossible, Miss, I can't sell them for less than twenty-five pesos; it is the last price."
M.—**Pero Dolores *continuó* regateando y *por fin* el indio dijo:—Por ser para Ud., señorita, le doy los dos sarapes por treinta y cinco pesos.**	But Dolores continued bargaining and finally the Indian said, "Because it's for you, Miss, I'll give you the two sarapes for thirty-five pesos."
SRA. R.—**¡Treinta y cinco pesos por los dos! ¡Es una ganga!**	Thirty-five pesos for both! It's a bargain!
D.—**¡Ya lo creo!**	I should say so!
SRA. R.—**¿Compraron Uds. algo más?**	Did you buy anything else?
M.—**No, Dolores encontró a su amigo Pepe y él nos invitó a tomar algo.**	No, Dolores met her friend Joe and he invited us to have something.

D.—**Nos llevó a un restaurante en el Paseo de la Reforma.**
He took us to a restaurant on Reforma Boulevard.

SRA. R.—**¿Qué comieron Uds.?**
What did you eat?

M.—**No comimos mucho. Dolores tomó una taza de chocolate con pastel francés; yo tomé una ensalada de frutas.**
We didn't eat much. Dolores had a cup of chocolate with French pastry; I had a fruit salad.

D.—**Cuando Pepe volvió a su oficina, nosotras entramos en una tienda de novedades.**
When Joe returned to his office, we entered a novelty shop.

M.—**Vimos una gran variedad de *joyas* de plata: *pendientes*, *collares*, *prendedores*, *brazaletes*, *anillos* y muchas otras cosas. ¡Pero todo tan caro!**
We saw a great variety of silver jewelry—earrings, necklaces, pins, bracelets, rings, and many other things. But everything so expensive!

D.—**Naturalmente, es una tienda para turistas.**
Naturally, it's a store for tourists.

Preguntas

1. ¿Va Ud. de compras esta semana? 2. ¿Hay una gran venta en alguna tienda? 3. ¿Conoce Ud. a la dependienta (al dependiente) de la tienda? 4. ¿Qué va Ud. a comprar? 5. ¿Regatea Ud. (*do you bargain*) a veces, o paga Ud. siempre el primer precio que le piden? 6. ¿Hay una tienda de novedades en su ciudad? 7. ¿Qué se vende en una tienda de novedades? 8. ¿Le gusta usar joyas? 9. ¿Prefiere Ud. joyas de plata o joyas de oro? 10. ¿Lleva Ud. brazaletes? 11. ¿Usa Ud. pendientes? 12. ¿Lleva Ud. el anillo de algún amigo? 13. ¿Le gustan los prendedores grandes? 14. ¿Son baratas o caras las joyas de plata?

LANGUAGE PATTERNS

A

Preterite Tense of -*ar* Verbs

Yo *compré* una blusa.	I *bought* a blouse.
Tú *compraste* un sarape.	You *bought* a sarape.
Ud. *compró* una corbata.	You *bought* a tie.
Ella *compró* una falda.	She *bought* a skirt.
Nosotros *compramos* una casa.	We *bought* a house.
Uds. *compraron* unas joyas.	You *bought* jewels.
Ellos *compraron* un anillo.	They *bought* a ring.

entrar (to enter)

yo	**entr*é***	nosotros	**entr*amos***
tú	**entr*aste***		
Ud. / él / ella	**entr*ó***	Uds. / ellos / ellas	**entr*aron***

The preterite tense of regular **-ar** verbs is formed by dropping the **-ar** of the infinitive and adding the above endings. Note that the **nosotros** form of **-ar** verbs is the same in the present and the preterite tense (**entramos,** we enter, we entered).

Practice

ITEM SUBSTITUTION

1. Llamé al muchacho.
   ______ a Juan.
   ______ a Gloria.
   ______ a mi amiga.

2. Nosotros cerramos las ventanas.
   Pablo y yo ______.
   Tú y yo ______.
   Carlos y yo ______.

3. Ud. entró en la tienda.
   Juan ______.
   Ella ______.
   Ana ______.

4. Uds. olvidaron sus libros.
   Jorge y Pepe ______.
   Los muchachos ______.
   Ellos ______.

5. Tú compraste unas joyas.
   ______ un anillo.
   ______ unos pendientes.
   ______ un collar.

RESPONSE

1. ¿Preparó Ud. su lección? Sí, preparé mi lección.
   ¿Visitó Ud. el mercado? ______.
   ¿Ayudó Ud. a su padre? ______.
   ¿Mandaste la carta? ______.
   ¿Encontraste a tu amiga? ______.

2. ¿Bajaron Uds. en el ascensor? Sí, bajamos en el ascensor.
   ¿Hablaron Uds. con el dependiente? ______.
   ¿Compraron Uds. muchas cosas? ______.
   ¿Encontraron Uds. a un amigo? ______.
   ¿Olvidaron Uds. el dinero? ______.

Person-number substitution

1. Dolores le preguntó el precio.
   Yo ——————.
   Uds. ——————.
   Tú ——————.
   Nosotros ——————.
   El ——————.

2. Ayudé a Enrique.
   Juan y yo ———.
   Tú ————.
   Uds. ————.
   El ————.
   Los muchachos—.

3. Pedro encontró a un amigo.
   Tú ——————.
   Uds. ——————.
   Yo ——————.
   Nosotros——————.
   Ud.——————.

4. Lupe y yo entramos en la tienda.
   Uds.——————.
   Yo ——————.
   El señor ——————.
   Tú ——————.
   Pablo y Jorge——————.

5. Ud. bajó por el ascensor.
   Yo ——————.
   Nosotros ——————.
   Tú——————.
   Carlos y María————.
   Ella ——————.

6. Tú preparaste todo.
   Ellos————.
   Yo ————.
   La señora————.
   Miguel y yo ——.
   Uds. ————.

Substitution (present—preterite tense)

Estudian mucho.	Estudiaron mucho.
Encuentro a mi amigo.	Encontré a mi amigo.
¿Le gusta la película?	¿ —————— ?
¿Olvidas tu libro?	¿ —————— ?
Compramos un coche nuevo.	——————.
Mis padres pasan una semana en el campo.	——————.
Ud. llega temprano.	——————.

B

Preterite Tense of *-er* and *-ir* Verbs

Yo *volví* a casa y *abrí* la puerta.	I *returned* home and *opened* the door.
Tú *volviste* a casa y *abriste* la puerta.	You *returned* home and *opened* the door.
Ud. *volvió* a casa y *abrió* la puerta.	You *returned* home and *opened* the door.
Nosotros *volvimos* a casa y *abrimos* la puerta.	We *returned* home and *opened* the door.

Ellos *volvieron* a casa y *abrieron* la puerta. — They *returned* home and *opened* the door.

	aprender (to learn)	*escribir* (to write)
yo	**aprend*í***	**escrib*í***
tú	**aprend*iste***	**escrib*iste***
Ud. / él / ella	**aprend*ió***	**escrib*ió***
nosotros	**aprend*imos***	**escrib*imos***
Uds. / ellos / ellas	**aprend*ieron***	**escrib*ieron***

The **-er** and **-ir** verbs have the same set of endings in the preterite tense. Note that the **nosotros** form of **-ir** verbs is the same in the present and in the preterite (**abrimos,** we open, we opened).

Practice

ITEM SUBSTITUTION

1. Yo recibí un regalo.
   ——— una carta.
   ——— buenas noticias.

2. Comimos en la cafetería.
   Mi amigo y yo ———.
   Isabel y yo ———.

3. ¿Perdiste tu libro?
   ¿——— tu pluma?
   ¿——— tu dinero?

4. Tomás salió de aquí temprano.
   Ella ———.
   Ud. ———.

5. Los alumnos no vieron al profesor.
   Uds. ———.
   Los dos muchachos ———.

PERSON-NUMBER SUBSTITUTION

1. El mozo subió en el ascensor.
   Yo———.
   Uds. ———.
   Tú———.
   Nosotros ———.
   La familia———.

2. Tú no respondiste nada.
   Uds.———.
   Yo ———.
   El señor ———.
   Nosotros ———.
   Ellos———.

3. Isabel no escribió la carta.
Tú ————————.
Ellos ————————.
Yo ————————.
Nosotros ————————.
Ud. ————————.

4. Ricardo volvió tarde.
Uds. ————————.
Yo ————————.
Tú ————————.
María y yo ————————.
Ricardo y Luis ——.

RESPONSE

¿Comió Ud. mucho esta mañana?	No, ————————.
¿Salieron Uds. de la tienda temprano?	Sí, ————————.
¿Volviste a casa en seguida?	No, ————————.
¿Lo vio su amigo?	Sí, ————————.
¿Volvimos a tiempo?	Sí, Uds. ————————.
¿Subieron Uds. en el ascensor?	No, ————————.
¿Recibí yo una carta?	Sí, tú ————————.
¿Decidió Ud. ir al cine?	Sí, ————————.

REPLACEMENT

La señora buscó un salón de belleza.
Uds. ————————.
———————— un ascensor.
———— subieron por ————.
Yo ————————.
———————— ese camino.
———— entré ————————.
El ————————.

El entró por la puerta.
— salió ————————.
Tú ————————.
———————— por avión.
— volviste ————————.
Nuestros amigos ——.
———————— a la ciudad.

Lección 50

Tenochtitlán, antigua capital de los aztecas

En la bandera de México hay un emblema interesante: un águila (*eagle*) sobre un nopal (*cactus plant*) devorando una serpiente. Este emblema representa la leyenda (*legend*) azteca de la fundación (*founding*) de Tenochtitlán, antigua capital del imperio (*empire*) azteca.

Los indios aztecas llegaron de las regiones del norte de México. Pasaron muchos años buscando un sitio para construir su capital. Por fin, en el año 1325 (mil trescientos veinticinco) llegaron a un lago en el valle de México. En una pequeña isla[1] en el centro del lago vieron un águila sobre un nopal con una serpiente en el pico (*beak*). Grande fue (*was*) la alegría (*joy*) de los indios. Según[2] un oráculo (*oracle*), este era (*was*) el lugar donde debían (*they were to*) establecerse. En aquella isla construyeron[3] su capital.

1. **la isla,** island 2. **según,** according to 3. **construyeron,** they constructed

Dos siglos más tarde, cuando Cortés y sus soldados[1] llegaron a México, encontraron una magnífica ciudad azteca, con grandes templos, palacios maravillosos y numerosos canales. En la plaza central había (*there was*) un mercado inmenso donde los indios vendían (*were selling*) gran variedad de productos.

La llegada (*arrival*) de Cortés fue una sorpresa para todos los habitantes. Los indios se asombraron (*were astonished*) al[2] ver los caballos, animales que nunca habían visto (*they had seen*). También les asustó[3] el ruido[4] de los cañones. Algunos creyeron[5] que los españoles eran enviados (*were sent*) por su dios[6] Quetzalcoatl.*

Moctezuma, el emperador de los aztecas, recibió cordialmente a los españoles. Después de pasar algunos días en la ciudad, los españoles prendieron (*seized*) a Moctezuma. Los aztecas trataron de salvar[7] a su emperador y lucharon (*they fought*) para defender la ciudad. La guerra[8] entre los indios y los españoles duró[9] dos años y Tenochtitlán quedó totalmente destruida (*destroyed*).

Después de la conquista, los españoles construyeron sobre las ruinas de la capital azteca una ciudad nueva, que hoy día (*today*) es México.

1. **el soldado,** soldier 2. **al (ver),** on, upon (seeing) 3. **asustar,** to frighten, scare 4. **el ruido,** noise 5. **creyeron,** (they) believed 6. **el dios,** god 7. **salvar,** to save 8. **la guerra,** war 9. **durar,** to last

***Quetzalcoatl,** an Aztec god who, according to an Indian legend, was exiled from his country but promised to return some day.

A reconstruction of the ancient Aztec capital

Bettman Archive

¿Sí o No?

1. La antigua capital de los indios aztecas se llamó Tenochtitlán. 2. La leyenda de la fundación de Tenochtitlán es muy interesante. 3. Según la leyenda, los aztecas encontraron una isla en el centro de un lago y allí vieron un águila con una serpiente. 4. Los aztecas construyeron la capital de su imperio en aquella isla. 5. Cortés y sus soldados llegaron a México en el año 1325 (mil trescientos veinticinco). 6. Los caballos de los españoles asustaron a los indios. 7. Al ver a los españoles, los indios creyeron que su dios Quetzalcoatl los mandó. 8. Moctezuma invitó a Cortés a pasar unos días en la ciudad. 9. Los españoles atacaron a los aztecas. 10. La guerra duró dos años. 11. Los aztecas salvaron a su emperador. 12. Los soldados españoles destruyeron la capital azteca.

LANGUAGE PATTERNS

A

Use of Infinitive after Prepositions

Ud. habló *antes de pensar*.	You spoke *before thinking*.
Ud. salió *sin pagar*.	You left *without paying*.
Ud. entró *al ver* a su amigo.	You entered *on seeing* your friend.
Ud. mandó una carta *en vez de mandar* una tarjeta.	You sent a letter *instead of sending* a card.
Ud. se levantó *después de dormir* seis horas.	You got up *after sleeping* six hours.

In Spanish, a preposition is followed by the infinitive form of the verb and not by the present participle as in English.

Practice

TRANSLATION

1. He left after reading the letter.	Salió después de leer la carta.
He left on reading the letter.	________________.
He left before reading the letter.	________________.
He left instead of reading the letter.	________________.
He left without reading the letter.	________________.
2. He bought it after looking at the card.	Lo compró después de mirar la tarjeta.
He bought it after studying the card.	________________.

He bought it after seeing the card. ______________________.

He bought it after reading the card. ______________________.

He bought it after sending the card. ______________________.

He bought it after writing the card. ______________________.

B

Verbs Which Change *i* to *y* in the Preterite

	creer (to believe)	*oír* (to hear)	*construir* (to build)
yo	**creí**	**oí**	**construí**
tú	**creíste**	**oíste**	**construiste**
Ud. / él / ella	**cre*yó***	***oyó***	**constru*yó***
nosotros	**creímos**	**oímos**	**construimos**
Uds. / ellos / ellas	**cre*yeron***	***oyeron***	**constru*yeron***

The accurate Aztec calendar stone symbolizes the face of the sun

Peabody Museum, Harvard University

Note that the verbs **creer, oír** and **construir** change the preterite endings **-ió** and **-ieron** to ***-yó*** and ***yeron***.
The verbs **leer** (to read) and **caer** (to fall) also change like **creer (leí, leíste, le*yó*, leímos, le*yeron*).** Note the accent mark on **-íste** and **-ímos.** The verb **destruir** changes like **construir.**

Practice

PERSON-NUMBER SUBSTITUTION

1. Cuando yo leí eso, no lo creí.
   ——— nosotros ———.
   ——— Ud. ———.
   ——— ellos ———.
   ——— tú ———.
   ——— Uds. ———.

2. Nadie oyó el ruido.
   Tú ———.
   Nosotros ———.
   Yo ———.
   Todos ———.
   La muchacha ———.

3. Después de leer la carta, ella la destruyó.
   ——— tú ———.
   ——— yo ———.
   ——— ellos ———.
   ——— nosotros ———.
   ——— Ud. ———.

Preguntas

1. ¿Leyó Ud. el periódico esta mañana? 2. ¿Sabe Ud. la historia de nuestra Guerra de Independencia? 3. ¿Cuántos años duró la Guerra Civil? 4. ¿Le gusta oír leyendas? 5. ¿Le asustan a Ud. los ruidos? 6. ¿Construyeron sus padres la casa en que viven? 7. ¿Habla Ud. algunas veces sin pensar? 8. ¿Oyó Ud. noticias interesantes al llegar a la escuela esta mañana?

Dick Hayman

Carvings of the plumed serpent on the Temple of Quetzalcóatl

Pyramid of the Sun, larger at base than the Egyptian pyramids

Silberstein from Monkmeyer

Lección 51

Una visita a las Pirámides

ALBERTO MENDOZA, MARGARET Y TOM ROBERTS

A.—**¿Qué piensan Uds. hacer mañana?**	What do you intend to do tomorrow?
M.—**Mañana queremos visitar las pirámides de Teotihuacán.**	Tomorrow we want to visit the pyramids of Teotihuacán.
T.—**¿*A qué distancia* de México están las pirámides?**	How far from Mexico are the pyramids?
A.—**El pueblo de San Juan Teotihuacán está a veintisiete *millas* de la capital.**	The town of San Juan Teotihuacán is twenty-seven miles from the capital.
M.—**¿Es bueno el camino?**	Is the road good?
A.—**Excelente, y el *paisaje* es lindo. *A la derecha* y *a la izquierda* de la carretera hay grandes campos de maguey.***	Excellent, and the scenery is pretty. To the right and to the left of the highway there are large fields of maguey.
T.—**Voy a llevar mi cámara.**	I am going to take my camera.
A.—**¿A qué hora salen Uds.?**	At what time are you leaving?
M.—**A las once de la mañana. Queremos almorzar en un restaurante cerca de Teotihuacán.**	At eleven in the morning. We want to lunch at a restaurant near Teotihuacán.
A.—**Yo puedo llevarlos en nuestro coche.**	I can take you in our car.
M.—**Gracias, Alberto. Papá dijo *anoche* que ya tiene asientos reservados en el autobús.**	Thanks, Albert. Father said last night that he already has reserved seats in the bus.
A.—**Muy bien. Hasta mañana.**	Very well. Until tomorrow.
M.—**Hasta la vista.**	Be seeing you.

***Maguey,** a plant found in many parts of Mexico, has many uses. Its fibers are used for making rope, baskets, mats, and other woven articles; its leaves serve as a roof-covering for the homes of the poor.

En San Juan Teotihuacán

El señor Roberts, su esposa, Margaret, Tom

Sra. R.—**¡Qué ruinas tan impresionantes!**	What impressive ruins!
Sr. R.—**En este lugar los indios toltecas construyeron los templos a sus dioses. Era el sitio de las ceremonias religiosas y también de los sacrificios humanos.**	In this place the Toltec Indians built the temples to their gods. It was the site of the religious ceremonies and also of the human sacrifices.
M.—**Aquel señor que está con el grupo de turistas *debe* de ser un *guía*. Está explicando la historia de las pirámides.**	That man who is with the group of tourists must be a guide. He is explaining the history of the pyramids.
T.—**El dijo que aquella pirámide grande es la Pirámide del *Sol*. Tiene *más de* doscientos escalones. Yo voy a subirlos.**	He said that that large pyramid is the Pyramid of the Sun. It has more than two hundred steps. I am going to climb them.
Sr. R.—**Se dice que es *más grande* que las pirámides de Egipto.**	It is said that it is larger than the pyramids of Egypt.
Sra. R.—**Aquella pirámide *más pequeña* es la Pirámide de la *Luna*.**	That smaller pyramid is the Pyramid of the Moon.
M.—**Yo quiero ver aquellas ruinas y aquel templo con las esculturas de la serpiente emplumada.**	I want to see those ruins and that temple with the carvings of the plumed serpent.
Sr. R.—**Es el templo de Quetzalcoatl. ¡Qué magnífica *obra* de escultura!**	It is the temple of Quetzalcoatl. What a magnificent work of sculpture!
Sra. R.—**¡Aquí viene Tom!**	Here comes Tom!
T.—**Se ve un panorama maravilloso desde la cima de la pirámide. Miren Uds. esta pequeña escultura que compré a un muchacho indio. Me dijo que la halló entre las ruinas.**	One sees a marvellous view from the top of the pyramid. Look at this small carving that I bought from an Indian boy. He told me that he found it among the ruins.
M.—**No lo creo. Debe de ser una copia, pero *no importa*.**	I don't believe it. It must be a copy, but it doesn't matter.
Sr. R.—**Mis amigos mexicanos me dijeron que los indios de este**	My Mexican friends told me that the Indians of this town know

pueblo saben hacer copias excelentes de las antiguas esculturas. Las venden a los turistas como auténticas. *Así se ganan la vida.*

how to make excellent copies of the ancient carvings. They sell them to the tourists as authentic. They make their living in this way.

¿Sí o No?

1. La familia Roberts piensa visitar las pirámides de Teotihuacán. 2. El pueblo de San Juan Teotihuacán está a diez y siete millas de la capital. 3. A la derecha de la carretera hay campos de maguey. 4. La familia Roberts va en coche. 5. El hombre que está explicando la historia de las pirámides debe de ser un guía. 6. La Pirámide de la Luna tiene más de doscientos escalones. 7. El templo de Quetzalcoatl tiene esculturas de la serpiente emplumada. 8. La señora Roberts compró una escultura a (*from*) un muchacho indio. 9. La escultura debe de ser copia. 10. Los indios venden esculturas a los turistas para ganarse la vida.

Preguntas

1. ¿Cómo se llaman las dos pirámides de Teotihuacán? 2. ¿Se puede subir a las pirámides? 3. ¿Qué se puede ver desde la cima (*top*)? 4. ¿Hay paisajes lindos en nuestro país? 5. ¿A qué distancia de su ciudad se puede ver un hermoso paisaje? 6. ¿Tiene su ciudad un museo? 7. ¿Le gusta subir a la cima de una montaña? 8. ¿Mira Ud. siempre a la derecha y a la izquierda antes de cruzar la carretera? 9. ¿Sabe Ud. si hay pirámides en los Estados Unidos?

LANGUAGE PATTERNS

A

Comparison of Adjectives

Enrique es *más alto.*	Henry is *taller.*
María es *la más bonita.*	Mary is *the prettiest.*
Esta lección es *más difícil.*	This lesson is *more difficult.*
Este prendedor es *el más caro.*	This pin is *the most expensive.*

In Spanish, **más** is used before the adjective when making a comparison. In English, the adjective used for comparison frequently ends in "-er" or "-est": richer, richest, **más rico.**

Practice

REJOINDER

Este sitio es interesante.	Pero aquel sitio es más interesante.
Esta pirámide es grande.	Pero aquella pirámide es más grande.
Este paisaje es lindo.	__________________.
Este camino es estrecho.	__________________.
Esta casa es pequeña.	__________________.
Estas joyas son bonitas.	__________________.
Estos campos son pintorescos.	__________________.

B
Irregular Comparative Forms of Adjectives

(bueno) ***mejor***	(good)	*better, best*
(malo) ***peor***	(bad)	*worse, worst*
menor		*younger, youngest* (referring to age)
mayor		*older, oldest* (referring to age)

Practice

REJOINDER

La calle es buena.	La otra es mejor.
Los caminos son malos.	Los otros son peores.
El coche es bueno.	____________.
La carretera es mala.	____________.
Las películas son buenas.	____________.
Las revistas son malas.	____________.

C
How to Express *Than* in a Comparison

Carmen es *más bonita que* María.	Carmen is *prettier than* Mary.
Pancho es *menor que* su hermano.	Frank is *younger than* his brother.

"Than" in a comparison is expressed by **que.**

Practice

TRANSLATION

Carlos is taller than his friend. — Carlos es más alto que su amigo.

Juan is older than his friend.	_______________.
Arturo is larger than his friend.	_______________.
Gloria is younger than her friend.	_______________.
Lucía is prettier than her friend.	_______________.
Elena is more interesting than her friend.	_______________.

D

How to Express *In* after a Superlative

Es el muchacho *más alto de* la clase.	He is the *tallest* boy *in* the class.
Es *la mejor* carretera *del* mundo.	It's the *best* highway *in* the world.

"In" after the superlative form of an adjective (biggest, best, tallest) is expressed by **de.**

Practice

Translation

1. It is the largest in the world.	Es el más grande del mundo.
It is the largest in the country.	_______________.
It is the largest in the state.	_______________.
It is the largest in the city.	_______________.
It is the largest in the school.	_______________.
It is the largest in the class.	_______________.

2. That church is the tallest in the city.	Aquella iglesia es la más alta de la ciudad.
That church is the richest in the city.	_______________.
That church is the best in the city.	_______________.
That church is the most important in the city.	_______________.
That church is the largest in the city.	_______________.
That church is the most beautiful in the city.	_______________.

Preguntas

1. ¿Quién es su mejor amigo (-a)? 2. ¿Es Ud. más alto (-a) que su amigo (-a)? 3. ¿Es Ud. el (la) menor de su familia? ¿Es Ud. el (la) mayor? 4. ¿Quién es el alumno más inteligente de la clase? 5. ¿Son los muchachos

más aplicados que las muchachas? 6. ¿Cuál es su deporte favorito? 7. ¿Es su ciudad la más grande del estado? 8. ¿Es su ciudad más bonita que las otras ciudades del estado? 9. ¿Cuál es la calle más importante de la ciudad? 10. ¿Cuál es la estación más agradable del año?

E

Preterite Tense of *decir* (to say, to tell)

yo	lo **dije** anoche	nosotros	lo **dijimos** al muchacho
tú	lo **dijiste** antes		
Ud. / él / ella	lo **dijo** ayer	Uds. / ellos / ellas	lo **dijeron** siempre

Practice

ITEM SUBSTITUTION

1. Yo no dije nada.
   ——— la verdad.
   ——— eso.

2. Tú dijiste que debe de ser un guía.
   ——— una copia.
   ——— muy caro.

3. Tomás dijo que lo compró.
   Ud. ———.
   La hermana ———.

4. Nosotros dijimos que no lo creímos.
   Juan y yo ———.
   Tú y yo ———.

5. Ellos dijeron que subieron a la pirámide.
   Uds. ———.
   Los turistas ———.

PERSON-NUMBER SUBSTITUTION

Dijo que Ricardo llegó anoche.
Tú ———.
Tú y Elena ———.
Yo ———.
Tú y yo ———.
Ud. ———.

RESPONSE

¿Qué dijo Ud.?	No importa, no dije nada.
¿Qué dijo Dolores?	———.
¿Qué dijeron Uds.?	———.
¿Qué dijiste tú?	———.

¿Qué dijeron las muchachas? ____________.
¿Qué dijo Enrique? ____________.

SUBSTITUTION (PRESENT—PRETERITE TENSE)

¿Quién dice eso?	¿Quién dijo eso?
¿Qué le dicen Uds.?	¿________?
Digo que Carlos tomó el libro.	________.
No decimos que lo perdió.	________.
Tú no dices nada.	________.

Drawing the sap of the maguey cactus for pulque, a native drink

Sawders from Cushing

Lección 52

El Grito de Dolores

Miguel Hidalgo (1753–1811)

Bettman Archive

El dieciséis de septiembre es el día de la independencia mexicana. Es la fiesta nacional más importante de México.

México fue[1] colonia de España durante trescientos años. Durante estos tres siglos los mexicanos tuvieron[2] poca libertad política. Fueron[1] gobernados por oficiales españoles. Los indios fueron obligados a trabajar muchas horas en las minas de oro y plata, y en las grandes haciendas del país. La vida para muchos mexicanos fue muy dura.[3]

El padre Hidalgo, un humilde cura[4] del pueblo de Dolores, tuvo[2] gran compasión (*pity*) de los indios. Creyó que había llegado (*had arrived*) el momento de liberar a su pueblo (*people*). A las once de la noche del quince de septiembre sonó[5] la campana[6] de la iglesia.

1. **fue,** (it) was; **fueron,** (they) were 2. **tuvieron,** (they) had; **tuvo,** (he) had 3. **duro (-a),** hard 4. **el cura,** priest 5. **sonar (ue),** to ring 6. **la campana,** bell

Al oír la campana todos los vecinos se reunieron[1] frente a[2] la iglesia y el padre Hidalgo les habló de las injusticias del gobierno español y los llamó a las armas con estas palabras:—¡Viva (*Long live*) la Virgen de Guadalupe!* ¡Muera (*Down with*) el mal gobierno! ¡Mueran los gachupines!**

Después de muchos combates, Hidalgo cayó prisionero y fue fusilado (*shot*) por los españoles. El sacrificio heroico del padre Hidalgo animó (*encouraged*) a los otros mexicanos. Siguieron luchando (*They continued fighting*) hasta obtener la independencia.

El padre Hidalgo, como Jorge Washington, es llamado el «Padre de la Patria».[3] Cada año en el día de la independencia se repite por todo el país su famoso «Grito de Dolores»: ¡Viva la independencia! ¡Viva la libertad! ¡Viva México!

1. **reunirse,** to gather 2. **frente a,** in front of 3. **la patria,** country

***La Virgen de Guadalupe,** the patron saint of Mexico

****Gachupines,** a nickname given by Spanish Americans to natives of Spain who settled in the New World

¿Sí o No?

1. La fiesta nacional de México se celebra en septiembre. 2. México fue colonia de España durante muchos siglos. 3. Los indios trabajaron en las minas y en las haciendas. 4. El padre Hidalgo vivió en el pueblo de Dolores. 5. Vio la vida dura de los indios. 6. Una mañana sonó la campana de su iglesia. 7. Todos los indios se reunieron frente a la iglesia. 8. El cura los llamó a las armas en el nombre de la Virgen de Guadalupe. 9. Los españoles lo tomaron prisionero. 10. Más tarde fue fusilado. 11. El «Grito de Dolores» se repite el Día de la Independencia por todo el país.

Preguntas

1. ¿A qué hora suena la campana de la escuela? 2. ¿Se reúnen sus amigos frente a la escuela? 3. ¿Es dura la vida de los estudiantes? 4. ¿Qué día se celebra el día de nuestra independencia? 5. ¿Quién es el padre de nuestra patria? 6. ¿Duró muchos años la guerra de nuestra independencia? 7. ¿En qué año ganamos la independencia? 8. ¿Cuál es el día de la independencia mexicana? 9. ¿Durante cuántos años fue México colonia de España? 10. ¿Quién fue Miguel Hidalgo? 11. ¿Por qué tuvo gran compasión de los indios?

LANGUAGE PATTERNS

A

Preterite Tense of *tener* (to have)

yo	**tuve** que estudiar	nosotros	**tuvimos** que estudiar
tú	**tuviste** que estudiar		
Ud. / él / ella	**tuvo** que estudiar	Uds. / ellos / ellas	**tuvieron** que estudiar

Practice

ITEM SUBSTITUTION

1. No tuve mucho tiempo.
   ——— mi coche.
   ——— mi llave.

2. Ud. tuvo que esperarme.
   Mi amigo ———.
   Catalina ———.

3. Ayer tuvimos que trabajar.
   —— tú y yo ———.
   —— Jorge y yo ———.

4. Uds. tuvieron un examen hoy.
   Carlos y Pedro ———.
   Ellos ———.

5. Tú tuviste una sorpresa.
   ——— buena suerte.
   ——— un buen amigo.

RESPONSE

¿Tuvo Ud. que escribirlo? Sí, tuve que escribirlo.
¿Tuvieron todos que escribirlo? ———.
¿Tuvieron Uds. que leerlo? ———.
¿Tuvo Alicia que leerlo? ———.
¿Tuviste que hacerlo? ———.
¿Tuvimos nosotros que hacerlo? ———.

REPLACEMENT

Tuvimos un examen hoy.
Tú ———.
——— una lección fácil ——.
——— esta mañana.
Yo ———.
——— una sorpresa ———.

Juanita tuvo una sorpresa esta mañana.
———————————— ayer.
——— una fiesta ————————.
Uds. ——————————————.
———————————— anoche.
Nosotros ——————————.

B

Preterite Tense of *ser* (to be)

Yo *fui* el primero en llegar.	I *was* the first to arrive.
Tú *no fuiste* invitado.	You *weren't* invited.
Ella *fue* muy amable.	She *was* very kind.
Tú y yo *fuimos* amigos.	You and I *were* friends.
Uds. *fueron* elegidos.	You *were* elected.

yo	**fui**	nosotros	**fuimos**
tú	**fuiste**		
Ud. / él / ella	**fue**	Uds. / ellos / ellas	**fueron**

Practice

Item substitution

1. Alberto fue el primero en salir.
   Ud. ——————————.
   Pedro ——————————.

2. Ellos no fueron invitados.
   Los muchachos ———.
   Uds. ——————————.

3. Nosotros nunca fuimos buenos amigos.
   El y yo ——————————.
   Enrique y yo ——————————.

4. Tú fuiste muy amable.
   ——— muy bueno.
   ——— muy malo.

5. Los alumnos me dijeron que yo fui elegido.
   Mis amigos ——————————.
   Todos ——————————.

Substitution (present—preterite tense)

Es imposible.	Fue imposible.
Son hombres famosos.	——————————.
Soy presidente de la clase.	——————————.
Somos miembros del mismo club.	——————————.

Tú eres magnífico. ____________________.
El país es colonia de España. ____________________.
No son Uds. quienes lo dicen. ____________________.
Yo soy el último en contestar. ____________________.

F P G by Foto Art

Potatoes, beans, and dried corn for sale—Huancayo, Perú

Lección 53

Celebrando el Día de la Independencia

El señor Roberts, su esposa, Margaret y Tom

Sra. R.—¿Dónde estuvieron Uds. ayer?	Where were you yesterday?
M.—Anoche estuvimos en el Zócalo con los Mendoza, celebrando el Día de la Independencia.	Last night we were at the Zocalo with the Mendozas celebrating Independence Day.
Sra. R.—Pero el señor Mendoza me dijo que la fiesta se celebra hoy, el dieciséis de septiembre.	But Mr. Mendoza told me that the holiday is celebrated today, September 16th.
Sr. R.—Hoy hay *desfiles* con bandas militares, pero las celebraciones oficiales empiezan a las once de la noche del quince.	Today there are parades with military bands, but the official celebrations begin at eleven on the evening of the fifteenth.
Sra. R.—¿Se divirtieron Uds. mucho?	Did you have a very good time?
T.—Nunca me divertí tanto.	I never had such a good time.
M.—¡Qué multitud!	What a crowd!
T.—¡Y cuántas *luces* eléctricas, verdes, blancas y rojas, en todos los edificios públicos!	And what a lot of green, white and red electric lights on all the public buildings!
Sra. R.—Estos son los colores de la bandera mexicana.	These are the colors of the Mexican flag.
Sr. R.—¿Vieron Uds. al Presidente de México?	Did you see the President of Mexico?
T.—Sí, salió al balcón del Palacio Nacional a las once, y al final de un *discurso* patriótico dio el Grito de Dolores.	Yes, he came out on the balcony of the National Palace at eleven, and at the end of a patriotic speech he gave the Cry of Dolores.
M.—Y todo el mundo repitió a gritos:—¡Viva la independencia!	And everyone repeated, shouting: Long live independence! Long

¡Viva la libertad! ¡Viva México!	live liberty! Long live Mexico!
T.—***Luego* el Presidente tocó la vieja Campana de la Independencia que está *encima del* balcón.**	Then the President rang the old Independence Bell which is above the balcony.
M.—**¡ Qué entusiasmo y *alegría*!**	What enthusiasm and joy!
SR. R.—**¿Adónde fueron Uds. después de la fiesta?**	Where did you go after the fiesta?
M.—**Fuimos a un café. Nos invitaron los Mendoza.**	We went to a café. The Mendozas invited us.
SR. R.—**Siempre hay muchas reuniones sociales el Día de la Independencia.**	There are always many social gatherings on Independence Day.

¿Sí o No?

1. Las celebraciones del Día de la Independencia mexicana empiezan el cinco de septiembre. 2. En ese día siempre hay desfiles con bandas militares. 3. Todo el mundo se divierte mucho. 4. Hay luces verdes, blancas, y azules en todos los edificios. 5. Margarita y su hermano asistieron a la celebración en el Zócalo. 6. Oyeron el discurso del Presidente. 7. Vieron la vieja Campana de la Independencia. 8. Más tarde invitaron a sus amigos a tomar algo en un café. 9. Luego volvieron al hotel. 10. Fue un día de mucha alegría para todos.

Preguntas

1. ¿Cuáles son los colores de la bandera mexicana? 2. ¿Hay desfiles militares en nuestro Día de la Independencia? 3. ¿Hay muchas celebraciones patrióticas? 4. ¿Sale el Presidente al balcón de la Casa Blanca? 5. ¿Le gustan a Ud. los discursos largos? 6. ¿Pone su familia una bandera sobre la puerta en ese día? 7. ¿Tiene nuestro país una campana famosa? 8. ¿Cómo se llama la campana?

LANGUAGE PATTERNS

A

Preterite Tense of *-ir* Vowel-changing Verbs

***divertirse* (*ie*) (to enjoy oneself, to have a good time)**

yo	**me divertí** mucho	nosotros	**nos divertimos** mucho
tú	**te divertiste** mucho		
Ud. / él / ella	**se divirtió** mucho	Uds. / ellos / ellas	**se divirtieron** mucho

***repetir* (*i*) (to repeat)**

yo	lo **repetí**	nosotros	lo **repetimos**
tú	lo **repetiste**		
Ud. / él / ella	lo **repitió**	Uds. / ellos / ellas	lo **repitieron**

***dormir* (*ue*) (to sleep)**

yo	**dormí** bien anoche	nosotros	**dormimos** bien anoche
tú	**dormiste** bien anoche		
Ud. / él / ella	**durmió** bien anoche	Uds. / ellos / ellas	**durmieron** bien anoche

Vowel-changing **-ir** verbs which change **e** to **ie** or **e** to **i** in the present tense **(me divierto, repito)**, change **e** to **i** in the third person singular and plural of the preterite tense: **se divirtió, se divirtieron; repitió, repitieron.** Vowel-changing **-ir** verbs which change **o** to **ue** in the present tense (**duermo**) change **o** to **u** in the third person singular and plural of the preterite tense: **durmió, durmieron.**

Some additional **-ir** vowel-changing verbs which change **e** to **i** in the third person singular and plural of the preterite: **pedir,** to ask for (**pidió, pidieron**); **vestir,** to wear, to dress (**vistió, vistieron**); **servir,** to serve (**sirvió, sirvieron**); **sentir,** to feel, to feel sorry (**sintió, sintieron**); **preferir,** to prefer (**prefirió, prefirieron**).

The verb **morir,** to die, changes like **dormir** (**murió, murieron**).

Practice

RESPONSE

1. ¿Lo repitió Ud.? Sí, lo repetí.
   ¿Se divirtió Ud.? ________.
   ¿Pidió Ud. papel? ________.
   ¿Sirvió Ud. la comida? ________.

Wide World Photo

The Zócalo on Independence Day

2. ¿Se divirtieron Uds. anoche? Sí, nos divertimos anoche.
¿Repitieron Uds. el Grito? ______.
¿Sirvieron Uds. refrescos? ______.
¿Pidieron Uds. una bandera? ______.
¿Vistieron Uds. de traje nacional? ______.
¿Durmieron Uds. ocho horas? ______.

PERSON-NUMBER SUBSTITUTION

1. Pedimos el menú.
   Tú ______.
   Tú y Miguel —.
   Ernesto ______.
   El y yo ______.
   Yo ______.
   Ud. ______.

2. Carlos durmió en un hotel.
   Yo ______.
   Mis padres ______.
   Tú ______.
   El y yo ______.
   Uds. ______.
   Mi hermano ______.

3. El profesor lo repitió varias veces.
   Yo ______.
   Uds. ______.
   Tú ______.
   Nosotros ______.
   La clase ______.
   Todos ______.
   Ella ______.

SUBSTITUTION (PRESENT—PRETERITE TENSE)

Prefiero el vestido azul. Preferí el vestido azul.
El muchacho pide un vaso de agua. ______.
Lo sentimos mucho. ______.
Los alumnos repiten la frase varias veces. ______.
Los soldados visten uniformes militares. ______.
Me divierto mucho en la fiesta. ______.
Duermo mucho. ______.
La madre sirve el desayuno temprano. ______.
Todos se divierten allí. ______.
Rodrigo duerme en el parque. ______.

Preguntas

1. ¿Se divirtió Ud. en la clase? 2. ¿Vistió Ud. traje de sport ayer? 3. ¿Pidió Ud. dinero a su padre esta mañana? 4. ¿Quién le sirvió el desayuno

hoy? 5. ¿Durmió Ud. ocho horas anoche? 6. ¿Repitieron Uds. la lección varias veces?

B

Preterite Tense of *dar* (to give)

yo	le **di** un regalo	nosotros	le **dimos** un regalo
tú	le **diste** un regalo		
Ud. / él / ella	le **dio** un regalo	Uds. / ellos / ellas	le **dieron** un regalo

Practice

Response

1. ¿Dio Ud. el libro a Paco? Sí, le di el libro.
2. ¿Le dio el padre dinero? ________.
3. ¿Dieron Uds. los papeles al profesor? ________.
4. ¿Le dieron sus amigos un regalo? ________.
5. ¿Dio Ud. una propina al mozo? ________.
6. ¿Te di tu papel? ________.

Substitution (present—preterite tense)

Damos un paseo. Dimos un paseo.
Doy dinero a los pobres. ________.
¿Por qué das la pelota a José? ¿________?
Ud. no me da nada. ________.
Isabel y yo damos una fiesta. ________.
Los alumnos dan sus papeles al profesor. ________.

C

Preterite Tense of *ir* (to go)

yo	**fui** al cine anoche	nosotros	**fuimos** a casa
tú	**fuiste** al cine anoche		
Ud. / él / ella	**fue** al cine anoche	Uds. / ellos / ellas	**fueron** a casa

The verbs **ir** (to go) and **ser** (to be) have the same forms in the preterite (**fui,** I went, I was; **fue,** he went, he was, etc.).

Practice

SUBSTITUTION (PRESENT—PRETERITE TENSE)

Carmen va de compras.	Carmen fue de compras.
Elena y yo vamos al parque.	______________.
¿Quién va al museo?	¿______________?
Yo voy a casa temprano.	______________.
¿Por qué no vas a la escuela?	¿______________?
¿Adónde van Uds. el domingo?	¿______________?

Preguntas

1. ¿Fue Ud. a la escuela ayer? 2. ¿A qué hora fueron Uds. a la clase de español? 3. ¿A qué hora fuiste a casa? 4. ¿Fueron sus amigos al cine anoche? 5. ¿Adónde fueron Uds. el sábado? 6. ¿Adónde fue su familia durante las vacaciones?

D

Preterite Tense of *estar* (to be)

yo	**estuve** en casa	nosotros	**estuvimos** en la escuela
tú	**estuviste** en casa		
Ud. / él / ella	**estuvo** en casa	Uds. / ellos / ellas	**estuvieron** en la escuela

Practice

PERSON-NUMBER SUBSTITUTION

Jorge estuvo allí el año pasado.
Mis padres ______________.
Yo ______________.
Mis padres y yo ______________.
Tú ______________.
La familia Roberts ______________.
Margarita y Tomás ______________.

CUED RESPONSE

¿Dónde estuvo su amigo? (en la biblioteca)	Estuvo en la biblioteca.
¿Dónde estuvo Ud.? (en la oficina)	______________.
¿Dónde estuvieron los niños? (en la calle)	______________.
¿Dónde estuvieron Uds.? (en casa)	______________.

¿Dónde estuviste? (en la cafetería) ________.
¿Quién estuvo ausente ayer? (Elena) ________.
¿Quién estuvo presente? (Yo) ________.
¿Quiénes estuvieron allí? (Nosotros) ________.

REPLACEMENT

La familia Roberts fue a México.
Tú ________.
________ allí.
Ellos ________.
________ estuvieron ____.
Tomás ________.
________ en el parque.

El y yo estuvimos en el parque.
________ en el museo.
Yo ________.
________ allá.
Ellos ________.
________ fueron ____.
Nosotros ________.

Versos

Los libertadores

The Liberators

Honremos la memoria
de los libertadores
que llenan con su gloria
los fastos de otra edad.
Llenos de santos amores
sus vidas sacrificaron
y por nosotros conquistaron
el bien mayor, la libertad.

Let us honor the memory
of the liberators
who fill with their glory
the great deeds of another age.
Filled with a holy love
they sacrificed their lives
and conquered for us
the greatest good, liberty.

Lección 54

Benito Juárez

En muchas ciudades y muchos pueblos de México encontramos una calle o una avenida, una escuela o un monumento que lleva (*bears*) el nombre de Benito Juárez. También una ciudad cerca de la frontera (*border*) se llama Ciudad Juárez. Entre todos los héroes nacionales de México, el gran patriota Benito Juárez es el más amado (*beloved*). Por su vida y su carácter se parece (*he resembles*) a Abrahán Lincoln y muchos le llaman el «Abrahán Lincoln de México».

Benito Juárez, un indio zapoteca,* nació[1] en un pequeño pueblo del estado de Oaxaca** en 1806 (mil ochocientos seis). Su familia era (*was*) pobre. Benito no pudo[2] asistir a la escuela porque tuvo que ayudar a sus padres.

Cuando todavía era muy joven, murieron[3] sus padres, y Benito fue a vivir con un tío. En la casa de su tío el muchacho sufrió[4] muchas injusticias. A los doce años fue a la ciudad de Oaxaca para ganarse la vida.

Benito no sabía leer ni escribir, ni siquiera (*not even*) entendía el español. Hablaba la lengua indígena (*native*) de su pueblo. Al llegar a Oaxaca, entró de (*as a*) sirviente en casa de una familia rica. Un cura, amigo de la familia, visitaba con frecuencia la casa.

El cura se interesó por el muchacho. Vio que Benito era inteligente y trabajador (*hard-working*) y empezó a enseñarle[5] a leer y a escribir. Benito era un alumno aplicado; estudiaba mucho y leía todos los libros que el buen cura le daba.

Por fin, después de vencer[6] muchas dificultades, Juárez llegó a ser (*became*) abogado; más tarde fue gobernador de Oaxaca y por último (*finally*) presidente de México.

1. **nacer,** to be born 2. **pudo,** (he) was able, could 3. **murieron,** (they) died 4. **sufrir,** to suffer 5. **enseñar,** to teach, show 6. **vencer,** to overcome, conquer

***Zapoteca,** the name of an Indian tribe in Mexico

The **x in **Oaxaca** is pronounced like the **x** in **México.**

Pan American Airways

Monument honoring Benito Juárez in Alameda Park, Mexico City

En aquel tiempo Napoleón de Francia envió[1] un ejército[2] a México con el pretexto de cobrar (*to collect*) unas deudas (*debts*). Los mexicanos resistieron con gran valor a las fuerzas[3] francesas pero fueron derrotados (*routed*). Napoleón nombró[4] a Maximiliano emperador de México. Juárez pidió ayuda al Presidente Lincoln. Nuestro presidente no pudo ayudarle con fuerzas militares a causa de (*because of*) la Guerra Civil en los Estados Unidos.

Juárez reorganizó el ejército mexicano y venció a las fuerzas extranjeras.[5] Napoleón tuvo que retirar sus tropas. El emperador Maximiliano cayó prisionero y fue fusilado (*shot*) por los mexicanos. Por fin México quedó libre[6] e independiente.

Hoy día los mexicanos celebran el cinco de mayo en honor de la batalla de Puebla, una de las primeras batallas de esta guerra contra los franceses.

1. **enviar,** to send 2. **el ejército,** army 3. **las fuerzas,** forces 4. **nombrar,** to name 5. **extranjero (-a),** foreign 6. **libre,** free

¿Sí o No?

1. Benito Juárez nació en un pueblo pequeño cerca de la ciudad de Oaxaca. 2. No pudo asistir a la escuela porque murieron sus padres. 3. Fue a vivir con su tío. 4. La vida para el joven Benito fue muy dura. 5. Se ganó la vida trabajando en casa de un cura. 6. El cura le enseñó a leer y a escribir. 7. El muchacho era un alumno aplicado. 8. Estudió mucho. 9. Con el tiempo llegó a ser abogado, y luego gobernador del estado de Oaxaca. 10. Por fin, fue elegido Presidente de la nación. 11. En aquella época México tuvo muchas dificultades domésticas. 12. No pudo pagar sus deudas (*debts*) a los países extranjeros. 13. Un ejército francés llegó a México. 14. El Presidente Lincoln envió fuerzas americanas a ayudar a los mexicanos. 15. Los soldados mexicanos vencieron a los franceses y México quedó libre e independiente.

LANGUAGE PATTERNS

A

Imperfect Tense

Yo le *enseñaba* a leer.	I *was teaching* him to read.
Ellos *visitaban* el pueblo.	They *used to visit* the town.
Tú *estabas* muy contento aquí.	You *were* very happy here.
El *leía* muchos libros.	He *read* many books.
Nosotros *vivíamos* allí.	We *lived* (*used to live*) there.

trabajar **(to work)**

yo	**trabaj*aba***	nosotros	**trabaj*ábamos***
tú	**trabaj*abas***		
Ud., él, ella	**trabaj*aba***	Uds., ellos, ellas	**trabaj*aban***

leer, vivir **(to read, to live)**

yo	**le*ía*, viv*ía***	nosotros	**le*íamos*, viv*íamos***
tú	**le*ías*, viv*ías***		
Ud., él, ella	**le*ía*, viv*ía***	Uds., ellos, ellas	**le*ían*, viv*ían***

The imperfect tense has two sets of endings, the **-aba** endings for **-ar** verbs and the **-ía** endings for **-er** or **-ir** verbs.
The first person and third person singular of the imperfect tense have identical forms (**visitaba,** I or he was visiting; **leía,** I or he was reading).
Note the accent mark on the **a** of **-ábamos** and on the **i** of all the **-ía** endings.
The imperfect tense has several English translations: **yo visitaba,** I was visiting, I used to visit, I visited (in the sense of was visiting or used to visit); **vivíamos,** we were living, we used to live, we lived (in the sense of were living or used to live).
The imperfect tense is used to express an action or an event that continued or happened repeatedly in the past. It is also used to express a condition or a description in past time.
Phrases such as **todos los días, todos los años, muchas veces, siempre, con frecuencia** (frequently), **mientras** (while), and others which imply a continued or repeated action, usually indicate the use of the imperfect tense when such action is in the past.

Practice

Rejoinder

Ud. jugaba todo el día.	Ud. no estudiaba.
Ellos jugaban todo el día.	________.
Tú jugabas todo el día.	________.
Yo jugaba todo el día.	________.

Nosotros jugábamos todo el día.	________.
Paco jugaba todo el día.	________.
María y Ud. jugaban todo el día.	________.

Person-number substitution

Carolina le enviaba una carta todas las semanas.
Yo________________.
Carolina y yo ________________.
Mis amigas ________________.
Tú________________.
Manuel________________.

Substitution (present—imperfect tense)

No estás contento.	No estabas contento.
Ud. me enseña esto.	________.
Trabajamos mucho.	________.
Busco la peluquería.	________.
Visitan a sus amigos.	________.
Escuchas la música.	________.
Le doy muchos libros.	________.

Rejoinder

Concha vivía cerca de la biblioteca.	Concha leía muchos libros.
Tú vivías cerca de la biblioteca.	________.
Nosotros vivíamos cerca de la biblioteca.	________.
Uds. vivían cerca de la biblioteca.	________.
Yo vivía cerca de la biblioteca.	________.
Pedro vivía cerca de la biblioteca.	________.

Person-number substitution

Mientras Ud. dormía, sonó el teléfono.
________ yo ________________.
________ Ud. y yo ________________.
________ tú ________________.
________ Uds. ________________.
________ él ________________.

Substitution (present—imperfect tense)

¿Qué hace Ud.?	¿Qué hacía Ud.?
Yo me divierto mucho.	Yo me divertía mucho.
Nosotros comemos en ese restaurante.	________.

Tú asistes a esa escuela. ______________.
Siempre piden algo. ______________.
Nunca tengo dinero. ______________.
Muchas veces vuelve a casa tarde. ______________.

REPLACEMENT DRILL

Carlos esperaba a Juan.
Nosotros ________.
________ a Gloria.
____ escribíamos ____.
Yo ____________.
________ al profesor.
________ buscaba ____.

Uds. buscaban al profesor.
____________ a la niña.
____ leían ________.
Tú ____________.
________ a los muchachos.
____ mirabas ________.
El profesor ________.

B

Preterite Tense of *poder* and *hacer*

poder (to be able, can)

Yo no *pude* responder.	I *couldn't* answer.
Tú no *pudiste* responder.	You *couldn't* answer.
El no *pudo* responder.	He *couldn't* answer.
Nosotros no *pudimos* verlo.	We *couldn't* see it.
Uds. no *pudieron* verlo.	You *couldn't* see it.

Practice

PERSON-NUMBER SUBSTITUTION

1. Catalina no pudo asistir a la clase ayer.
   Yo ______________.
   Ella y yo ______________.
   Tú ______________.
   Uds. ______________.

2. Yo no pude hacerlo esta mañana.
   Uds. ______________.
   Ud. y Pablo ______________.
   Tú ______________.
   Tú y yo ______________.
   José ______________.

hacer **(to do, make)**

Yo lo *hice* en casa.	I *made* it at home.
Tú lo *hiciste* en casa.	You *made* it at home.
Ella lo *hizo* en casa.	She *made* it at home.
Nosotros lo *hicimos* sin él.	We *did* it without him.
Ellos lo *hicieron* sin él.	They *did* it without him.

Note that the **c** changes to **z** in the third person singular (**hizo**).

Practice

REJOINDER

1. Yo no compré los juguetes. Yo los hice a mano.
   Nosotros no compramos los juguetes. ______________.
   Tú no compraste los juguetes. ______________.
   Dolores no compró los juguetes. ______________.
   Ellos no compraron los juguetes. ______________.
   Ud. no compró los juguetes. ______________.

2. Roberto tuvo que hacerlo. Y lo hizo anoche.
   Tú tuviste que hacerlo. ______________.
   Uds. tuvieron que hacerlo. ______________.
   Yo tuve que hacerlo. ______________.
   Nosotros tuvimos que hacerlo. ______________.
   Elena tuvo que hacerlo. ______________.

RESPONSE

¿Hizo Ud. el trabajo? No, no pude hacerlo.
¿Hizo Tomás el trabajo? ______________.
¿Hicieron Uds. el trabajo? ______________.
¿Hicieron los muchachos el trabajo? ______________.
¿Hiciste tú el trabajo? ______________.

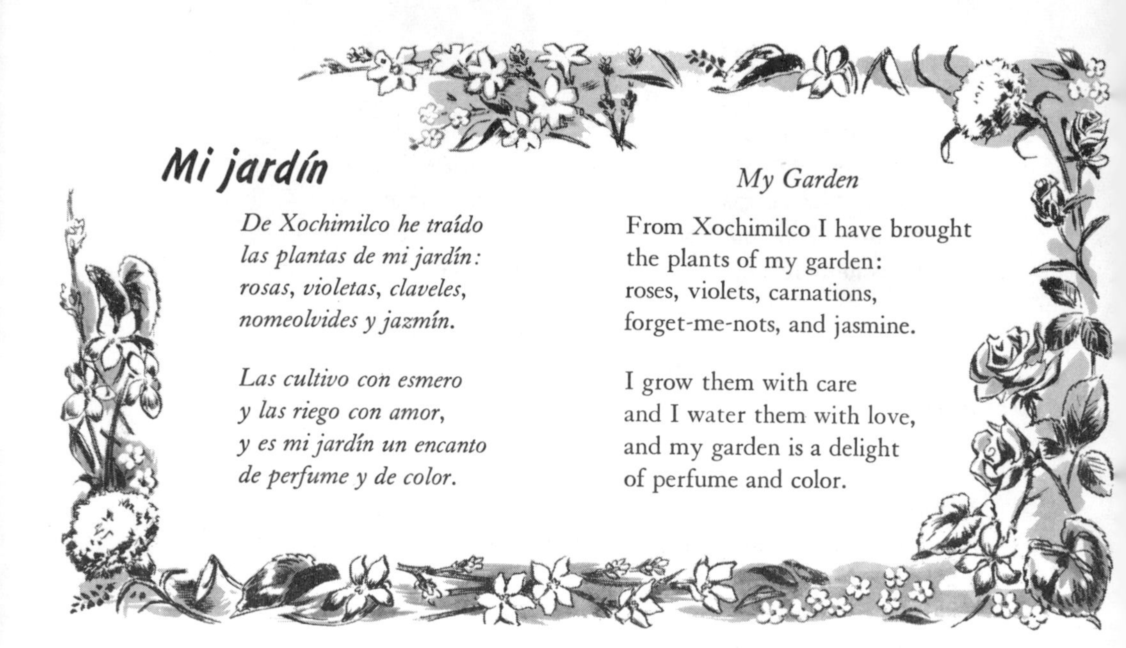

Mi jardín

De Xochimilco he traído
las plantas de mi jardín:
rosas, violetas, claveles,
nomeolvides y jazmín.

Las cultivo con esmero
y las riego con amor,
y es mi jardín un encanto
de perfume y de color.

My Garden

From Xochimilco I have brought
the plants of my garden:
roses, violets, carnations,
forget-me-nots, and jasmine.

I grow them with care
and I water them with love,
and my garden is a delight
of perfume and color.

Lección 55

*Un domingo en Xochimilco**

SRA. ROBERTS, MARGARET, TOM, ALBERTO MENDOZA.

Los jóvenes *acaban de* (*have just*) volver de Xochimilco. Margaret lleva *un ramo* (*bouquet*) de flores frescas.

M.—**Buenas tardes, mamá. Estas flores son para ti. Alberto las compró en Xochimilco.**	Good afternoon, mother. These flowers are for you. Albert bought them in Xochimilco.
SRA. R.—**¡Qué flores tan bonitas! Gracias, Alberto. Ud. es muy amable.**	What pretty flowers! Thanks, Albert. You are very kind.
M.—**¡Qué lugar tan pintoresco es Xochimilco, con sus jardines flotantes y árboles reflejados en el agua!**	What a picturesque place is Xochimilco, with its floating gardens and trees reflected in the water!
SRA. R.—**¿Qué son jardines flotantes?**	What are floating gardens?
A.—**Son pequeñas islas separadas por canales. En estas islas la tierra es muy fértil y los indios cultivan gran variedad de flores y legumbres.**	They are small islands separated by canals. On these islands the land is very fertile and the Indians grow a great variety of flowers and vegetables.

*The **x** in **Xochimilco** is pronounced like **s**.

T.—**En una isla yo vi coles y calabazas enormes.**	On one island I saw enormous cabbages and squash.
Sra. R.—**¿Está Xochimilco lejos de la ciudad de México?**	Is Xochimilco far from Mexico City?
A.—**No, señora, está bastante cerca. Los indios de Xochimilco llevan flores y legumbres frescas a los mercados de la capital todos los días.**	No, ma'am, it is quite near. The Indians of Xochimilco take flowers and fresh vegetables to the markets of the capital every day.
T.—**En el camino encontramos a muchas familias mexicanas que *iban* a pasar el domingo en Xochimilco.**	On the road we met many Mexican families who were going to spend Sunday in Xochimilco.
M.—**Al llegar a Xochimilco, fuimos al canal mayor. *Había* muchas *lanchas* en los canales; cada una estaba adornada con flores y llevaba el nombre de alguna muchacha, como Lupita, Rosita o Lolita.**	On arriving at Xochimilco, we went to the main canal. There were many boats in the canals; each one was decorated with flowers and bore the name of some girl, like Lupita, Rosita, or Lolita.
A.—**A Tom le gustó el nombre de Lolita y alquilamos la Lolita.**	Tom liked the name Lolita and we rented the Lolita.
M.—**En algunas lanchas familias mexicanas tomaban refrescos *alrededor* de una mesa.**	In some boats Mexican families were having refreshments around a table.
T.—**En otras iban grupos de amigos que cantaban y tocaban la guitarra.**	In others went groups of friends who were singing and playing the guitar.
M.—**En una lancha, unos mariachis* cantaban canciones por un peso.**	In one boat some mariachis were singing songs for a peso.
T.—**También mujeres indias vendían comida mexicana.**	Also Indian women were selling Mexican food.
M.—**Había vendedoras de flores en sus canoas, ofreciendo flores por pocos centavos.**	There were flower vendors in their canoes offering flowers for a few cents.
A.—**Una de estas vendedoras *era* una muchacha muy bonita y mientras yo le compraba flores, Tom tomó una fotografía de la muchacha.**	One of these vendors was a very pretty girl, and while I was buying some flowers from her, Tom took a picture of the girl.

*__Mariachis,__ Mexican strolling musicians

SRA. R.—**Si la foto sale bien, será el mejor *recuerdo* de tu visita a Xochimilco.**	If the picture comes out well, it will be the best souvenir of your visit to Xochimilco.

¿Sí o No?

1. Alberto compró un ramo de flores para la señora Roberts. 2. Los jóvenes acaban de llegar de Xochimilco. 3. Xochimilco está lejos de la ciudad de México. 4. Muchas familias mexicanas van a Xochimilco los domingos. 5. Al llegar al pueblo, los jóvenes fueron a un restaurante. 6. Los jóvenes vieron lanchas adornadas con flores. 7. En algunas lanchas iban grupos de amigos que tocaban la guitarra. 8. Los mariachis no cantaron bien. 9. Las flores en Xochimilco cuestan mucho. 10. Alberto tomó una fotografía de una bonita vendedora de flores.

Preguntas

1. ¿Qué lugar interesante acaban de visitar Margarita y su hermano? 2. ¿Compra Ud. un ramo de flores para su mamá el Día de las Madres? 3. ¿Le gusta cultivar legumbres? 4. ¿Qué hay alrededor de una isla? 5. ¿Dónde pasa su familia los domingos? 6. ¿Prefiere Ud. una lancha o una canoa? 7. ¿Tiene Ud. recuerdos de algún viaje? 8. ¿Toma Ud. buenas fotografías?

LANGUAGE PATTERNS

A

Imperfect Tense of *ser*, *ir* and *ver*

Yo *era* su vecino.	I *was* his neighbor.
***Eramos* buenos amigos.**	We *used to be* good friends.
Ud. *iba* a la escuela temprano.	You *were going* to school early.
Ellos *iban* al parque los domingos.	They *used to go* to the park on Sundays.
Yo los *veía* durante el verano.	I *used to see* them during the summer.

ser (to be)				*ir* (to go)			
yo	**era**	nosotros	**éramos**	yo	**iba**	nosotros	**íbamos**
tú	**eras**			tú	**ibas**		
Ud. / él / ella	**era**	Uds. / ellos / ellas	**eran**	Ud. / él / ella	**iba**	Uds. / ellos / ellas	**iban**

ver (to see)			
yo	**veía**	nosotros	**veíamos**
tú	**veías**		
Ud. / él / ella	**veía**	Uds. / ellos / ellas	**veían**

Ser, ir and **ver** are the only verbs which are irregular in the imperfect tense. **Ver** drops only the **-r** of the infinitive before adding the imperfect endings.

Practice

PERSON-NUMBER SUBSTITUTION

Jorge era buen alumno.
Tú ______.
Nosotros______.
Yo ______.
Ellos ______.
Ud.______.

REJOINDER

No son pobres.	Antes eran pobres.
No somos buenos amigos.	Antes ______.
No es bonita.	______.
No eres el mejor de la clase.	______.
No soy aplicado.	______.
No son felices.	______.
No es barato.	______.

PERSON-NUMBER SUBSTITUTION

1. Mi madre iba al centro los sábados.
   Ella y yo ______.
   Tú ______.
   Elena y María ______.
   Yo ______.

2. Uds. siempre iban con ellos.
   Nosotros ______.
   Alberto ______.
   Yo ______.
   Tú ______.

Substitution (present—imperfect tense)

Vamos al cine cada semana.	Ibamos al cine cada semana.
Siempre voy en coche.	________________.
¿Vas sin tu amigo?	¿ ________________?
Van a pasar el domingo en casa.	________________.
¿Adónde va Ud.?	¿ ________________?
Dolores y yo vamos a la tienda.	________________.
¿Quién va a cantar?	¿ ________________?

Person-number substitution

1. Uds. siempre los veían durante el verano.
   Tú ________________.
   Mi hermano ________________.
   Yo ________________.
   Mi hermano y yo ________________.
   Mis primos ________________.

2. Ud. veía una película nueva cada semana.
   Los muchachos ________________.
   Tú ________________.
   Nosotros ________________.
   Yo ________________.
   Mi amigo ________________.

Replacement

Ellos eran de México.	Tú y yo íbamos a California.
Tú ________.	________ a San José.
Tu padre ________.	Tu amigo ________.
________ venía ____.	________ veía ________.
Uds. ________.	Uds. ________.
________ a California.	________ a Miguel.
________ iban ____.	Yo ________.

B

Meanings of *Había*

***Había* mucho tráfico.**	*There was* much traffic.
***Había* muchas flores en la mesa.**	*There were* many flowers on the table.
¿*Había* mucho tráfico?	*Was there* much traffic?
¿*Había* muchas flores en la mesa?	*Were there* many flowers on the table?

Había is the imperfect form of **hay.** **Había** may mean "there was" or "there were." In a question it may mean "was there" or "were there."

Practice

SUBSTITUTION (PRESENT—IMPERFECT TENSE)

Hay una venta esta semana.	Había una venta esta semana.
Hay seis personas alrededor de la mesa.	____________.
Hay un alumno en la oficina.	____________.
¿Hay muchos pasajeros en el avión?	¿ ____________?
Hay un desfile hoy.	____________.
No hay servilletas en la mesa.	____________.
¿Hay mucha gente en el parque?	¿ ____________?

TRANSLATION

There is a newspaper here.	Hay un periódico aquí.
There are two newspapers here.	____________.
There were two newspapers here.	____________.
There was a newspaper here.	____________.
Is there a letter for you?	¿ ____________?
There are letters for you.	____________.
Were there letters for you?	¿ ____________?
There was a letter for you.	____________.

Lección 56

El México de hoy

A la muerte[1] de Juárez, el general Porfirio Díaz fue elegido (*elected*) presidente. Díaz gobernó a México por más de treinta años. Al principio (*At first*) su gobierno trajo paz[2] y prosperidad al país. Pero Díaz fue un dictador y poco a poco[3] suprimió (*he suppressed*) las leyes[4] democráticas de la Constitución.

Al fin los mexicanos se levantaron contra el gobierno de Díaz. En 1910 (mil novecientos diez) estalló (*broke out*) la revolución. Varios jefes (*leaders*) revolucionarios trataron de apoderarse (*to take possession*) del gobierno. Unos, como Zapata, fueron verdaderos[5] patriotas que lucharon[6] por «tierra y libertad.» Otros, como Pancho Villa, fueron aventureros que robaban y mataban[7] en nombre de la revolución. Después de diez años de terror y violencia vino (*came*) otra vez la paz.

Desde la revolución de 1910, México ha pasado (*has passed*) por cambios[8] profundos en su vida nacional. Hoy es un país progresivo con un gobierno democrático. El gobierno hace cuanto es posible para desarrollar (*to develop*) el país y mejorar (*to improve*) las condiciones de vida de todo el pueblo (*people*). Durante la presidencia de Cárdenas, el gobierno repartió (*distributed*) tierras a los campesinos,[9] y hoy día miles de mexicanos cultivan sus propios[10] terrenos (*plots of ground*).

México es un país agrícola, pero también tiene muchas industrias. Hay fábricas de tejidos (*textiles*), de vidrio (*glass*), de muebles, de tabaco, etc. Carreteras modernas, ferrocarriles[11] y líneas aéreas cruzan el país.

El gobierno ha construido escuelas rurales por todo el país. En las ciudades grandes hay muchas escuelas modernas. La nueva Universidad de México es una de las más grandes y más bellas del mundo.

Las artes populares* reciben cada día más atención en el país. Una im-

1. **la muerte,** death 2. **la paz,** peace 3. **poco a poco,** little by little 4. **la ley,** law 5. **verdadero (-a),** true, real 6. **luchar,** to struggle, to fight 7. **matar,** to kill 8. **el cambio,** change 9. **el campesino,** farmer 10. **propio (-a),** own 11. **el ferrocarril,** railroad

*Among the **artes populares** (popular or native arts) of Mexico may be included pottery, lacquerware, carved wood, weaving, feather work, silver work, and others.

portante contribución de los artistas de México es el arte mural. Entre los mejores pintores del siglo veinte se destacan (*stand out*) Diego Rivera y José Orozco. En sus pinturas murales se puede ver la dramática historia de México: sus luchas[1] por la independencia, las aspiraciones de los indios, el deseo de crear (*to create*) una vida mejor para todos los mexicanos.

1. **la lucha,** struggle

¿Sí o No?

1. El general Porfirio Díaz fue presidente de México por más de treinta años. 2. Durante todos estos años el país tuvo paz y prosperidad. 3. Poco a poco los mexicanos perdieron confianza en el presidente. 4. Pancho Villa fue un verdadero patriota. 5. México ha cambiado mucho desde la revolución. 6. Hoy día muchos campesinos tienen sus propias tierras. 7. Miles de mexicanos trabajan en las fábricas de la nación. 8. Se puede viajar por ferrocarril de la capital a las ciudades principales del país. 9. Hay muchas escuelas rurales en el país. 10. Los mexicanos tienen interés en las artes.

Preguntas

1. ¿Quién gobernó a México a la muerte de Juárez? 2. ¿En qué año empezó la revolución? 3. ¿Cuántos años duró la revolución? 4. ¿Quién luchó por «tierra y libertad»? 5. ¿Tiene México leyes democráticas hoy? 6. ¿Qué presidente trajo cambios económicos a la nación? 7. ¿Hay escuelas modernas en todas las ciudades del país? 8. ¿Cómo es la nueva Universidad de México? 9. ¿Quién es Diego Rivera? 10. ¿Qué se puede ver en sus pinturas murales?

LANGUAGE PATTERNS

Preterite Tense of *traer* and *venir*

El presidente *trajo* paz al país.	The president *brought* peace to the country.
Ellos *trajeron* recuerdos de México.	They *brought* souvenirs from México.
El *vino* a verme.	He *came* to see me.
Uds. *vinieron* a tiempo.	You *came* on time.

traer (to bring)				*venir* (to come)			
yo	**traje**	nosotros	**trajimos**	yo	**vine**	nosotros	**vinimos**
tú	**trajiste**			tú	**viniste**		
Ud. / él / ella	**trajo**	Uds. / ellos / ellas	**trajeron**	Ud. / él / ella	**vino**	Uds. / ellos / ellas	**vinieron**

Practice

ITEM SUBSTITUTION

1. Yo traje mi libro.
   ——— pluma.
   ——— cuaderno.

2. Ud. trajo la carta ayer.
   Carlos ———.
   Elena ———.

3. Tú no trajiste un vaso.
   ——— una cuchara.
   ——— una servilleta.

4. Nosotros trajimos las flores.
   Luisa y yo ———.
   Ud. y yo ———.

5. Los muchachos no trajeron nada.
   Uds. ———.
   Julia y Teresa ———.

PERSON-NUMBER SUBSTITUTION

Juan trajo una caja de dulces.
Uds. ———.
Tú ———.
Nosotros ———.

Juan trajo un ramo de flores.
Yo ———.
Alicia ———.
Los tíos ———.

CUED RESPONSE

¿Trajo Ud. vasos? (tazas) — No, traje tazas.
¿Trajeron Uds. leche? (café) — No, ———.
¿Trajo María crema? (azúcar) — ———.
¿Trajeron ellos huevos? (tocino) — ———.
¿Trajiste (tú) la mantequilla? (pan) — ———.
¿Trajeron las muchachas ensalada? (postre) — ———.
¿Trajo Ud. carne? (pollo) — ———.

ITEM SUBSTITUTION

1. Yo vine de México.
   ——— Monterrey.
   ——— San José.

2. Pedro vino anoche.
   Ud. ———.
   Dolores ———.

3. Tú viniste a verme.
———— hablarme.
———— buscarme.

4. Nosotros vinimos a casa tarde.
Tú y yo ————.
Arturo y yo ————.

5. Todos vinieron a las ocho.
Uds.————.
Mis amigos ————.

Response

¿Vino Ud. de San Antonio?	No, vine de Laredo.
¿Vinieron Uds. de San Antonio?	————.
¿Vinieron sus primos de San Antonio?	————.
¿Vino su amigo de San Antonio?	————.
¿Viniste de San Antonio?	————.
¿Vinieron las cartas de San Antonio?	————.

Preguntas

1. ¿Vino Ud. temprano a la escuela esta mañana? 2. ¿Trajo Ud. todos sus libros? 3. ¿Vinieron Uds. a tiempo a la clase? 4. ¿Trajeron Uds. sus cuadernos hoy? 5. ¿A qué hora vino su padre a casa ayer? 6. ¿Trajo su padre algo para Ud.? 7. ¿Vinieron sus amigos a verlo el sábado? 8. ¿Le trajeron buenas noticias?

TEST YOUR PROGRESS VII

(LECCIONES 49–56)

¿Sí o No?

1. Muchos jóvenes sirven en el ejército. 2. La vida del campesino es muy agradable. 3. Los ruidos asustan a los niños. 4. Todos los desfiles duran mucho tiempo. 5. Un discurso largo es siempre interesante. 6. Usamos los brazos para nadar. 7. Debemos luchar por nuestra patria. 8. No hay presidente en un país libre. 9. Un hombre es más fuerte que una mujer.

Vocabulary (Repeat the following sentences replacing the word or phrase indicated with its opposite.)

1. La oficina está **a la derecha** de la entrada. 2. Todos están hablando **de la paz.** 3. Un famoso poeta **murió** en esta ciudad. 4. La señora puso su bolsa **debajo de** la silla. 5. ¿Por qué no me **preguntas** algo? 6. No es **fácil** aprender. 7. Todos quieren **quedarse.**

Preguntas

1. ¿Vio Ud. a su amigo ayer? 2. ¿Habló Ud. con él? 3. ¿Salieron Uds. anoche? 4. ¿Invitaron a otros amigos? 5. ¿Leyó Ud. un libro esta semana? 6. ¿Escuchó Ud. un programa interesante? 7. ¿Escribieron Uds. una composición? 8. ¿Trabajaron Uds. mucho? 9. ¿Volvieron Uds. a casa temprano? 10. ¿Tomaron Uds. algo? 11. ¿Se acostó Ud. tarde? 12. ¿Se divirtió Ud. mucho?

TRANSFORMATION

Tomás no pudo llegar a las dos.	Tomás no llegó a las dos.
Los muchachos no pudieron aprender las frases.	Los muchachos no aprendieron las frases.
Tú no pudiste llamar a tu amiga.	____________________.
Susana no pudo ver nada.	____________________.
Uds. no pudieron vender su casa.	____________________.
Nadie pudo creer eso.	____________________.
Ellos no pudieron pedir más dinero.	____________________.
¿Por qué no pudo Ud. dormir allí?	¿____________________?
Yo no pude oír los gritos.	____________________.
Uds. no pudieron cerrar la puerta.	____________________.

COMPLETION

Yo estuve ausente ayer y Ud. (estuvo ausente ayer).
Yo no dije eso y mi amigo ____________________.
Tú viniste tarde y tus amigos ____________________.
Tú tuviste que estudiar anoche y ellos ____________________.
Ricardo puso los papeles encima de la mesa y yo ____________________.
Carlota hizo el trabajo y yo ____________________.
Nosotros no pudimos ir y tú ____________________.
Pepe y yo trajimos una cámara y Uds. ____________________.
Yo no fui al baile anoche y Rosa ____________________.
Tú le diste un ramo de flores y yo ____________________.

SUBSTITUTION (PRESENT—PRETERITE TENSE)

Dolores y Alicia están enfermas.	Dolores y Alicia estuvieron enfermas.
¿Por qué no viene Ud. a la fiesta?	¿____________________?
Ellos dicen que no pueden oír.	____________________.

Done from FPG

Family outings at Xochimilco, often called the "Venice of Mexico"

No hago mi lección porque no tengo mi libro. ______________.
Marta y yo vamos al centro esta tarde. ______________.
Nuestro padre nos da cinco dólares. ______________.
Ud. me trae recuerdos de mi amigo. ______________.
Los muchachos ponen las sillas alrededor de la mesa. ______________.

RESPONSE

¿Hablaba Ud. español con ese señor? Sí, ______________.
¿Estudiaban Uds. cuando entró el profesor? ______________.
¿Asistían Uds. a la misma escuela? ______________.
Tú eras buen amigo de Elena, ¿verdad? ______________.
¿Dormía Ud. cuando sonó el teléfono? ______________.
¿Miraba Ud. la televisión en vez de estudiar? ______________.
¿Vivían Uds. en aquella casa? ______________.
¿Ibas a la playa los sábados? ______________.
¿Veían Uds. las luces todas las noches? ______________.
¿Jugaban Uds. al béisbol aquella tarde? ______________.

SUBSTITUTION (PRESENT—IMPERFECT TENSE)

Lupe no quiere ir con él. Lupe no quería ir con él.
Piensan en sus amigos. ______________.
Son muy ricos. ______________.
Se divierten mucho allí. ______________.
No estoy segura de eso. ______________.
Carlos se duerme en la clase. ______________.
¿A dónde van Uds.? ¿______________?
Tú no tienes muchos amigos en la escuela. ______________.
Ud. no puede hacerlo. ______________.
Yo no sé su dirección. ______________.

Preguntas

1. ¿Hicieron sus padres un viaje este año? 2. ¿Fue Ud. con ellos? 3. ¿Llevó Ud. su propia cámara? 4. ¿Hay un ferrocarril en su ciudad? 5. ¿Cuántas millas viajaron Uds.? 6. ¿Hablaban sus abuelos una lengua extranjera? 7. ¿Le dieron sus padres mucha libertad cuando Ud. era niño? 8. ¿Según sus padres, es Ud. el mejor hijo (la mejor hija) del mundo? 9. ¿Olvidó Ud. el cumpleaños de su madre este año? 10. ¿Creía Ud. que el español era fácil de aprender? 11. ¿Habló Ud. español durante sus vacaciones? 12. ¿Estudió Ud. este año o se divirtió con sus amigos? 13. ¿Prefiere Ud. mirar la televisión o jugar al béisbol?

Sawders from Cushing

Weaving a sarape on a hand loom

Mexican Govt. R.R

Silversmith at work in Taxco

Woodcarver of Guadalajara working at home

Sawders from Cushing

Finishing a hand-formed and painted vase

Pan American Airways

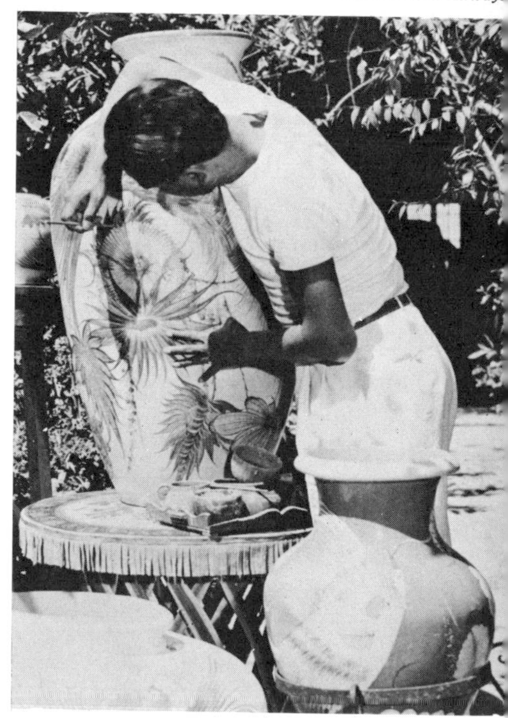

Lección 57

El Palacio de Bellas Artes

American Airlines

LA SEÑORA ROBERTS Y LA SEÑORA MENDOZA

SRA. M.—**¿Le gustan los conciertos?**	Do you like concerts?
SRA. R.—**Sí, me gustan mucho y *espero* oír la orquesta sinfónica de México.**	Yes, I like them very much and I hope to hear the symphony orchestra of Mexico.
SRA. M.—**¿Conoce Ud. a nuestro director Carlos Chávez?**	Do you know our conductor Carlos Chávez?
SRA. R.—**Sí, él *ha visitado* a los Estados Unidos y ha dirigido algunas de las orquestas de nuestro país.**	Yes, he has visited the United States and has directed some of the orchestras of our country.
SRA. M.—**Pues, mi esposo ha comprado cuatro *boletos* para el concierto de esta noche. ¿Quieren Uds. acompañarnos?**	Well, my husband has bought four tickets for tonight's concert. Do you want to accompany us?
SRA. R.—**¡Encantados! ¿A qué hora empieza el concierto?**	Delighted! At what time does the concert begin?

Monkmeyer

The glass curtain in the Palace of Fine Arts

SRA. M.—**A las ocho, en el Palacio de Bellas Artes.**

At eight, in the Palace of Fine Arts.

SRA. R.—**¿Es el Palacio de Bellas Artes aquel hermoso edificio de *mármol* en la Avenida Juárez?**

Is the Palace of Fine Arts that beautiful marble building on Juárez Avenue?

SRA. M.—**Sí, señora. El Palacio es nuestro Teatro Nacional donde se dan conciertos, *obras dramáticas* y ballets.**

Yes. The Palace is our National Theater where concerts, plays, and ballets are given.

SRA. R.—**Mi esposo y yo ya *hemos visitado* el Palacio. Fuimos a ver el famoso telón de *cristal* en el *escenario* del teatro, pero el teatro estaba cerrado.**

My husband and I have already visited the Palace. We went to see the famous glass curtain on the stage of the theater, but the theater was closed.

SRA. M.—**El telón de cristal es magnífico, *sobre todo* cuando está iluminado. En el telón está representado el valle de México con los volcanes Ixta y Popo* *a lo lejos*.**

The glass curtain is magnificent, especially when it is illuminated. On the curtain is represented the valley of Mexico with the volcanoes Ixta and Popo in the distance.

*Many Mexicans use the terms **Ixta y Popo** when referring to the two volcanoes Ixtaccíhuatl and Popocatépetl.

SRA. R.—**He leído que este telón ha costado más de cuarenta mil dólares.**	I have read that this curtain has cost more than forty thousand dollars.
SRA. M.—**Sí, es verdad. *¿Han subido* Uds. a los salones dedicados a la exposición de pinturas?**	Yes, it's true. Have you gone up to the salons devoted to the exhibit of paintings?
SRA. R.—**No, solamente hemos visitado la exposición de arte popular en el primer piso.**	No, we have only visited the exhibit of popular (folk) art on the first floor.
SRA. M.—**Esta colección de arte popular representa el trabajo de nuestros mejores artesanos mexicanos. Muchos de estos artesanos son indios que han aprendido el arte de sus antepasados.**	This collection of folk art represents the work of our best Mexican craftsmen. Many of these craftsmen are Indians who have learned the art from their ancestors.
SRA. R.—**¡Qué interesante!**	How interesting!
SRA. M.—**Tenemos muchos excelentes artesanos.**	We have many excellent craftsmen.

¿Sí o No?

1. La señora Roberts espera oír la orquesta sinfónica de México. 2. La señora ya conoce al director Carlos Chávez. 3. El señor Mendoza va a comprar boletos para el concierto. 4. La señora Roberts fue a ver una obra dramática en el Palacio de Bellas Artes. 5. La señora no pudo ver el famoso telón de cristal en el teatro. 6. En el primer piso del Teatro Nacional había una exposición de artes populares. 7. Muchos de los mejores artesanos son indios. 8. La exposición le gustó mucho a la señora Roberts.

Preguntas

1. ¿Le gustan los conciertos? 2. ¿Hay una orquesta sinfónica en su ciudad? 3. ¿Conoce Ud. al director de la orquesta? 4. ¿Tiene su escuela un salón de actos (*auditorium*)? 5. ¿Se presentan obras dramáticas en el salón de actos? 6. ¿Es grande o pequeño el escenario? 7. ¿Es necesario comprar boletos para ver las obras dramáticas que se presentan en la escuela? 8. ¿Le gustan las exposiciones de arte? 9. ¿Prefiere Ud. las pinturas o las artes populares? 10. ¿Hay buenos artesanos en los Estados Unidos? 11. ¿Hay clases de música y de arte en su escuela? 12. ¿Tiene su escuela una buena orquesta? 13. ¿Le gusta más la música sinfónica o la música popular? 14. ¿Tiene su ciudad un teatro grande donde se dan conciertos, obras dramáticas y ballets?

LANGUAGE PATTERNS

Present Perfect Tense

Yo *he visitado* el palacio.	I *have visited* the palace.
Nosotros *hemos aprendido* mucho.	We *have learned* a lot (great deal).
Ud. *ha comprado* los boletos.	You *have bought* the tickets.
Ellos *han salido*.	They *have gone out.*
Tú no lo *has leído*.	You *have* not *read* it.

visitar **(to visit)**

yo	**he visitado**	nosotros	**hemos visitado**
tú	**has visitado**		
Ud. / él / ella	**ha visitado**	Uds. / ellos / ellas	**han visitado**

The present perfect tense in Spanish, as in English, is a compound tense. It is made up of the present tense of **haber** (to have) and the past participle of the main verb (**he visitado,** I have visited; **hemos aprendido,** we have learned).

The past participle of **-ar** verbs is formed by adding **-ado** to the stem of the verb: **comprar, compr*ado*,** bought; **dar, d*ado*,** given; **encontrar, encontr*ado*,** met, found.

The past participle of **-er** and **-ir** verbs is formed by adding **-ido** to the stem of the verb: **aprender, aprend*ido*,** learned; **perder, perd*ido*,** lost; **salir, sal*ido*,** gone out; **servir, serv*ido*,** served. In the verbs **leer,** (to read); **creer,** (to believe); **oír,** (to hear); **traer,** (to bring); **caer,** (to fall) the past participle requires an accent mark on **-ído: leer, le*ído*; traer, tra*ído*; oír, o*ído*,** etc. In the present perfect tense in Spanish, the past participle immediately follows the auxiliary verb **haber: ¿Ha visitado Ud.?** Have you visited? **No he leído,** I have not read.

Practice

ITEM SUBSTITUTION

1. Yo he hablado con Carlos.
   ______________ con Enrique.
   ______________ con Dolores.
2. Tú has perdido tu bolsa.
   ______________ tu anillo.
   ______________ tus llaves.

3. Hemos visitado el palacio.
   __________ el parque.
   __________ el museo.

4. Pepe no ha leído la lección.
   __________ el libro.
   __________ el cuento.

5. Uds. no han recibido una carta.
   __________ una invitación.
   __________ un regalo.

PERSON-NUMBER SUBSTITUTION

1. Juan no ha comido todavía.
   Yo __________.
   El y yo __________.
   Tú __________.
   Uds. __________.
   Gloria __________.
   Las muchachas __________.

2. Jorge ha cerrado las ventanas.
   El y Ricardo __________.
   Tú __________.
   Yo __________.
   Tú y yo __________.
   Uds. __________.
   ¿Quién __________?

3. No hemos oído el concierto.
   Uds. __________.
   Carolina __________.
   Tú __________.
   Yo __________.
   Mis amigos __________.
   Tomás y yo __________.

RESPONSE

¿Has estudiado la lección? No, no he estudiado la lección.
¿Han vendido sus amigos la casa? __________.
¿Han trabajado Uds. hoy? __________.
¿Ha aprendido Ud. la lección? __________.
¿Ha llegado el periódico? __________.
¿Han venido sus amigos? __________.
¿Has olvidado los boletos? __________.

SUBSTITUTION (PRESENT—PRESENT PERFECT TENSE)

Ud. va al centro esta semana. Ud. ha ido al centro esta semana.
Los niños duermen ocho horas. __________.
Tú pides un libro interesante. __________.
Servimos la comida a las seis. __________.
No encuentro mi pluma. __________.
Ellos se quedan en México. __________.

Isabel se divierte mucho. ______________.
No ayudas a nadie. ______________.
¿Quién viene? ¿ ______________ ?

Preguntas

1. ¿Se ha levantado Ud. contento hoy? 2. ¿Ha tomado Ud. un buen desayuno? 3. ¿Ha tenido tiempo de leer el periódico? 4. ¿Han estudiado los alumnos la lección? 5. ¿Han aprendido Uds. el tiempo perfecto? 6. ¿Han contestado bien todos los alumnos? 7. ¿Se ha divertido Ud. en la clase?

Cuatro milpas

tre-ros es-tán sin ga-na - do to-di-
ti - to se a-ca-bó,- ¡ay!
Y ya no hay pa-lo-mas ni ye-dras ni a-
ro-mas ya to-do mu-rió. Me pres-
ta-rás tus o - jos mo - re - na en el
al-ma los lle - vo que mi - ren a-
llá los des-tro-zos de a-

que- lla ca - si - ta tan lin-da y bo-

ni - ta qué tris - te es - tá. ———

Cuatro milpas

(Well-known song reflecting a peasant's attachment to his small plot of land)

Cuatro milpas tan sólo han quedado
de aquel rancho que era mío, ¡ay!
de aquella casita tan blanca y bonita,
¡lo triste que está!
Los potreros están sin ganado;
toditito se acabó, ¡ay!
y ya no hay palomas ni yedras ni aromas,
ya todo murió.
Me prestarás tus ojos, morena,
en el alma los llevo que miren allá
los destrozos de aquella casita
tan linda y bonita,
¡qué triste está!

Four cornfields only are left of the ranch that used to be mine, ay!
and that little house, so white and so pretty,
how sad it is!
The pastures are without cattle;
everything is gone, ay!
the doves, the vines, the fragrance of the flowers,
everything is dead.
Will you lend me your eyes, dark-eyed sweetheart,
in my soul I shall keep them that they may behold
the destruction of that little house
so pretty and so nice,
how sad it is (now)!

Hugo Brehme

The Virgin of Guadalupe called "The Indian Virgin" by Mexicans

Lección 58

La Virgen de Guadalupe

Cada pueblo y cada ciudad de México tiene su santo patrón (*patron saint*), pero la Virgen de Guadalupe es la patrona de todo el país. Su imagen (*image*) se puede ver en las iglesias, en los hospitales, en casas de pobres y ricos. Cerca de la ciudad de México hay una iglesia que está dedicada a la Virgen; es la Basílica de Guadalupe. En el altar mayor (*high*) se encuentra la imagen original de la Virgen.

La tradición dice que en el año 1531 (mil quinientos treinta y uno), en aquel sitio se apareció la Virgen a un muchacho indio llamado Juan Diego. Juan Diego era un joven que asistía a misa (*Mass*) todas las mañanas. Un día, al cruzar por un cerro (*hill*), oyó una música divina. De repente[1] vio en una nube[2] a una bellísima (*very beautiful*) señora que le habló en voz muy dulce.[3] Le dijo que era la Virgen María y que deseaba tener una iglesia en aquel lugar.

Al llegar al pueblo, Juan Diego contó[4] al obispo (*bishop*) lo que (*what*) había visto (*he had seen*), pero el obispo no quiso (*refused*) creerlo. Al día siguiente,[5] mientras Juan Diego pasaba por el mismo camino, la Virgen volvió a[6] aparecer y dijo al muchacho que muy cerca del lugar crecían[7] unas rosas que él tenía que llevar al obispo. Juan Diego nunca había visto flores en aquel sitio árido, pero cuando subió al cerro se sorprendió[8] al ver rosas entre piedras y nopales (*cactus plants*). El muchacho recogió[9] las rosas, las puso[10] en su tilma[11] y las llevó al obispo. Juan volvió a[6] contarle lo que había sucedido (*had happened*), y cuando abrió la tilma, todos se sorprendieron al ver pintada en ella la imagen de la Virgen. Todos cayeron de rodillas (*on their knees*) ante (*before*) este milagro (*miracle*). Poco después se

1. **de repente,** suddenly 2. **la nube,** cloud 3. **dulce,** sweet 4. **contar (ue),** to relate, tell 5. **al día siguiente,** on the following day 6. **volver a** + inf., (to do something) again; **volvió a aparecer,** she appeared again; **volvió a contarle,** he told him again 7. **crecer,** to grow 8. **sorprender,** to surprise; **sorprenderse,** to be surprised 9. **recoger,** to pick, pick up, gather 10. **puso,** put (from **poner**) 11. **tilma,** a kind of cloak or sarape-like garment open in the middle

construyó una capilla (*chapel*) en el cerro, y en el altar fue colocada (*placed*) la tilma de Juan Diego con la imagen de la Virgen Santísima (*most Holy*).

En este mismo lugar está hoy la Basílica de Guadalupe. Para los mexicanos esta iglesia es el santuario (*sanctuary*) más sagrado (*sacred*) de la República. Todos los días llegan a la Basílica los enfermos, los pobres y todos los que (*all who*) necesitan ayuda y consuelo (*consolation*).

La fiesta de la Virgen de Guadalupe se celebra cada año el doce de diciembre. Es una de las fiestas religiosas más importantes de México. En este día miles de personas de todas partes del país visitan la Basílica para venerar a la Santa Patrona.

Preguntas

1. ¿Quién es la Santa Patrona de México? 2. ¿Dónde está la Basílica de Guadalupe? 3. ¿Quién era Juan Diego? 4. ¿A quién (*Whom*) vio en una nube? 5. ¿Qué le dijo la Virgen? 6. ¿Creyó el obispo a Juan Diego? 7. ¿Cuándo volvió a aparecer la Virgen? 8. ¿Qué vio Juan Diego en el cerro (*hill*)? 9. ¿Qué hizo el muchacho con las rosas? 10. ¿Qué vieron todos en la tilma de Juan Diego? 11. ¿Qué se construyó en el cerro? 12. ¿Cuándo se celebra la fiesta de la Virgen de Guadalupe?

LANGUAGE PATTERNS

A

Volver a Followed by the Infinitive

Volvió a verlo.	He saw it again.
Vuelvo a decirlo.	I say it again.
Vuelven a aparecer.	They appear again.
Volvieron a llamar.	They called again.

Volver a followed by the infinitive form of the verb is often used in Spanish to express the idea of doing something again: **vuelve a bailar,** he dances again; **volvió a bailar,** he danced again.

Practice

RESPONSE

¿Paga Ud. otra vez?	Sí, vuelvo a pagar.
¿Toca el joven otra vez?	Sí, el joven vuelve a tocar.
¿Entran ellos otra vez?	________________.

¿Comen Uds. otra vez? ________________.
¿Abres la puerta otra vez? ________________.
¿Estudian ellos otra vez? ________________.
¿Viajan Uds. otra vez? ________________.

TRANSFORMATION

Yo estudié mucho.	Y vuelvo a estudiar.
Ricardo leyó mucho.	Y vuelve a leer.
Tú hablaste mucho.	____________.
Los niños durmieron mucho.	____________.
Comimos mucho.	____________.
Ud. bailó mucho.	____________.
Ellos pidieron mucho.	____________.
Carlota ayudó mucho.	____________.

TRANSLATION

1. The next day I closed it again.	Al día siguiente volví a cerrarlo.
The next day you lost it again.	____________.
The next day they bought it again.	____________.
The next day we read it again.	____________.
2. Suddenly she appeared again.	De repente volvió a aparecer.
Suddenly I saw her again.	____________.
Suddenly they entered again.	____________.
Suddenly we heard the voice again.	____________.
3. Why did you do it again?	¿Por qué volvió Ud. a hacerlo?
Why did they call again?	¿____________?
Why did she come again?	¿____________?
Why did you pay again?	¿____________?

B

Preterite Tense of *poner* (to put)

¿Dónde *puso* el muchacho las flores?	Where *did* the boy *put* the flowers?
Ellos *pusieron* los papeles allí.	They *put* the papers there.

yo	**puse**	nosotros	**pusimos**
tú	**pusiste**		
Ud., él, ella	**puso**	Uds., ellos, ellas	**pusieron**

Practice

REJOINDER

Juan recogió los papeles.	Y los puso en la mesa.
Uds. recogieron los papeles.	______________.
Tú recogiste los papeles.	______________.
Yo recogí los papeles.	______________.
Nosotros recogimos los papeles.	______________.
Juan y Luis recogieron los papeles.	______________.

CUED RESPONSE

¿Quién puso la mesa? (Luisa)	Luisa puso la mesa.
¿Qué puso Ud. en la mesa? (los vasos)	______________.
¿Dónde pusieron Uds. los regalos? (aquí)	______________.
¿Qué pusiste en la pared? (una noticia)	______________.
¿Dónde puse mi cuaderno? (la silla)	______________.
¿Dónde pusieron los muchachos la pelota? (allí)	______________.

Word Study

When a Spanish adjective ends in ***-ísimo,*** it implies great emphasis and may be translated by *very*, *extremely*, or *most* plus the adjective.

Examples: **bellísimo,** very (extremely) beautiful or most beautiful
santísimo, very (extremely) holy or most holy

Practice

Give the English for the following:

1. un edificio altísimo
2. una novela interesantísima
3. papeles importantísimos
4. una señora elegantísima
5. muchísimas gracias
6. una muchacha lindísima

When a Spanish word ends in ***-ito*** or ***-cito,*** it expresses the idea of *little* or *small* and often implies endearment or affection.

Examples:

perrito,	little dog or puppy
Juanito,	little John or Johnny
casita,	small house
papacito,	daddy

Practice

Give the English for the following:

1. su hermanito	2. Rosita	3. mi amiguito
4. los pajaritos	5. el pueblecito	6. la mesita
7. ¡pobrecito!	8. mi abuelita	9. un gatito

Lección 59

La corrida de toros

de Palma from Cushing

Mexican bullfighter dressed in the elaborate "traje de luces"

Tom, Alberto

T.—¿*Ha visto* **Ud. muchas corridas de toros?**	Have you seen many bullfights?
A.—**Sí, muchísimas. Todos somos aficionados a las corridas.**	Yes, very many. We are all bullfight fans.
T.—**¿Cuándo se celebran las corridas?**	When do the bullfights take place?

A.—**Los domingos a las cuatro en punto. ¿Quiere Ud. asistir a una corrida? Es un espectáculo muy *emocionante*.**

On Sundays at four o'clock sharp. Do you want to attend a bullfight? It's a very exciting spectacle.

T.—**Con mucho gusto. Siempre he querido ver una corrida de toros.**

Gladly. I have always wanted to see a bullfight.

A.—**Muchos norteamericanos *han dicho* que las corridas son muy crueles, pero son fiestas magníficas en donde se pueden admirar el arte y el valor del torero.**

Many Americans have said that bullfights are very cruel, but they are magnificent fiestas in which the art and courage of the bullfighter can be admired.

T.—**He visto algunas corridas en las películas y siempre había un desfile de toreros vestidos con traje de luces*.**

I have seen some bullfights in moving pictures and there was always a parade of bullfighters dressed in colorful costumes.

A.—**Cada corrida empieza con ese desfile. Mientras la banda toca un paso doble**, entra en la plaza de toros un alguacil a caballo seguido de los *toreros*.**

Each bullfight begins with that parade. While the band plays a paso doble, a mounted policeman enters the bull ring followed by the bullfighters.

T.—**¿Por qué hay tantos toreros en una corrida?**

Why are there so many bullfighters in a bullfight?

A.—**Generalmente hay tres matadores y cada uno tiene sus banderilleros y picadores.**

Generally there are three matadors and each one has his banderilleros and picadors.

T.—**¿Quiénes son los picadores?**

Who are the picadors?

A.—**Son los hombres a caballo que pican al toro con una especie de lanza larga.**

They are the men on horseback who pierce the bull with a kind of long lance.

T.—**¿No ataca el *toro* al caballo?**

Doesn't the bull attack the horse?

A.—**Sí, pero el caballo está bien protegido. Sin embargo, a veces el toro hiere o mata al caballo.**

Yes, but the horse is well protected. Nevertheless, at times the bull wounds or kills the horse.

T.—**¿Qué hacen los banderilleros?**

What do the banderilleros do?

A.—**Hay tres banderilleros que llevan un par de banderillas que deben clavar en el morrillo del toro.**

There are three banderilleros who carry a pair of darts which they must stick into the back part of

*__Traje de luces__, the brightly colored and heavily embroidered costume worn by bullfighters

The **paso doble, a quick, lively march

the bull's neck.

T.—**Y cuando *han puesto* las banderillas, *¿qué pasa?***
And when they have placed the darts, what happens?

A.—**Entonces el matador *saluda* al público, *se acerca* al toro y comienza a dar pases de varios estilos con la capa.**
Then the matador greets the public, approaches the bull and begins to make passes of various types with his cape.

T.—**Y todos gritan—¡Olé!—¿verdad?**
And everybody shouts "bravo," don't they?

A.—**Sí, sobre todo cuando el matador *muestra* valor y habilidad.**
Yes, especially when the matador shows courage and skill.

T.—**¿Es el color rojo de la capa lo que enfurece al toro?**
Is it the red color of the cape that infuriates the bull?

A.—**No, es el movimiento de la capa y la destreza del torero.**
No, it is the movement of the cape and the skill of the bullfighter.

T.—**¿Y cuándo mata al toro?**
And when does he kill the bull?

A.—**Después de dar una serie de pases, el torero sabe el momento oportuno de dar muerte al toro.**
After making a series of passes, the bullfighter knows the opportune moment to kill the bull.

T.—**Este debe de ser el momento más emocionante.**
This must be the most exciting moment.

A.—**¡Ya lo creo! El público se vuelve *loco* de entusiasmo; todos gritan, aplauden, y *arrojan* sombreros, chaquetas y muchas otras cosas al redondel.**
I should say so! The public goes crazy with enthusiasm; everyone shouts, applauds, and throws hats, jackets, and many other things into the bull ring.

T.—**Ahora sé por qué me *ha escrito* mi amigo Pepe que antes de volver a los Estados Unidos debo ver una corrida de toros.**
Now I know why my friend Joe has written to me that before returning to the United States, I must see a bullfight.

A. **¡Por supuesto!**
Of course!

¿Sí o No?

1. En México hay corridas de toros todos los días. 2. Una corrida de toros es un espectáculo emocionante. 3. La corrida se celebra por la mañana. 4. Los toreros llevan trajes vistosos (*colorful*). 5. En el desfile todos los toreros van montados a caballo. 6. A veces muere un caballo en la corrida. 7. El picador mata al toro. 8. Cada banderillero debe clavar (*stick*) dos banderillas en la cabeza del toro. 9. El matador nunca se acerca al toro. 10. Cuando el matador muestra valor, todos gritan—¡Olé!

Preguntas

1. ¿Es Ud. aficionado (-a) al fútbol? 2. ¿Son emocionantes los partidos de fútbol? 3. ¿Toca una banda en los partidos de fútbol? 4. ¿Grita y aplaude el público? 5. ¿Hay un desfile vistoso (*colorful*) durante un partido de fútbol? 6. ¿Arroja Ud. su sombrero al aire durante el partido? 7. ¿Quiere Ud. ver una corrida de toros? 8. ¿Dónde se puede ver una corrida de toros?

LANGUAGE PATTERNS

Irregular Past Participles

Alberto *ha visto* muchas corridas.	Albert *has seen* many bullfights.
Algunos caballos *han muerto*.	Some horses *have died.*
***He dicho* que son muy emocionantes.**	*I've said* they're very exciting.

The following verbs have irregular past participles:

abrir;	**he *abierto***	I have *opened*
escribir;	**ha *escrito***	he has *written*
ver;	**hemos *visto***	we have *seen*
poner;	**he *puesto***	I have *put, placed*
volver;	**ha *vuelto***	he has *returned*
morir;	**han *muerto***	they have *died*
decir;	**hemos *dicho***	we have *said, told*
hacer;	**has *hecho***	you have *done, made*

Note that most of these irregular forms end in **-to.** The past participles of **decir** and **hacer** end in **-cho (dicho, hecho).**

Practice

Response

¿Has abierto la ventana?	Sí, la he abierto.
¿Has escrito la carta?	____________.
¿Has visto a Elena?	____________.
¿Has puesto la mesa?	____________.
¿Han vuelto los muchachos?	____________.
¿Se ha muerto el abuelo?	____________.
¿Lo has dicho?	____________.
¿Has hecho eso?	____________.

SUBSTITUTION (PRETERITE—PRESENT PERFECT TENSE)

Abrí la puerta.	He abierto la puerta.
Abrimos la puerta.	Hemos abierto la puerta.
Escribí la tarjeta.	________.
Escribimos la tarjeta.	________.
Vi al cura.	________.
Vimos al cura.	________.
El soldado murió.	________.
Los soldados murieron.	________.
El lo puso allí.	________.
Ellos lo pusieron allí.	________.
¿Volviste ya?	¿ ________?
¿Volvieron ya?	¿ ________?
¿Quién lo dijo?	¿ ________?
¿Quiénes lo dijeron?	¿ ________?
¿Qué hiciste?	¿ ________?
¿Qué hicieron?	¿ ________?

Preguntas

1. ¿Ha visto Ud. a su amigo hoy? 2. ¿Han saludado Uds. al profesor? 3. ¿Ha escrito Ud. su lección de español? 4. ¿Dónde ha puesto Ud. sus libros? 5. ¿Qué les ha dicho el profesor esta mañana? 6. ¿En qué página han abierto Uds. sus libros? 7. ¿Qué han hecho Uds. hoy en la clase de español?

Lección 60

Cuauhtémoc

En el Paseo de la Reforma, la avenida principal de la ciudad de México, hay un gran monumento en honor de Cuauhtémoc, último emperador azteca. Es una magnífica estatua de un guerrero (*warrior*) indio, joven y valiente.[1] Cada año los mexicanos se reúnen alrededor de este monumento para rendir homenaje (*to pay homage*) a su memoria.

Cuauhtémoc vivió en la época en que Cortés conquistó a México. Se distinguió de los demás[2] guerreros por su gran valor. Poco tiempo después de la muerte del emperador Moctezuma, Cuauhtémoc fue nombrado rey[3] de los aztecas. Prometió[4] defender el territorio azteca contra los españoles. Hizo alianzas con otros jefes[5] indios y organizó la defensa.

Cuando Cortés atacó por segunda vez la capital azteca, Cuauhtémoc dio la orden de luchar hasta la muerte. Hombres, mujeres, y aun[6] niños tomaron parte en la lucha. Pasaron semanas y meses, y la ciudad no se rendía (*did not surrender*).

1. **valiente,** brave 2. **los demás,** the rest, other 3. **el rey,** king 4. **prometer,** to promise 5. **el jefe,** chief, leader 6. **aun,** even

Al fin,[1] después de un sitio (*siege*) de noventa y tres días, los aztecas tuvieron que ceder (*give up*) por falta (*lack*) de alimentos (*food*) y armas, y la gran Tenochtitlán cayó en manos de los conquistadores. Cuando Cuauhtémoc fue capturado y conducido a la presencia de Cortés, dijo—He hecho cuanto debía en la defensa de mi pueblo; haz de mí lo que quieras. ("*I have done all that I had to in the defense of my people. Do with me whatever you wish.*") Cortés deseaba saber dónde habían escondido (*had hidden*) los aztecas su tesoro (*treasure*), pero Cuauhtémoc guardó[2] silencio. Por orden de Cortés, los españoles le hicieron sufrir crueles tormentos. Le ataron (*tied*) los brazos y le quemaron (*burned*) los pies; Cuauhtémoc no reveló nada.

Al oír los lamentos de otro príncipe[3] azteca a quien torturaban al mismo tiempo, Cuauhtémoc le dijo—¿Acaso estoy yo en un lecho de rosas? ("*Perchance am I in a bed of roses?*") Esta histórica frase ha quedado como símbolo del heroísmo de este emperador indio.

En el idioma (*language*) azteca «Cuauhtémoc» significa[4] «Aguila que cae» (*Fallen Eagle*). Para los mexicanos el nombre de Cuauhtémoc simboliza al patriota que dio la vida por su país.

1. **al fin,** finally 2. **guardar,** to keep 3. **el príncipe,** prince 4. **significar,** to mean

Preguntas

1. ¿Quién fue Cuauhtémoc? 2. ¿Cómo se distinguió de los demás guerreros? 3. ¿Qué prometió defender? 4. ¿Con quiénes hizo alianzas? 5. ¿Qué orden dio Cuauhtémoc? 6. ¿Quiénes tomaron parte en la lucha? 7. ¿Cuánto tiempo duró la lucha? 8. ¿Qué deseaba saber Cortés? 9. ¿Por qué sufrió Cuauhtémoc crueles tormentos? 10. ¿Qué significa Cuauhtémoc en el idioma (*language*) azteca?

LANGUAGE PATTERNS

Pluperfect Tense

El rey *había prometido* defender a su patria.	The king *had promised* to defend his country.
Los jefes *habían luchado* por tierra y libertad.	The leaders *had fought* for land and liberty.
Nunca *habíamos visto* flores allí.	We *had* never *seen* flowers there.

olvidar (to forget)

yo	**había olvidado**	nosotros	**habíamos olvidado**
tú	**habías olvidado**		
Ud. / él / ella	**había olvidado**	Uds. / ellos / ellas	**habían olvidado**

The pluperfect, like the present perfect, is a compound tense. It is made up of the imperfect tense of the verb **haber,** to have, **(había, habías,** etc.**)** and the past participle of the main verb **(tomado, comido, hecho,** etc.**)**

Practice

PERSON-NUMBER SUBSTITUTION

1. Tomás ya había comido.
   Ellos ______.
   Yo ______.
   Nosotros ______.
   Tú ______.
   Ella y Juan ______.

2. Habíamos llegado temprano.
   Tú ______.
   Mis amigos ______.
   Yo ______.
   Luisa y yo ______.
   Ud. ______.

3. Nadie había vuelto.
   Uds. no ______.
   Yo no ______.
   Tú no ______.
   Roberto y Luis no ______.
   Nosotros no ______.

SUBSTITUTION (PRESENT PERFECT—PLUPERFECT TENSE)

Juan ha defendido a su amigo.	Juan había defendido a su amigo.
Ellos han sufrido mucho.	______.
Yo he guardado el secreto.	______.
Tú has vivido aquí antes.	______.
Han pasado muchos años.	______.
Los demás alumnos se han ido a casa.	______.
Le hemos escrito antes.	______.
Ud. se ha divertido mucho.	______.
Los niños se han acostado tarde.	______.
Hemos hablado al profesor.	______.
He visto a mi amigo hoy.	______.

SUBSTITUTION (PRESENT—PLUPERFECT TENSE)

Es un muchacho valiente.	Había sido un muchacho valiente.
Aun las mujeres toman parte en la lucha.	______________.
El jefe no dice nada.	______________.
Los soldados pierden la guerra.	______________.
Todos se reúnen frente a la iglesia.	______________.
Yo leo la historia de los reyes.	______________.
Nosotros vemos la estatua del héroe.	______________.

Lección 61

Un viaje a Guadalajara

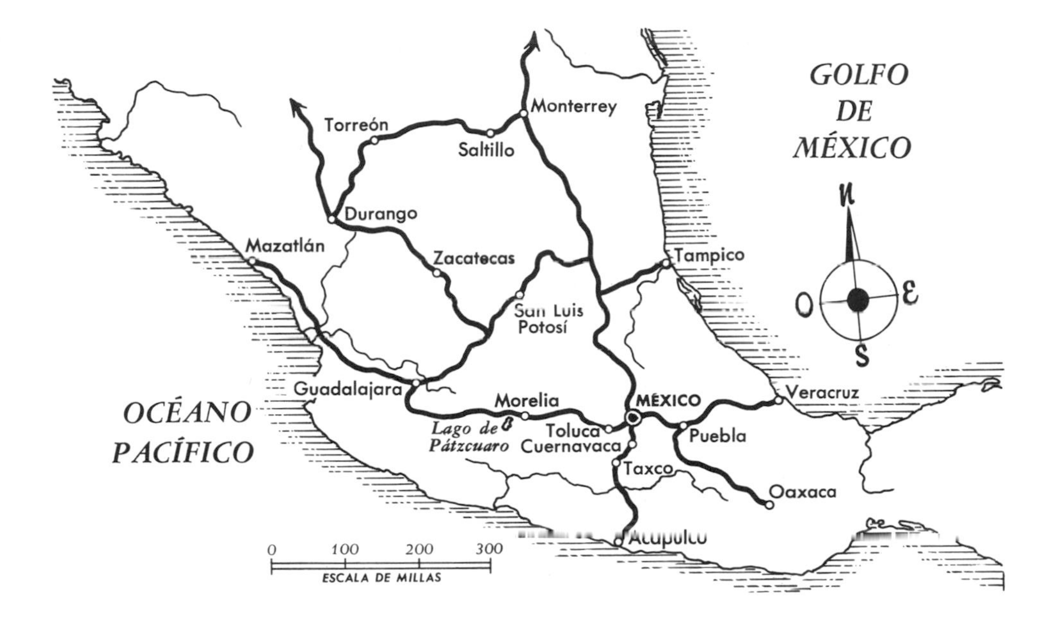

EL SEÑOR ROBERTS, SU ESPOSA, MARGARET, TOM, ALBERTO.

SR. R.—**Acabo de ver al señor Mendoza y me ofreció su coche para nuestro viaje a Guadalajara.**
I have just seen Mr. Mendoza and he offered me his car for our trip to Guadalajara.

SRA. R.—**El señor Mendoza es muy amable.**
Mr. Mendoza is very kind.

T.—**¿Dónde está el coche, papá?**
Where is the car, dad?

SR. R.—**En el garage del hotel. Mañana lo llevaré a la gasolinera.**
In the garage of the hotel. Tomorrow I shall take it to the gasoline station.

A.—**Hay una gasolinera en la *esquina* a dos *cuadras* de aquí. El empleado *llenará* el tanque y *limpiará* el parabrisas. El coche tiene *bastante aceite*.**
There's a gasoline station on the corner two blocks from here. The attendant will fill the tank and clean the windshield. The car has enough oil.

T.—**¿Cómo están las *llantas*?**

How are the tires?

A.—**En excelente condición.**

In excellent condition.

Sra. R.—**Me gusta hacer un viaje en auto. Es la mejor manera de ver el país.**

I like to take a trip by automobile. It is the best way to see the country.

T.—**¿A qué distancia está Guadalajara?**

How far is Guadalajara?

A.—**A unas cuatrocientas millas, pero la carretera es muy buena.**

About 400 miles, but the highway is very good.

Sr. R.—**Es la misma carretera que va a Toluca.**

It's the same highway which goes to Toluca.

M.—**Mañana es viernes y será día de mercado en Toluca. Allá compraré algunas cestas.**

Tomorrow is Friday and it will be market day in Toluca. There I shall buy some baskets.

Sr. R.—**Si no perdemos *demasiado* tiempo en el mercado, llegaremos a Morelia por la tarde.**

If we do not waste too much time in the market, we shall arrive in Morelia in the afternoon.

Sra. R.—**La señora Mendoza me dijo que Morelia es una ciudad encantadora.**

Mrs. Mendoza told me that Morelia is a charming city.

Sr. R.—**Pasaremos la noche en Morelia; hay buenos hoteles en la ciudad.**

We shall spend the night in Morelia; there are good hotels in the city.

T.—**¿Iremos al lago de Pátzcuaro, pápa?**

Will we go to Lake Patzcuaro, dad?

Sr. R.—**Sí, es muy pintoresco; valc la pena verlo.**

Yes, it is very picturesque; it is worth while seeing it.

A.—**Alrededor del lago hay muchos pueblos pequeños de indios tarascos.**

Around the lake there are many small towns of Tarascan Indians.

T.—**He visto fotografías de los pescadores tarascos. Usan redes que *se parecen a* mariposas.**

I have seen photographs of the Tarascan fishermen. They use nets which look like butterflies.

Sra. R.—**¿Cuándo llegaremos a Guadalajara?**

When will we arrive in Guadalajara?

Sr. R.—**El sábado por la tarde.**

Saturday afternoon.

M.—**Guadalajara es la segunda ciudad del país ¿verdad?**

Guadalajara is the second city of the country, isn't it?

A.—**Sí, y es una ciudad de elegantes residencias, parques y plazas. El domingo por la noche verán Uds.**

Yes, and it is a city of elegant homes, parks, and plazas. Sunday evening you will see something inter-

algo interesante en el parque.

esting in the park.

M.—**¿Qué pasa allí?**

What goes on there?

A.—**Siempre toca la banda en el kiosco del parque. Los jóvenes se pasean alrededor del kiosco en una dirección y las señoritas en la dirección opuesta. Al cruzar, se miran; algunos se saludan. A veces un joven se acerca a una señorita y se pasean *juntos*.**

The band always plays in the bandstand of the park. The young men walk around the bandstand in one direction and the young ladies in the opposite direction. On crossing, they look at one another; some greet one another. Sometimes a young man approaches a young lady and they walk together.

Sra. R.—**¡Qué costumbre tan encantadora!**

What a charming custom!

A.—**Las madres de las muchachas están cerca, sentadas en los bancos del parque, vigilando a sus hijas.**

The mothers of the girls are seated close by, on the park benches, watching over their daughters.

Sr. R.—**Me han dicho que las mujeres más bonitas de México son las de Guadalajara.**

They have told me that the most beautiful women of Mexico are those from Guadalajara.

A.—**Sí, y es la verdad.**

Yes, and it is the truth.

¿Sí o No?

1. El señor Roberts acaba de comprar un coche nuevo. 2. El coche tiene bastante gasolina. 3. Las llantas están en excelente condición. 4. La estación de gasolina está lejos del hotel. 5. Es agradable hacer un viaje en automóvil. 6. Guadalajara está a unas cuatrocientas cuadras de la ciudad de México. 7. Guadalajara es la segunda ciudad de México. 8. Alrededor del lago de Pátzcuaro viven los indios tarascos. 9. Los jóvenes se pasean todos los días alrededor del kiosco. 10. Las madres de las muchachas están sentadas cerca del kiosco.

Preguntas

1. ¿A cuántas cuadras de la escuela vive Ud.? 2. ¿Tiene su familia un coche? 3. ¿Qué compramos en una gasolinera? 4. ¿Quiere Ud. hacer un viaje en auto? 5. ¿Cuál es la segunda ciudad de los Estados Unidos? 6. ¿Pierde Ud. demasiado tiempo? 7. ¿Se parece Ud. a su padre? (Me parezco a ———.) 8. ¿Limpia Ud. la casa? 9. ¿Se pasea Ud. con sus amigos? 10. ¿Encuentra Ud. a sus amigos en la esquina de la calle?

LANGUAGE PATTERNS

Future Tense

Mañana *llevaré* el coche a la gasolinera.	Tomorrow *I'll take* the car to the gasoline station.
El empleado *limpiará* el parabrisas.	The attendant *will clean* the windshield.
El viernes *será* día de mercado.	Friday *will be* market day.
***Compraré* algunas cestas.**	*I shall buy* some baskets.
***Llegaremos* por la tarde.**	*We shall arrive* in the afternoon.
***Iremos* al lago.**	*We shall go* to the lake.
Uds. *verán* algo interesante.	You *will see* something interesting.

***comprar* (to buy)**

yo	**compraré**	nosotros	**compraremos**
tú	**comprarás**		
Ud., él, ella	**comprará**	Uds., ellos, ellas	**comprarán**

The future tense in Spanish has only one set of endings for all verbs **(é, ás, á, emos, án)**. The endings are added to the infinitive form of the verb: **yo compraré, volveré, escribiré; tú comprarás, volverás, escribirás,** etc. Note that all endings except **-emos** have an accent mark.

Practice

REJOINDER

1. Yo no quiero estudiar hoy. Estudiaré mañana.
   Yo no quiero leer hoy. ______.
   Yo no quiero ir hoy. ______.

2. Juan no quiere hablar hoy. Hablará mañana.
   Juan no quiere volver hoy. ______.
   Juan no quiere escribir la carta hoy. ______.

3. No podemos llegar ahora. Llegaremos más tarde.
   No podemos servir ahora. ______.
   No podemos comer ahora. ______.

4. Ellos no pueden cantar. Y no cantarán.
   Ellos no pueden asistir. ______.
   Ellos no pueden aprender. ______.

5. Tú tienes que ayudar. Y ayudarás.
   Tú tienes que escribir. ______.
   Tú tienes que volver. ______.

PERSON-NUMBER SUBSTITUTION

1. Ud. lo esperará en la esquina.
   Ellos ______.
   Yo ______.
   Alberto y yo ______.
   Tú ______.
   Margarita ______.

2. Perderemos demasiado tiempo.
   Yo ______.
   Uds. ______.
   Mi padre ______.
   Tú ______.
   Tú y Roberto ______.

3. El señor comprará llantas nuevas.
   Uds. ______.
   Nosotros ______.
   Tú ______.
   La familia ______.
   Yo ______.

REJOINDER

Hoy no escucho el programa. Escucharé el programa mañana.
Hoy no trabajamos. ______.
Hoy no vas al centro. ______.
Hoy no es día de mercado. ______.
Hoy no están aquí. ______.
Hoy no toca la banda. ______.
Hoy no volvemos temprano. ______.
Hoy no como con Uds. ______.

Preguntas

1. ¿Recibirá Ud. buenas notas este año? 2. ¿Asistirán Uds. a la escuela mañana? 3. ¿Verá Ud. a su amigo (-a) hoy? 4. ¿Lo llamará su amigo por teléfono? 5. ¿Irán sus amigos al cine el sábado? 6. ¿Irán Uds. juntos? 7. ¿Dónde los esperará Ud.? 8. ¿A qué hora llegarán Uds. a casa? 9. ¿Dónde trabajará Ud. durante el verano? 10. ¿Escribirá Ud. muchas cartas a sus padres y a sus amigos durante sus vacaciones?

American Airlines

Popocatépetl

Ixtaccíhuatl over the town of Amecameca

Lanks from Monkmeyer

Lección 62

Popocatépetl e Ixtaccíhuatl

Entre los muchos volcanes de México hay dos que tienen una bella leyenda (*legend*): el Popocatépetl y el Ixtaccíhuatl. Estos dos volcanes majestuosos parecen (*seem*) estar vigilando (*watching over*) la gran ciudad de México. Ixtaccíhuatl quiere decir[1] «mujer blanca»; muchos la llaman también «mujer dormida» (*sleeping*). Popocatépetl en la lengua azteca significa «montaña humeante» (*smoking*). En tiempos pasados los indios celebraban grandes fiestas en su honor.

Según la leyenda, Ixtaccíhuatl fue una princesa, hija de un emperador azteca. Cuentan que su padre, cuando era viejo, no podía defender su reino (*kingdom*) contra los ataques de las tribus enemigas.[2] Llamó a los guerreros (*warriors*) más importantes de sus dominios y prometió dar su trono y la mano de su hija al hombre que venciera (*would conquer*) a sus enemigos. Entre los guerreros que se ofrecieron (*volunteered*) estaba Popocatépetl, el más valiente de todos. Popocatépetl estaba enamorado de[3] la princesa desde que (*since*) era niña.

Los guerreros partieron[4] para la lucha y la princesa se quedó en su palacio esperando el regreso (*return*) de Popocatépetl. Pasaron los años y un día llegó la noticia de la muerte del joven guerrero. Al oír esto, la princesa se puso (*became*) muy triste[5] y cayó enferma. Ni los médicos ni los sacerdotes (*priests*) pudieron curarla. La pobre princesa murió pronunciando el nombre del guerrero a quien amaba.[6]

Poco después, Popocatépetl volvió victorioso a su tierra para pedir la mano de su novia. Grande fue su dolor[7] al saber que ella había muerto. Luego, con la fuerza misteriosa que los dioses le habían dado, Popocatépetl construyó dos grandes montañas. Encima de una de ellas colocó (*he placed*) el cuerpo[8] de Ixtaccíhuatl; en la otra, Popocatépetl se quedó de pie (*standing*) con una antorcha (*torch*) en la mano, vigilando eternamente a su amada (*beloved*).

1. **querer decir,** to mean 2. **enemigo (-a),** enemy 3. **estar enamorado (-a) de,** to be in love with 4. **partir,** to leave 5. **triste,** sad 6. **amar,** to love 7. **el dolor,** pain, grief 8. **el cuerpo,** body

Con los siglos la nieve ha cubierto el cuerpo de la princesa y del guerrero, pero no ha extinguido la antorcha humeante que ha quedado como símbolo del amor[1] eterno. Hoy, al contemplar los dos volcanes, los mexicanos recuerdan la romántica leyenda de los novios a quienes cariñosamente (*affectionately*) llaman Popo e Ixta.

1. **el amor,** love

¿Sí o No?

1. Popo e Ixta son dos volcanes de México. 2. Ixtaccíhuatl se parece a una mujer dormida. 3. Popocatépetl quiere decir "montaña humeante." 4. Según la leyenda Popo e Ixta eran novios. 5. El emperador, ya viejo, no pudo defender su país contra las tribus enemigas. 6. Prometió dar la mano de su hija al hombre más valiente de la tierra. 7. Popocatépetl amaba a la princesa desde que era niña. 8. Partió para las guerras. 9. La princesa estaba muy triste porque estaba enamorada del joven. 10. Después de varios años el guerrero volvió a su tierra. 11. Grande fue su dolor al oír que la princesa había muerto. 12. Llevó el cuerpo de Ixtaccíhuatl a la cima de una montaña alta. 13. Popocatépetl se quedó a su lado. 14. Con el tiempo la nieve ha cubierto a los dos.

Preguntas

1. ¿Está Ud. triste hoy? 2. ¿Qué quiere decir «la nieve» en inglés? 3. ¿Tiene Ud. a veces dolor de cabeza (*headache*)? 4. ¿Llama Ud. al médico cuando está enfermo (-a)? 5. ¿Cuántos brazos tiene el cuerpo humano? 6. ¿Ama Ud. a sus enemigos? 7. ¿Cree Ud. que el amor es eterno? 8. ¿Qué significa «estar enamorado»?

Word study

Some Spanish words can be identified through their indirect relation to an English word which provides the clue.

Spanish word	Related English word	English meaning
libro	library	book
cuerpo	corpse	body

Practice

Match each Spanish word in column I with a related English word in column II and its English meaning in column III.

I	II	III
1. **antiguo**	A. territory	a. to last
2. **durar**	B. embrace	b. sea
3. **mirar**	C. juvenile	c. year
4. **tierra**	D. antique	d. to sleep
5. **año**	E. dormitory	e. arm
6. **joven**	F. maritime	f. land
7. **mar**	G. century	g. hundred
8. **brazo**	H. durable	h. old
9. **dormir**	I. annual	i. young
10. **ciento**	J. mirror	j. to look at

Refrán

Amor con amor se paga.

One good turn deserves another.
(Love is paid with love.)

Dick Hayman

Murals by Diego Rivera depict conflicts of the Spanish conquest

Lección 63

Cuernavaca y Taxco

LOS ROBERTS Y SUS HIJOS TOM Y MARGARET; LOS MENDOZA Y SUS HIJOS ALBERTO Y CARLITOS

SRA. M.—**Mi *marido* me ha dicho que Uds. tendrán que volver a los Estados Unidos *dentro de* una semana.**	My husband has told me that you will have to return to the United States within a week.
SR. R.—**Sí, recibí una carta de mi oficina *hace dos días*. Tendré que asistir a una conferencia la semana próxima.**	Yes, I received a letter from my office two days ago. I shall have to attend a conference next week.
SR. M.—**Entonces, ¿qué harán Uds. durante los pocos días que les quedan?**	Then, what will you do during the few days that remain?
M.—**Papá quiere visitar a Monterrey durante el tiempo que nos queda.**	Dad wants to visit Monterrey during the time that remains.
SR. M.—**Y tiene razón. Monterrey es una gran ciudad industrial con muchas fábricas modernas. La llaman el «Pittsburgh de México».**	And he's right. Monterrey is a great industrial city with many modern factories. They call it the Pittsburgh of Mexico.
T.—**Yo quiero ver el puerto de Veracruz.**	I want to see the port of Vera Cruz.
C.—**A mí también me gusta Veracruz. Es nuestro puerto principal y en él podrá Ud. ver barcos de todas partes del mundo.**	I also like Vera Cruz. It is our main port and in it you will be able to see boats from all parts of the world.
A.—**El puerto es muy interesante, pero hace mucho calor en esta estación.**	The port is very interesting, but in this season it is very warm.
SRA. R.—**Prometimos visitar a nuestros amigos, los Brown, en Cuernavaca.**	We promised to visit our friends, the Browns, in Cuernavaca.
SRA. M.—**¿Están de visita en Cuer-**	Are they on a visit in Cuernavaca?

navacaʔ	
SRA. R.—**No, llegaron a Cuernavaca hace un año y les gustó *tanto* el clima que alquilaron una casa en aquella ciudad.**	No, they arrived in Cuernavaca a year ago, and they liked the climate so much that they rented a house in that city.
SRA. M.—**Cuernavaca es una ciudad encantadora. Muchas de las casas tienen piscinas y jardines llenos de flores.**	Cuernavaca is a charming city. Many of the homes have swimming pools and gardens full of flowers.
A.—**Muchas familias mexicanas pasan sus vacaciones en la ciudad de Cuernavaca.**	Many Mexican families spend their vacation in the city of Cuernavaca.
SRA. M.—**Uds. tendrán que visitar los Jardines de la Borda. El emperador Maximiliano y su esposa Carlota pasaron sus días más felices en aquel lugar.**	You will have to visit the Borda Gardens. Emperor Maximilian and his wife Carlota spent their happiest days in that place.
SR. M.—**Ya en la época de Cortés tenía Cuernavaca un encanto especial. Cortés hizo construir un palacio en la ciudad. Hoy día es un edificio del gobierno.**	Already in the time of Cortez, Cuernavaca had a special charm. Cortez had a palace built in the city. Today it is a government building.
A.—**En el balcón de este edificio verán Uds. algunas pinturas famosas de Diego Rivera.**	On the balcony of this building you will see some famous paintings of Diego Rivera.
C.—**Tom, Ud. tendrá que visitar las enormes grutas de Cacahuamilpa, cerca de Cuernavaca. Es una de las maravillas del mundo.**	Tom, you will have to visit the enormous caverns of Cacahuamilpa, near Cuernavaca. It is one of the marvels of the world.
SR. M.—***Sin duda* irán Uds. a Taxco. Está a ochenta y cinco kilómetros* de Cuernavaca.**	Undoubtedly you will go to Taxco. It is 85 kilometers from Cuernavaca.
SR. R.—**Sí, nuestros amigos nos llevarán a Taxco en su coche.**	Yes, our friends will take us to Taxco in their car.
SRA. M.—**Todos les dirán que Taxco es la ciudad más pintoresca de México. Muchos artistas y escritores visitan a Taxco cada año.**	Everyone will tell you that Taxco is the most picturesque city of Mexico. Many artists and writers visit Taxco each year.

*In Spanish-speaking countries and in other countries which use the metric system, distance is measured by kilometers. A kilometer is equivalent to approximately five-eighths of a mile.

A.—**La ciudad está construida en una colina. Tiene calles estrechas y tortuosas y casas blancas con techos de tejas rojas.** The city is built on a hill. It has narrow, winding streets and white houses with red tile roofs.

Sr. M.—**El gobierno trata de conservar el aspecto colonial de Taxco, y está prohibido construir casas de estilo moderno en la ciudad.** The government tries to preserve the colonial appearance of Taxco and it is forbidden to build modern-style houses in the city.

Sr. R.—**Me han dicho que en Taxco hay muchas platerías.** They have told me that in Taxco there are many silver shops.

M.—**Entonces en Taxco compraré algunos regalos para mis amigas.** Then I shall buy in Taxco some gifts for my girl friends.

Sr. M.—**¡Buena idea! Se venden muchas joyas de plata que les gustarán. Y no son muy caras.** Good idea! They sell a lot of silver jewelry which they will like. And it is not very expensive.

M.—**¡Vamos a Taxco, en seguida!** Let's go to Taxco at once!

¿Sí o No?

1. La familia Roberts tendrá que volver a los Estados Unidos dentro de un mes. 2. El señor Roberts recibió una carta de su oficina hace una semana. 3. En Monterrey Tom podrá ver barcos de todas partes del mundo. 4. Veracruz es un puerto importante de México. 5. La familia Roberts prometió visitar a sus amigos en Cuernavaca. 6. Muchas familias mexicanas pasan sus vacaciones en Cuernavaca. 7. Hay algunas pinturas famosas de Diego Rivera en el palacio de Cortés. 8. La familia Roberts podrá hacer el viaje de Cuernavaca a Taxco en dos días. 9. Taxco es una ciudad moderna con calles anchas y edificios altos. 10. Se venden muchas joyas de plata en Taxco.

Preguntas

1. ¿Cuál es una importante ciudad industrial de los Estados Unidos? 2. ¿Hay fábricas modernas en su ciudad? 3. ¿Cuál es uno de los puertos principales de los Estados Unidos? 4. ¿Le gusta el clima de su ciudad? 5. ¿En qué estación hace buen tiempo? 6. ¿En qué lugar pasó Ud. sus días más felices? 7. ¿Le gusta nadar en una piscina? 8. ¿Ha visitado Ud. las grutas de Carlsbad en Nuevo México? 9. ¿Está prohibido construir un edificio alto en su ciudad? 10. ¿Le gusta llevar joyas de plata?

LANGUAGE PATTERNS

A

Verbs with Irregular Forms in the Future Tense

Yo *podré* ir mañana.	*I shall be able* to go tomorrow.
***Tendremos* que volver aquí.**	*We shall have* to return here.
¿Qué *hará Ud.* esta tarde?	What *will you do* this afternoon?
¿Qué *dirán ellos*?	What *will they say*?

***poder* (to be able)**

yo	**podré**	nosotros	**podremos**
tú	**podrás**		
Ud. / él / ella	**podrá**	Uds. / ellos / ellas	**podrán**

Note that in the future tense the verb **poder** drops the **e** of the infinitive before adding the future endings. Verbs which have the same irregularity in the future tense are:

saber, to know: **sabré, sabrás, sabrá,** etc.
querer, to want, wish: **querré, querrás,** etc.

Practice

REPLACEMENT

Querremos verlo.	Sabrás explicarlo.
Yo ————.	Uds. ————.
———— enviarlo.	Yo ————.
Podré ————.	———— hacerlo.
Mis amigos ————.	Querré ————.
Tú ————.	Ud. ————.
———— escribirlo.	Nosotros ————.

***tener* (to have)**

yo	**tendré**	nosotros	**tendremos**
tú	**tendrás**		
Ud. / él / ella	**tendrá**	Uds. / ellos / ella	**tendrán**

Note that in the future tense of the verb **tener,** the **e** of the infinitive is replaced by **d** (**tener: tendré, tendrás,** etc.). Verbs which have the same irregularity in the future are:

poner, to put: **pondré, pondrás,** etc.
salir, to leave, go out: **saldré, saldrás,** etc.
venir, to come: **vendré, vendrás,** etc.

Practice

NUMBER SUBSTITUTION

Ellos vendrán dentro de poco.	El vendrá dentro de poco.
Yo saldré muy temprano.	Nosotros saldremos muy temprano.
Tú lo tendrás esta tarde.	______.
Tendremos que volver mañana.	______.
Ellos saldrán a las siete.	______.
Yo no saldré esta noche.	______.
Ud. pondrá la mesa.	______.
Pondremos los libros allí.	______.

decir **(to say, tell)**

yo	**diré**	nosotros	**diremos**
tú	**dirás**		
Ud. / él / ella	**dirá**	Uds. / ellos / ellas	**dirán**

hacer **(to do, make)**

yo	**haré**	nosotros	**haremos**
tú	**harás**		
Ud. / él / ella	**hará**	Uds. / ellos / ellas	**harán**

The verb **decir** drops two letters of the infinitive, **e** and **c**, in the future tense (**decir: diré, dirás,** etc.). Like **decir,** the verb **hacer** also drops two letters, **c** and **e** (**hacer: haré, harás,** etc.).

Practice

PERSON-NUMBER SUBSTITUTION

1. Mañana ellos le dirán todo.
   ______ yo ______.
   ______ nosotros ______.
   ______ ella ______.
   ______ tú ______.
   ______ Uds. ______.
   ______ Pablo ______.

2. Juan lo hará más tarde.
   Ellos ______.
   Nosotros ______.
   Tú ______.
   Ella ______.
   Yo ______.
   Jorge y Pedro ______.

Rejoinder

No lo tengo hoy.	Lo tendré mañana.
No lo saben hoy.	Lo sabrán mañana.
No salimos hoy.	________.
No viene hoy.	________.
No puedo ir hoy.	________.
No lo quieres hoy.	________.
No lo dicen hoy.	________.
No lo tenemos hoy.	________.
No lo hace hoy.	________.
No lo sé hoy.	________.

B

The Verb *gustar*

Me gusta el barco.	I like the boat. (The boat is pleasing to me.)
Le gustan los barcos.	He likes boats. (Boats are pleasing to him.)
Nos gusta la pintura.	We like the painting. (The painting is pleasing to us.)
Les gustan las pinturas.	They like the paintings. (The paintings are pleasing to them.)

The verb "to like" is expressed in Spanish by the verb **gustar** (to be pleasing). The subject of "like" becomes the indirect object of **gustar.** The thing liked becomes the subject of **gustar.** Notice that the subject (the thing liked) normally follows the verb **gustar.** Generally only the third person singular and plural of **gustar** are used.

A María le **gustan las flores.**	*Mary* likes flowers.
A Paco le **gusta comer.**	*Paco* likes to eat.
A los muchachos les **gustan los deportes.**	*Boys* like sports.

When the indirect object of **gustar** is a noun (**a María, a los muchachos**), the indirect object pronoun (**le, les**) must also be used.

Practice

Person-number substitution

1. A mí me gusta viajar.
   A Ud. le gusta viajar.

2. A Ud. le gustan los deportes.
   A mí ________.

A mis amigos ———.	A los muchachos ———.
A Luisa ———.	A Juan y a mí ———.
A ti ———.	A Carlos ———.
A nosotros ———.	A Uds. ———.
A ellos ———.	A ti ———.

TRANSLATION

I like to read.	Me gusta leer.
We like to read.	———.
She likes to read.	———.
They like to read.	———.
I like the books.	———.
He likes the books.	———.
You (fam.) like the books.	———.
We like sports.	———.
John likes sports.	———.
My friends like sports.	———.
You (pl.) like sports.	———.

Lección 64

Una carta

México, D.F., 30 de septiembre de 196–

Querido[1] Jim:

Tú no puedes imaginarte qué país tan lindo es México. Sería[2] difícil darte una descripción completa de este país en una carta. Para hacerlo tendría[3] que escribir un libro.

La semana pasada hicimos un viaje interesante. Fuimos a Cuernavaca y a Taxco. No tuvimos tiempo para ir a Acapulco. Yo quería ver a Acapulco porque tiene playas magníficas y, además,[4] Alberto me dijo que allá podría[5] yo ir de pesca (*fishing*). Todos dicen que en Acapulco hay una gran variedad de peces (*fish*). Papá me prometió que en nuestro próximo viaje a México pasaríamos[6] una semana en Acapulco.

En las tres semanas que estamos aquí he visitado muchos lugares interesantes. Ayer fui a un museo donde vi un enorme calendario azteca de piedra que pesa (*weighs*) muchas toneladas (*tons*). Te mandaré una tarjeta postal con la fotografía del calendario.

Al salir del museo compré un billete[7] de lotería. Hay muchos vendedores de billetes por toda la ciudad. La lotería está organizada por el gobierno y el dinero se usa para la caridad (*charity*) pública. Los mexicanos compran billetes de lotería con la esperanza (*hope*) de ganar el premio gordo (*first prize*), que a veces vale (*is worth*) un millón de pesos. Yo estaría[8] contento con ganar mil pesos.

Antes de volver a los Estados Unidos me gustaría[9] ver otra corrida de toros. A mamá y a Margaret no les gustan las corridas. Ellas prefieren ir de compras a los mercados y tiendas. Margaret compró un vestido de china poblana y mamá me compró un traje de charro. Como sabes, éstos son los trajes nacionales de México.

En tu carta me preguntas si es necesario hablar español para viajar por

1. **querido (-a),** dear 2. **sería,** it would be 3. **tendría,** I would have 4. **además,** besides 5. **podría,** would be able 6. **pasaríamos,** we would spend 7. **el billete,** ticket 8. **estaría,** would be 9. **me gustaría,** I should like

México. Yo diría[1] que sí, sobre todo si uno quiere conocer mejor a los mexicanos. Hay un refrán español que dice: Hablando se entiende la gente (*By speaking people understand each other*).

Yo he aprendido muchas palabras nuevas y me gusta mucho hablar español con mis amigos mexicanos. Al volver a la escuela voy a estudiar el español con más interés.

—¡Qué carta tan larga! Mamá me está llamando. Nuestros amigos, los señores Mendoza, acaban de llegar. Han venido a despedirse de[2] nosotros.

Bueno, Jim, te veré dentro de unos días y te contaré más de nuestro viaje a México. Saludos[3] a Jorge y a Felipe.

Tu amigo,

Tom.

1. **diría,** would say 2. **despedirse (i) de,** to take leave of, to say goodby to 3. **saludos,** regards

¿Sí o No?

1. Tom escribe una larga carta a su querido amigo Jim. 2. Es difícil dar una descripción de México en una carta. 3. Tom hizo un viaje interesante a Acapulco. 4. Las playas de Acapulco son famosas. 5. A Tom le gusta ir de pesca. 6. Tom fue al museo a comprar un billete de lotería. 7. El gobierno de México usa el dinero de la lotería para la caridad pública. 8. Tom envió a su amigo Jim una fotografía del famoso calendario azteca. 9. Tom quiere ver otra corrida de toros antes de volver a los Estados Unidos. 10. Su hermana prefiere ir de compras. 11. Para conocer al pueblo mexicano es necesario saber hablar español. 12. La familia Mendoza viene a despedirse de sus amigos.

Preguntas

1. ¿Cuál es la fecha de la carta? 2. ¿Qué ciudades visitaron los Roberts? 3. ¿Cuándo irán a Acapulco? 4. ¿Cuántas semanas pasaron en México? 5. ¿Qué vio Tom en el museo? 6. ¿Está prohibido vender billetes de lotería en los Estados Unidos? 7. ¿Cuáles son los trajes nacionales de México? 8. ¿Qué va a hacer Tom al volver a la escuela? 9. ¿Quiénes se despiden de la familia Roberts? 10. ¿A quiénes manda saludos Tom? 11. ¿Qué quiere ver Tom antes de volver a los Estados Unidos? 12. ¿Es necesario hablar español para viajar por México?

LANGUAGE PATTERNS

A

Conditional Tense

Sería **difícil dar una descripción.**	*It would be* difficult to give a description.
Estaría **contento con ganar mil pesos.**	*I would be* happy to win a thousand pesos.
Le gustaría **ver otra corrida.**	*He would like* to see another bullfight.
Mi padre dijo que *iríamos* a Acapulco.	My father said *we would go* to Acapulco.

yo	**daría (leería, escribiría)**
tú	**darías (leerías, escribirías)**
Ud. / él / ella	**daría, (leería, escribiría)**
nosotros	**daríamos (leeríamos, escribiríamos)**
Uds. / ellos / ellas	**darían (leerían, escribirían)**

The conditional tense, like the future, has only one set of endings for all verbs (**-ía, -ías, -ía, -íamos, -ían**). Note that the endings are the same as in the imperfect of **-er** and **-ir** verbs. The conditional endings, like the future endings, are added to the infinitive form of the verb.

Practice

PERSON-NUMBER SUBSTITUTION

1. Tomás no pagaría tanto.
   Yo ________.
   Ellos ________.
   Tú ________.
   Nosotros ________.
   Ud. ________.
   Ana y yo ________.
   El ________.
   Uds. ________.

2. Yo le ofrecería menos.
   Carlos y yo ________.
   Uds. ________.
   Mi padre ________.
   El gobierno ________.
   Tú ________.
   Tú y Jorge ________.
   María ________.
   Nosotros ________.

3. Ud. no permitiría eso.
   Mis padres ———.
   Nosotros ———.
   Yo ———.
   El gobierno ———.
   Tú ———.

B

Verbs with Irregular Forms in the Conditional

Ellos no **dirían** eso.	They *wouldn't say* that.
Dijo que **podría** hacerlo.	He said *he would be able* to do it.
Dije que lo **tendríamos**.	I said that *we would have* it.

poder, to be able: **podría**	**salir,** to leave: **saldría**
saber, to know: **sabría**	**venir,** to come: **vendría**
querer, to want, wish: **querría**	**decir,** to say: **diría**
tener, to have: **tendría**	**hacer,** to make: **haría**
poner, to put: **pondría**	

The verbs listed above have the same irregular stems in the conditional which they have in the future tense.

Practice

SUBSTITUTION (PRESENT-FUTURE; PRETERITE-CONDITIONAL)

Dice que ellos vendrán.	Dijo que ellos vendrían.
Dice que yo lo sabré.	Dijo que yo lo sabría.
Dice que tú lo pondrás allí.	———.
Dice que Uds. querrán el libro.	———.
Dice que Pablo saldrá pronto.	———.
Dice que nosotros lo haremos.	———.
Dice que lo tendrá mañana.	———.
Dice que Alberta no dirá eso.	———.
Dice que Uds. no podrán ir.	———.

TRANSLATION

They said they wouldn't come.	Dijeron que no vendrían.
They said they wouldn't be able to help.	Dijeron que no podrían ayudar.
They said they would send a letter.	———.

I would spend one week in Acapulco. ______________________ .
I would buy many gifts. ______________________ .
Who would go with you? ¿ ______________________ ?
Who would have the money? ¿ ______________________ ?
What would your family say? ¿ ______________________ ?

Sawders from Cushing

Old Spanish aqueduct in Morelia

TEST YOUR PROGRESS VIII

(LECCIONES 57–64)

¿Sí o No?

1. Todos los jóvenes piensan que están enamorados. 2. Los hijos se parecen a sus padres. 3. Un rey es una persona valiente. 4. Un automóvil no puede andar sin llantas. 5. Cuando hay sol no hay nubes. 6. Los hijos nunca salen de la casa sin despedirse de los padres. 7. Se dice que las mujeres no guardan un secreto. 8. «De repente volvió a entrar» quiere decir «no entró». 9. Algunas personas nunca tienen dolor de cabeza. 10. Los niños no deben acercarse a un perro.

RESPONSE

¿Ha esperado Ud. mucho tiempo en la tienda?	No, no he esperado mucho tiempo en la tienda.
¿Han prometido Uds. ir?	____________________.
¿Has dormido bastante?	____________________.
¿Ha abierto Ud. las ventanas?	____________________.
¿No han dicho nada sus padres de su viaje?	____________________.
¿Han vuelto Uds. a tiempo?	____________________.
¿No le he escrito a Ud. una carta?	____________________.
¿Le ha leído Inés su carta?	____________________.
¿Han partido ellos de allí?	____________________.
¿He hecho yo eso?	____________________.

SUBSTITUTION (PRETERITE—PRESENT PERFECT TENSE)

Ud. no invitó a Pablo.	Ud. no ha invitado a Pablo.
¿Perdió el profesor su pluma?	¿Ha perdido el profesor su pluma?
No compré los billetes.	____________________.
¿Recogieron Uds. los papeles?	____________________.
¿Bajaste en el ascensor?	____________________.
Mis abuelos vinieron por avión.	____________________.
¿Los invitamos a la fiesta?	____________________.
¿Comieron Uds. juntos?	____________________.
¿Se quedó Lupe con Uds.?	____________________.
Tú no dijiste nada.	____________________.
No los vieron.	____________________.
¿Dónde puso Ud. las llaves?	____________________.
Escribí a mi tío.	____________________.
¿Por qué no contestó?	____________________.

Completion

Juan se quedará pero los demás (no se quedarán).
Yo pagaré pero tú ________________.
Ellos vendrán pero Carlos ________________.
Ud. lo hará pero nosotros________________.
Tú lo sabrás pero yo ________________.
Pancho y yo le diremos todo pero Uds.________________.
Yo tendré que hacerlo pero tú ________________.
Carmen y Pedro podrán ir pero Lola________________.
Ud. lo creerá pero José y yo ________________.

Transformation

Miguel va a esperarme en la esquina.	Miguel me esperará en la esquina.
Sin duda ellos van a venir el día siguiente.	________________.
Yo voy a ver la nueva obra dramática.	________________.
Tú no vas a decirlo a nadie.	________________.
Ellos van a contarlo a todo el mundo.	________________.
Estoy seguro que nuestro equipo va a ganar.	________________.
Vamos a salir a la una.	________________.
¿A quién vas a ver?	________________.
¿Dónde van a poner la televisión?	________________.

Completion (Complete using the conditional tense.)

¿Por qué hablaban tanto?	Yo no (hablaría tanto).
¿Por qué dicen Uds. eso?	Ellos ________________.
¿Por qué venden la casa?	Mi padre ________________.
¿Por qué viven aquí?	Nosotros ________________.
¿Por qué hacen eso?	Tú ________________.
¿Por qué están tristes?	Yo ________________.
¿Por qué ponen el radio?	Yo ________________.
¿Por qué mandan flores.	Luis y yo ________________.
¿Por qué piden tanto?	Uds. ________________.

Preguntas

1. ¿A qué distancia de la escuela vive Ud.? (¿a seis cuadras? ¿a dos millas?) 2. ¿Saluda Ud. siempre a sus amigos al verlos? 3. ¿Habla Ud. demasiado en esta clase? 4. ¿Qué hace Ud. cuando está triste? 5. ¿Qué significa la palabra «loco»? 6. ¿Ha visto Ud. una obra dramática este año?

7. ¿Espera su familia hacer un viaje a México algún día? 8. ¿Podrá Ud. entender el español? 9. ¿Le gustaría ver una corrida de toros? 10. ¿Qué enviaría Ud. de México a sus amigos en los Estados Unidos?

Venid, fieles todos

Come All Ye Faithful

(Translation of the Spanish version of the song)

Venid, fieles todos,
A Belén marchemos
De gozo triunfantes,
Henchidos de amor.

Come all ye faithful,
Let us march to Bethlehem
Triumphant with joy,
Filled with love.

Al Rey de los cielos
Todos adoremos
Vengamos, adoremos,
Vengamos, adoremos,
Vengamos, adoremos
A Nuestro Señor.

The King of the heavens
Let all of us adore.
Let us come, let us adore,
Let us come, let us adore,
Let us come, let us adore
Our Lord.

Noche de paz, noche de amor

Silent Night

(Translation of the Spanish version)

¡Noche de paz, noche de amor!
Todo duerme en derredor.
Entre los astros que esparcen su luz
bella anunciando al Niño Jesús,
brilla la estrella de paz,
brilla la estrella de paz.

Night of peace, night of love!
All is sleeping round about.
Among the stars that scatter their
beautiful light, announcing Child Jesus,
shines the star of peace,
shines the star of peace.

¡Noche de paz, noche de amor!
Oye humilde el fiel pastor
coros celestes que anuncian salud,
gracias y glorias en gran plenitud,
por nuestro buen Redentor,
por nuestro buen Redentor.

Night of peace, night of love!
The faithful shepherd humbly hears
heavenly choruses which announce health,
thanks and glory in great abundance,
to our good Redeemer,
to our good Redeemer.

¡Noche de paz, noche de amor!
Ved qué bello resplandor
luce en el rostro del Niño Jesús
en el pesebre, del mundo la luz,
astro de eterno fulgor,
astro de eterno fulgor.

Night of peace, night of love!
See what beautiful radiance
shines on the face of the Child Jesus
in the manger, the light of the world,
star of eternal splendor,
star of eternal splendor.

APPENDIX

I Nombres de Pila—Given Names

Muchachos

Albert	Alberto	**John**	Juan
Alexander	Alejandro	**Joseph**	José
Alfred	Alfredo	**Julius (Jules)**	Julio
Alphonso	Alfonso	**Lawrence**	Lorenzo
Andrew	Andrés	**Leon (Leo)**	León
Anthony	Antonio	**Leonard**	Leonardo
Arthur	Arturo	**Louis**	Luis
Augustine	Agustín	**Manuel**	Manuel
Benjamin	Benjamín	**Mark**	Marco
Bernard	Bernardo	**Martin**	Martín
Cecil	Cecilio	**Matthew**	Mateo
Charles	Carlos	**Michael (Mike)**	Miguel
Christopher	Cristóbal	**Nicholas (Nick)**	Nicolás
Claude	Claudio	**Oliver**	Oliverio
Conrad	Conrado	**Oscar**	Oscar
Daniel	Daniel	**Patrick (Pat)**	Patricio
David	David	**Paul**	Pablo
Edward	Eduardo	**Peter**	Pedro
Ernest	Ernesto	**Philip**	Felipe
Eugene	Eugenio	**Ralph**	Rafael
Ferdinand	Fernando	**Raymond**	Ramón
Francis	Francisco	**Richard**	Ricardo
Frank	Pancho; Paco	**Robert**	Roberto
Frederick (Fred)	Federico	**Roderick**	Rodrigo
Gabriel	Gabriel	**Roger**	Rogerio
George	Jorge	**Roland**	Rolando
Gerard	Gerardo	**Ronald**	Renaldo
Gilbert	Gilberto	**Ruben**	Rubén
Gregory	Gregorio	**Samuel (Sam)**	Samuel
Guy	Guido	**Stephen (Steve)**	Esteban
Henry (Harry)	Enrique	**Theodore (Ted)**	Teodoro
Herbert	Heriberto; Heberto	**Thomas (Tom)**	Tomás
Hugh	Hugo	**Victor**	Victor
James	Jaime; Diego	**Vincent**	Vicente
Jerome (Jerry)	Jerónimo	**Walter**	Gualterio
Joe	Pepe	**William**	Guillermo

Muchachas

Adele	Adela	**Hannah**	Ana
Agnes	Inés	**Harriet**	Enriqueta
Alberta	Alberta	**Helen**	Elena
Alice	Alicia	**Irene**	Irene
Ann(e)	Ana	**Isabel**	Isabel
Barbara	Bárbara	**Jane**	Juana
Beatrice	Beatriz	**Josephine**	Josefa; Josefina
Bertha	Berta	**Julia**	Julia
Betty	Chavela; Belita	**Kate**	Catalina
Carmen	Carmen	**Laura**	Laura
Caroline	Carolina	**Louise**	Luisa
Catherine	Catalina	**Lucy**	Lucía
Cecile	Cecilia	**Magdalene**	Magdalena
Charlotte	Carlota	**Margaret**	Margarita
Dolores	Dolores	**Martha**	Marta
Dorothy	Dorotea	**Mary (Marie)**	María
Eleanor	Leonor	**Mathilda**	Matilde
Elizabeth	Isabel	**Molly**	Maruja; Mariucha
Ellen	Elena	**Pat**	Patricia
Elsie	Elisa	**Pearl**	Perla
Emily	Emilia	**Peggy**	Margarita
Estelle	Estela	**Rosalie**	Rosalía
Esther	Ester	**Rose**	Rosa
Eve	Eva	**Sarah**	Sara
Fanny	Paca; Panchita	**Sophy**	Sofía
Florence	Florencia	**Susan**	Susana
Frances	Francisca	**Theresa**	Teresa
Gertrude	Gertrudis	**Violet**	Violeta
Gloria	Gloria	**Virginia**	Virginia
Grace	Engracia		

II Spanish Pronunciation

A. Vowels

In Spanish each of the five vowels has only one sound, pronounced in a short, clipped manner. (In the practice exercises which follow repeat the examples after your teacher. Be sure to stress the syllable in italics.)

a is pronounced somewhat like the *a* in *father*.
Examples: *A*-na *plan*-ta *San*-ta *Cla*-ra

Practice

1. *fa*-ma
2. *ma*-pa
3. *dra*-ma
4. es-*tá*
5. plan
6. ba-*na*-na
7. al-*tar*
8. ca-*nal*
9. fa-*tal*

e is pronounced somewhat like the *e* in *obey*.
Examples: *pe*-so *par*-te e-le-*fan*-te *ne*-gro

Practice

1. me
2. *ba*-se
3. se-*cre*-to
4. Te-*re*-sa
5. me-*tal*
6. a-*mén*
7. ca-*fé*
8. e-*ter*-no
9. Sa-cra-*men*-to

i is pronounced somewhat like the *i* in *machine*.
Examples: sí ar-*tis*-ta a-ni-*mal* sis-*te*-ma

Practice

1. *ti*-gre
2. *ri*-fle
3. di-*plo*-ma
4. me-di-*ci*-na
5. i-*de*-a
6. di-rec-*tor*
7. ca-pi-*tal*
8. cri-mi-*nal*
9. di-fe-*ren*-te

o is pronounced somewhat like the *o* in *obey*.
Examples: no a-*mi*-go co-*lor* fa-*mo*-so

Practice

1. *pron*-to
2. ro-*de*-o
3. so-*pra*-no
4. a-*ro*-ma
5. *ó*-pe-ra
6. ac-*tor*
7. *no*-ble
8. lo-*cal*
9. con-ti-*nen*-te

u is pronounced somewhat like the *u* in *rule.*
Examples: *mu*-la *u*-no Ar-*tu*-ro plu-*ral*

Practice

1. *rum*-ba	4. po-pu-*lar*	7. ru-*mor*
2. *mú*-si-ca	5. per-*fu*-me	8. sin-gu-*lar*
3. bru-*tal*	6. *Cu*-ba	9. club

B. Consonants

Many consonants have approximately the same sound in Spanish as in English. The following consonants differ in some ways from English.

h is always silent in Spanish.
Examples: *has*-ta ho-*tel* hos-pi-*tal* hin-*dú*

Practice

1. ho-*nor*	4. hu-*ma*-no	7. ha-bi-*tan*-te
2. hu-*mor*	5. Ha-*ba*-na	8. *hé*-ro-e
3. *hom*-bre	6. ho-*nes*-to	9. hi-*pó*-cri-ta

ñ is pronounced somewhat like the *ny* in *canyon.*
Examples: se-*ñor* ma-*ña*-na es-pa-*ñol* ca-*ñón*

Practice

1. se-ño-*ri*-ta	3. se-*ño*-ra	5. mon-*ta*-ña
2. Es-*pa*-ña	4. com-pa-*ñe*-ro	6. ca-*ña*

ch is pronounced like the *ch* in *church.*
Examples: *mu*-cho cho-co-*la*-te *no*-che *chi*-co

Practice

1. *Chi*-le	4. *Chi*-na	7. cham-*pú*
2. *ran*-cho	5. *chó*-fer	8. *Pan*-cho
3. *mar*-cha	6. chi-me-*ne*-a	9. *chi*-cle

c before **e** or **i** has an *s* sound, like *c* in *cent.* (In most parts of Spain it is pronounced like *th* in *think,* which is Castilian pronunciation.)
Examples: cen-*tral* na-*ción* cen-*ta*-vo *gra*-cias

Practice

1. ce-re-*al*	4. *ce*-ro	7. ci-*vil*
2. pro-*du*-ce	5. me-di-*ci*-na	8. *cen*-tro
3. ce-le-bra-*ción*	6. na-cio-*nal*	9. prin-ci-*pal*

c before any other letter has a *k* sound, like the *c* in *candy*.
Examples: ca-pi-*tal* *có*-mo cul-*tu*-ra ac-*tor*

Practice

1. *có*-mi-co	4. doc-*tor*	7. con-ti-*nen*-te
2. ro-*mán*-ti-co	5. ca-*fé*	8. cru-*el*
3. *cla*-se	6. *Cu*-ba	9. *A*-fri-ca

z, like the **c** before **e** or **i,** has an *s* sound. (In most parts of Spain where Castilian pronunciation is used, it is pronounced like the *th* in *think*.)
Examples: ac-*triz* voz *ze*-bra fe-*roz*

Practice

1. *zo*-na	3. *pla*-za	5. *lá*-piz
2. cruz	4. ba-*zar*	6. Ve-ne-*zue*-la

j is pronounced somewhat like the *h* in *hint*.
Examples: Jo-*sé* Ja-*pón* *jus*-to *Jua*-na

Practice

1. Juan	4. jo-*vial*	7. San Jo-*sé*
2. *Ju*-lia	5. jus-*ti*-cia	8. ji-*ra*-fa
3. jar-*dín*	6. ga-*ra*-je	9. Je-*sús*

ll is inseparable in Spanish. It is pronounced somewhat like the *y* in *yes*. (In most parts of Spain where Castilian pronunciation is used, it is pronounced somewhat like the *lli* in *million*.)
Examples: mi-*llón* ba-*ta*-lla me *lla*-mo ca-*me*-llo

Practice

1. me-*da*-lla	4. bri-*llan*-te	7. flo-*ti*-lla
2. *mi*-lla	5. man-*ti*-lla	8. chin-*chi*-lla
3. *lla*-ma	6. tor-*ti*-lla	9. *vi*-lla

g before **e** or **i** is pronounced somewhat like the *h* in *hint*.
Examples: ge-ne-*ral* *án*-gel o-ri-gi-*nal* re-li-*gión*

Practice

1. *ál*-ge-bra
2. ge-ne-*ro*-so
3. Los *An*-ge-les
4. in-te-li-*gen*-te
5. re-*gión*
6. *má*-gi-co
7. ge-ne-ral-*men*-te
8. Ar-gen-*ti*-na
9. gim-*na*-sio

g in all other combinations is pronounced like the *g* in *go*.
Examples: ga-so-*li*-na a-*mi*-go sin-gu-*lar* *gran*-de

Practice

1. le-*gal*
2. pro-pa-*gan*-da
3. *ór*-ga-no
4. *ne*-gro
5. *tan*-go
6. te-le-*gra*-ma
7. e-le-*gan*-te
8. con-*gre*-so
9. al-*gu*-nos

n is pronounced like *n* in *none*. However, **n** followed by **b, v, m,** or **p** is pronounced more like **m.**
Examples: un *bar*-co un *va*-so un *ma*-pa un *pa*-dre

Practice

1. un *pe*-rro
2. un bo-*rra*-dor
3. un pe-*rió*-di-co
4. un ve-*ci*-no
5. un *pue*-blo
6. un *mo*-zo

q is always followed by **u** and is found only in the following combinations: **que** pronounced somewhat like the *ke* in *kennel* and **qui** pronounced somewhat like the English word *key*.
Examples: pe-*que*-ño *du*-que mos-*qui*-to *lí*-qui-do

Practice

1. a-*ta*-que
2. con-quis-ta-*dor*
3. quién
4. Tur-*quí*-a
5. *par*-que
6. En-*ri*-que
7. *che*-que
8. or-*ques*-ta
9. ar-qui-tec-*tu*-ra

r when not at the beginning of a word is pronounced with a flap of the tongue (sounds almost like a *d*).
Examples: e-*nor*-me po-pu-*lar* plu-*ral* Ma-*rí*-a

Practice

1. *gran*-de
2. a-*ro*-ma
3. ar-*tis*-ta
4. *cir*-co
5. per-*so*-na
6. pro-fe-*sor*
7. ge-ne-*ral*
8. *par*-te
9. se-*ñor*

r at the beginning of a word and the **rr** are trilled. The **rr** in Spanish is inseparable.

Examples: ro-*de*-o *ra*-ta *pe*-rro te-*rror*

Practice

1. *bu*-rro
2. e-*rror*
3. *rum*-ba
4. *ca*-rro
5. te-rri-*to*-rio
6. *ran*-cho
7. te-*rri*-ble
8. co-*rrec*-to
9. *ra*-ro

s is generally pronounced like the *s* in *say*.

Examples: *ro*-sa es-*tá* a-*diós* *has*-ta

Practice

1. Jo-*sé*
2. es
3. se-*ñor*
4. pre-si-*den*-te
5. ar-*tis*-ta
6. pro-fe-*sor*
7. *mú*-si-co
8. de-*sier*-to
9. *dí*-as

b and **v** have the same sound in Spanish. The **b** or **v** at the beginning of a group of words, or after **m** or **n,** is pronounced somewhat like the *b* in *boy*.

Examples: *buenos* días tam-*bién* *Venga* aquí in-ven-*tor*

Practice

1. vio-*lín*
2. *ba*-se
3. *rum*-ba
4. bru-*tal*
5. in-va-*sión*
6. in-vi-ta-*ción*
7. *bu*-rro
8. som-*bre*-ro
9. vi-*tal*

b or **v** in any other position is pronounced with the lips barely touching each other.

Examples: muy *bien* Ro-*ber*-to no *voy* ri-*val*

Practice

1. a-*do*-be
2. re-*vól*-ver
3. na-*val*
4. no-*ve*-la
5. ta-*ba*-co
6. a-via-*dor*
7. im-po-*si*-ble
8. e-vi-*den*-te
9. *bra*-vo

d at the beginning of a word, or after **l** or **n,** is pronounced somewhat like the *d* in *day.*
Examples: *dí*-a de-*sier*-to *in*-dio Ar-*nal*-do

Practice

1. doc-*tor*	4. de-li-*cio*-so	7. *dón*-de
2. di-rec-*tor*	5. di-*plo*-ma	8. in-de-pen-*den*-cia
3. den-*tis*-ta	6. *dra*-ma	9. Ro-*lan*-do

d in most other positions is pronounced softly, somewhat like the *th* in *they.*
Examples: ro-*de*-o im-por-*ta*-do *pa*-dre us-*ted*

Practice

1. dic-ta-*dor*	4. pro-*duc*-to	7. Ma-*drid*
2. a-*diós*	5. *rá*-pi-do	8. u-ni-ver-si-*dad*
3. *ma*-dre	6. i-*de*-a	9. de-*ci*-de

C. Diphthongs

A diphthong is a combination of a strong vowel (**a, e, o**) and a weak vowel (**i, u**), or two weak vowels in one syllable.

How To Pronounce Diphthongs

The strong vowel (**a, e, o**) within the diphthong is emphasized; the second of the two weak vowels is emphasized.

1. Diphthongs beginning with **i**

ia like *ya* in *yard*	fa-*mi*-lia, *pia*-no, *gra*-cias
ie like *ye* in *yet*	bien, *tie*-ne, *fies*-ta
io like *yo* in *yoke*	*ra*-dio, *in*-dio, vio-*lín*
iu like *you*	ciu-*dad*, *triun*-fo

2. Diphthongs beginning with **u**

ua like *wa* in *waffle*	Juan, cuál, *a*-gua
ue[1] like *we* in *wet*	*pue*-blo, es-*cue*-la, *bue*-no
uo like *wo* in *woke*	*cuo*-ta, an-*ti*-guo, in-di-*vi*-duo
ui[1] like *we*	Luis, *Sui*-za, *rui*-na

[1]Note that **que** is pronounced like *ke* in *kennel*: *che*-que; **qui** is pronounced like the English word *key*: ar-qui-*tec*-to; **gue** is pronounced like *gue* in *guess*: Mi-*guel*; **gui** is pronounced like *gee* in *geese*: gui-*ta*-rra

3. Diphthongs ending in **i** or **y**[2]

ai(**ay**) like *ai* in *aisle*	*ai*-re, *Jai*-me, hay
ei(**ey**) like *ei* in *eight*	seis, de-*lei*-te, Mon-te-*rrey*
oi(**oy**) like *oy* in *joy*	he-*roi*-co, ce-lu-*loi*-de, hoy

4. Diphthongs ending in **u**

au like *ow* in *how*	au-*sen*-te, *cau*-sa, *gau*-cho
eu somewhat like (*m*)*ay* you	Eu-*ro*-pa, reu-*nión*, neu-*tral*

[2]**Y** meaning *and* is pronounced like the *i* in *machine*.

Combinations of Vowels Which Do Not Form Diphthongs

1. The strong vowels **a, e, o** never combine to form a diphthong. Each must be pronounced separately.

Examples: le-*ón* ma-*es*-tro *hé*-ro-e ro-*de*-o

Practice

1. Do-ro-*te*-a	3. ca-*no*-a	5. i-*de*-a
2. po-*e*-ta	4. a-e-ro-*pla*-no	6. mu-*se*-o

2. When accented **í** or **ú** combine with one of the strong vowels, each is pronounced separately.

Examples: *dí*-a *rí*-o pa-*ís* Ma-*rí*-a re-*ú*-ne

Practice

1. ma-*íz*	3. con-ti-*nú*-a	5. pa-ra-*í*-so
2. Ra-*úl*	4. he-ro-*ís*-mo	6. cor-te-*sí*-a

D. How Spanish Words Are Divided into Syllables

1. A single consonant between two vowels goes with the following vowel.

Examples: *có*-mi-co fa-vo-*ri*-to o-fi-*ci*-na

Practice

Divide the following words into syllables:

1. aroma	3. música	5. Ana
2. medicina	4. teléfono	6. Felipe

2. Two consonants coming together are generally separated.
Examples: doc-*tor* *dón*-de *tin*-ta Ro-*ber*-to
If the second of two consonants is **r** or **l,** the consonants generally are not separated: *pa*-dre, *li*-bro, po-*si*-ble

E. How Spanish Words Are Stressed

1. Words that end in a vowel or the consonants **n** or **s** are stressed on the next to the last syllable.
Examples: *gran*-de a-*lum*-no *or*-den al-*gu*-nos

Practice

Divide the following words into syllables and underline the syllable that is stressed:

1. caballo
2. actores
3. muchacha
4. usan
5. grande
6. flores
7. pasan
8. tardes
9. origen

2. Words ending in any consonant except **n** or **s** are stressed on the last syllable.
Examples: se-*ñor* es-pa-*ñol* ac-*tor* li-ber-*tad*

Practice

Divide the following words into syllables and underline the syllable that is stressed:

1. profesor
2. usted
3. metal
4. original
5. dictador
6. universidad

3. Words not stressed according to the two rules given above always have an accent mark indicating the syllable to be stressed.
Examples: es-*tá* na-*ción* in-*glés* *lá*-piz

Practice

Divide the following words into syllables and underline the syllable that is stressed.

1. limón
2. Andrés
3. cómico
4. champú
5. álgebra
6. café

III Verbs

A. Regular Verbs

Infinitive

hablar, to speak	**vender,** to sell	**vivir,** to live

Present Participle

habl-ando, speaking	vend-iendo, selling	viv-iendo, living

Past Participle

habl-ado, spoken	vend-ido, sold	viv-ido, lived

Present

I speak, am speaking, do speak, etc.	*I sell, am selling, do sell,* etc.	*I live, am living, do live,* etc.
habl-o	vend-o	viv-o
habl-as	vend-es	viv-es
habl-a	vend-e	viv-e
habl-amos	vend-emos	viv-imos
habl-áis	vend-éis	viv-ís
habl-an	vend-en	viv-en

Imperfect

I was speaking, used to speak, spoke, etc.	*I was selling, used to sell, sold,* etc.	*I was living, used to live, lived,* etc.
habl-aba	vend-ía	viv-ía
habl-abas	vend-ías	viv-ías
habl-aba	vend-ía	viv-ía
habl-ábamos	vend-íamos	viv-íamos
habl-abais	vend-íais	viv-íais
habl-aban	vend-ían	viv-ían

Preterite

I spoke, did speak, etc.	*I sold, did sell,* etc.	*I lived, did live,* etc.
habl-é	vend-í	viv-í
habl-aste	vend-iste	viv-iste
habl-ó	vend-ió	viv-ió
habl-amos	vend-imos	viv-imos
habl-asteis	vend-isteis	viv-isteis
habl-aron	vend-ieron	viv-ieron

Future

I shall (will) speak, etc.	*I shall (will) sell*, etc.	*I shall (will) live*, etc.
hablar-é	vender-é	vivir-é
hablar-ás	vender-ás	vivir-ás
hablar-á	vender-á	vivir-á
hablar-emos	vender-emos	vivir-emos
hablar-éis	vender-éis	vivir-éis
hablar-án	vender-án	vivir-án

Conditional

I would (should) speak, etc.	*I would (should) sell*, etc.	*I would (should) live*, etc.
hablar-ía	vender-ía	vivir-ía
hablar-ías	vender-ías	vivir-ías
hablar-ía	vender-ía	vivir-ía
hablar-íamos	vender-íamos	vivir-íamos
hablar-íais	vender-íais	vivir-íais
hablar-ían	vender-ían	vivir-ían

Present Perfect

I have spoken, etc.	*I have sold*, etc.	*I have lived*, etc.
he habl-ado	he vend-ido	he viv-ido
has habl-ado	has vend-ido	has viv-ido
ha habl-ado	ha vend-ido	ha viv-ido
hemos habl-ado	hemos vend-ido	hemos viv-ido
habéis habl-ado	habéis vend-ido	habéis viv-ido
han habl-ado	han vend-ido	han viv-ido

Pluperfect

I had spoken, etc.	*I had sold*, etc.	*I had lived*, etc.
había habl-ado	había vend-ido	había viv-ido
habías habl-ado	habías vend-ido	habías viv-ido
había habl-ado	había vend-ido	había viv-ido
habíamos habl-ado	habíamos vend-ido	habíamos viv-ido
habíais habl-ado	habíais vend-ido	habíais viv-ido
habían habl-ado	habían vend-ido	habían viv-ido

Commands

Speak	*Sell*	*Live*
habl-e Vd.	vend-a Vd.	viv-a Vd.
habl-en Vds.	vend-an Vds.	viv-an Vds.

B. Vowel-Changing Verbs

In each of the vowel-changing verbs given below only the tenses which have irregular forms are included. The irregular forms are indicated in boldface type.

pensar (ie), *to think*
present: **pienso, piensas, piensa,** pensamos, pensáis, **piensan**
commands: **piense** Vd., **piensen** Vds.

Like **pensar:** cerrar, *to close;* comenzar,[1] *to begin;* empezar,[1] *to begin;* nevar, *to snow;* sentarse, *to sit down*

perder (ie), *to lose*
present: **pierdo, pierdes, pierde,** perdemos, perdéis, **pierden**
commands: **pierda** Vd., **pierdan** Vds.

Like **perder:** defender, *to defend;* entender, *to understand*

contar (ue), *to count*
present: **cuento, cuentas, cuenta,** contamos, contáis, **cuentan**
commands: **cuente** Vd., **cuenten** Vds.

Like **contar:** acostarse, *to go to bed, to lie down;* almorzar,[1] *to eat lunch;* costar, *to cost;* encontrar, *to meet, to find;* jugar,[2] *to play* (*u* changes to *ue*); mostrar, *to show;* recordar, *to remember;* volar, *to fly*

volver (ue), *to return*
present: **vuelvo, vuelves, vuelve,** volvemos, volvéis, **vuelven**
commands: **vuelva** Vd., **vuelvan** Vds.

Like **volver:** llover, *to rain;* mover, *to move*

sentir (ie, i), *to feel sorry*
present participle: **sintiendo**
present: **siento, sientes, siente,** sentimos, sentís, **sienten**
preterite: sentí, sentiste, **sintió,** sentimos, sentisteis, **sintieron**
commands: **sienta** Vd., **sientan** Vds.

Like **sentir:** divertirse, *to enjoy oneself;* preferir, *to prefer*

dormir (ue, u), *to sleep*
present participle: **durmiendo**
present: **duermo, duermes, duerme,** dormimos, dormís, **duermen**
preterite: dormí, dormiste, **durmió**, dormimos, dormisteis, **durmieron**
commands: **duerma** Vd., **duerman** Vds.

Like **dormir:** morir, *to die*

[1]The letter *z* changes to *c* before an *e*. This change occurs in the command (empiece Vd., almuerce Vd.) and in the *yo* form of the preterite (empecé, almorcé).

[2]The letter *g* is followed by *u* before an *e*. This change occurs in the command (juegue Vd.) and in the *yo* form of the preterite (jugué).

pedir (i), *to ask for*

present participle: **pidiendo**
present: **pido, pides, pide,** pedimos, pedís, **piden**
preterite: pedí, pediste, **pidió,** pedimos, pedisteis, **pidieron**
commands: **pida** Vd., **pidan** Vds.

Like **pedir:** despedirse de, *to take leave of, to say goodby to;* repetir, *to repeat;* servir, *to serve;* vestir, *to dress*

C. Irregular Verbs

In each of the irregular verbs given below, only the tenses which have irregular forms are included. The irregular forms are indicated in bold face type.

andar, *to go, to walk*

preterite: **anduve, anduviste, anduvo, anduvimos, anduvisteis, anduvieron**

caer, *to fall*

present: **caigo,** caes, cae, caemos, caéis, caen
commands: **caiga** Vd., **caigan** Vds.
preterite: caí, caíste, **cayó,** caímos, caísteis, **cayeron**
present participle: **cayendo**

conocer, *to know*

present: **conozco,** conoces, conoce, conocemos, conocéis, conocen
commands: **conozca** Vd., **conozcan** Vds.

Like **conocer:** parecer, *to seem;* aparecer, *to appear*

construir, *to build*

present: **construyo, construyes, construye,** construimos, construís, **construyen**
commands: **construya** Vd., **construyan** Vds.
preterite: construí, construiste, **construyó,** construimos, construisteis, **construyeron**
present participle: **construyendo**

Like **construir:** destruir, *to destroy*

dar, *to give*

present: **doy,** das, da, damos, dais, dan
commands: **dé** Vd., den Vds.
preterite: **dí, diste, dió, dimos, disteis, dieron**

decir, *to say, to tell*

present: **digo, dices, dice,** decimos, decís, **dicen**
commands: **diga** Vd., **digan** Vds.
preterite: **dije, dijiste, dijo, dijimos, dijisteis, dijeron**
future: **diré, dirás, dirá, diremos, diréis, dirán**
conditional: **diría, dirías, diría, diríamos, diríais, dirían**
present participle: **diciendo**
past participle: **dicho**

estar, *to be*

present: **estoy, estás, está,** estamos, estáis, **están**
commands: **esté** Vd., **estén** Vds.
preterite: **estuve, estuviste, estuvo, estuvimos, estuvisteis, estuvieron**

haber, *to have* (used to form the compound tenses)

present: **he, has, ha, hemos,** habéis, **han**
preterite: **hube, hubiste, hubo, hubimos, hubisteis, hubieron**
future: **habré, habrás, habrá, habremos, habréis, habrán**
conditional: **habría, habrías, habría, habríamos, habríais, habrían**

hacer, *to do, to make*

present: **hago,** haces, hace, hacemos, hacéis, hacen
commands: **haga** Vd., **hagan** Vds.
preterite: **hice, hiciste, hizo, hicimos, hicisteis, hicieron**
future: **haré, harás, hará, haremos, haréis, harán**
conditional: **haría, harías, haría, haríamos, haríais, harían**
past participle: **hecho**

ir, *to go*

present: **voy, vas, va, vamos, vais, van**
commands: **vaya** Vd., **vayan** Vds.
imperfect: **iba, ibas, iba, íbamos, ibais, iban**
preterite: **fuí, fuiste, fué, fuimos, fuisteis, fueron**
present participle: **yendo**

leer, *to read*

preterite: leí, leíste, **leyó,** leímos, leísteis, **leyeron**
present participle: **leyendo**
past participle: **leído**

Like **leer:** creer, *to believe, think*

oír, *to hear*

present: **oigo, oyes, oye,** oímos, oís, **oyen**
commands: **oiga** Vd., **oigan** Vds.
preterite: oí, oíste, **oyó,** oímos oísteis, **oyeron**

present participle: **oyendo**
past participle: **oído**

poder, *to be able, can*

present: **puedo, puedes, puede,** podemos, podéis, **pueden**
preterite: **pude, pudiste, pudo, pudimos, pudisteis, pudieron**
future: **podré, podrás, podrá, podremos, podréis, podrán**
conditional: **podría, podrías, podría, podríamos, podríais, podrían**
present participle: **pudiendo**

poner, *to put*

present: **pongo,** pones, pone, ponemos, ponéis, ponen
commands: **ponga** Vd., **pongan** Vds.
preterite: **puse, pusiste, puso, pusimos, pusisteis, pusieron**
future: **pondré, pondrás, pondrá, pondremos, pondréis, pondrán**
conditional: **pondría, pondrías, pondría, pondríamos, pondríais, pondrían**
past participle: **puesto**

querer, *to want, to wish*

present: **quiero, quieres, quiere,** queremos, queréis, **quieren**
commands: **quiera** Vd., **quieran** Vds.
preterite: **quise, quisiste, quiso, quisimos, quisisteis, quisieron**
future: **querré, querrás, querrá, querremos, querréis, querrán**
conditional: **querría, querrías, querría, querríamos, querríais, querrían**

saber, *to know*

present: **sé,** sabes, sabe, sabemos, sabéis, saben
commands: **sepa** Vd., **sepan** Vds.
preterite: **supe, supiste, supo, supimos, supisteis, supieron**
future: **sabré, sabrás, sabrá, sabremos, sabréis, sabrán**
conditional: **sabría, sabrías, sabría, sabríamos, sabríais, sabrían**

salir, *to leave, to go out*

present: **salgo,** sales, sale, salimos, salís, salen
commands: **salga** Vd., **salgan** Vds.
future: **saldré, saldrás, saldrá, saldremos, saldréis, saldrán**
conditional: **saldría, saldrías, saldría, saldríamos, saldríais, saldrían**

ser, *to be*

present: **soy, eres, es, somos, sois, son**
commands: **sea** Vd., **sean** Vds.
imperfect: **era, eras, era, éramos, erais, eran**
preterite: **fuí, fuiste, fué, fuimos, fuisteis, fueron**

tener, *to have*

present: **tengo, tienes, tiene,** tenemos, tenéis, **tienen**
commands: **tenga** Vd., **tengan** Vds.

preterite: **tuve, tuviste, tuvo, tuvimos, tuvisteis, tuvieron**
future: **tendré, tendrás, tendrá, tendremos, tendréis, tendrán**
conditional: **tendría, tendrías, tendría, tendríamos, tendríais, tendrían**

traer, *to bring*
present: **traigo,** traes, trae, traemos, traéis, traen
commands: **traiga** Vd., **traigan** Vds.
preterite: **traje, trajiste, trajo, trajimos, trajisteis, trajeron**
present participle: **trayendo**
past participle: **traído**

venir, *to come*
present: **vengo, vienes, viene,** venimos, venís, **vienen**
commands: **venga** Vd., **vengan** Vds.
preterite: **vine, viniste, vino, vinimos, vinisteis, vinieron**
future: **vendré, vendrás, vendrá, vendremos, vendréis, vendrán**
conditional: **vendría, vendrías, vendría, vendríamos, vendríais, vendrían**
present participle: **viniendo**

ver, *to see*
present: **veo,** ves, ve, vemos, veis, ven
commands: **vea** Vd., **vean** Vds.
imperfect: **veía, veías, veía, veíamos, veíais, veían**
past participle: **visto**

Spanish-English Vocabulary

A

a to, at, on, by
abajo downstairs
abierto, -a open, opened
el **abogado** lawyer
el **abrigo** coat, overcoat
el **abril** April
abrir to open
el **abuelo** grandfather
  la **abuela** grandmother
  los **abuelos** grandparents
acabar de to have just
la **acción** the action
el **aceite** oil
acercarse (a) to approach
acompañado, -a de accompanied by
acompañar to accompany
acostarse (ue) to lie down, go to bed
el **actor** actor
la **actriz** actress
adelante come in, ahead
además besides
adiós goodby
admirar to admire
el **adobe** adobe (sun-dried brick made of clay)
adorar to adore, worship
adornado, -a (de) decorated (with), adorned (with)
el **aeroplano** airplane
el **aeropuerto** airport
el **aficionado** fan
  ser **aficionado, -a a** to be fond of
el **agosto** August
agradable pleasant
agrícola agricultural
el **agua** (*f.*) water
el **águila** (*f.*) eagle
ahora now
el **aire** air
  al aire libre open air
al (a + el) to the, at the
  al (entrar) on (entering)
la **alcoba** bedroom
alegre happy, merry
la **alegría** joy, happiness
la **alfombra** carpet
algo something
  ¿algo más? anything else?
el **algodón** cotton
alguien someone, somebody
algún some, any
alguno, -a some, any
la **alianza** alliance
almorzar (ue) to lunch
el **almuerzo** lunch
alquilar to rent
alrededor (de) around
alto, -a high, tall
la **altura** height, altitude
el **alumno,** la **alumna** pupil, student
allá there
allí there
amable kind
amado, -a beloved
amar to love
amarillo, -a yellow
americano, -a American
el **amigo,** la **amiga** friend
el **amor** love
ancho, -a wide
andar to walk, go
el **anillo** ring
anoche last night
el **antepasado** ancestor
antes (de) before
antiguo, -a old, ancient

NOTE: Vowel changes of verbs are given in parentheses. Prepositions used with verbs are indicated. Those prepositions not expressed in English are in parentheses.

el **año** year
  ¿cuántos años tiene Vd.? how old are you?
el **aparato de televisión** television set
aparecer(se) to appear
el **apartamento** apartment
el **apetito** appetite
  tener apetito to be hungry
aplaudir to applaud
aplicado, -a industrious
aprender to learn
aquel, aquella that
  aquellos, -as those
aquí here
  por aquí this way
el **árbol** tree
árido, -a dry
el **armario** closet
las **armas** arms, weapons
la **armonía** harmony
la **arquitectura** architecture
arreglar to arrange
arrojar to throw
el **arroz** rice
el **arte** art
el **artículo** article
el **artista** artist
artístico, -a artistic
el **ascensor** elevator
así thus, so
el **asiento** seat
la **asignatura** (school) subject
asistir (a) to attend
asombrarse to be astonished
el **aspecto** aspect, appearance
el **asunto** matter, affair
asustar to frighten
atacar to attack
el **ataque** attack
atar to tie
la **atención** attention
atender (ie) to attend, wait on
el **atractivo** attraction
aún still, yet; **aun** even
aunque although
ausente absent
auténtico, -a authentic
el **autobús** bus
el **automóvil** automobile, car
el **autor** author
la **avenida** avenue
el **aventurero** adventurer
el **avión** airplane, plane
¡ay! oh!
ayer yesterday
la **ayuda** help, aid
ayudar to help, aid
el **azúcar** sugar
azul blue

B

bailar to dance
el **baile** dance
bajar to go down, come down, descend
bajo under
el **balcón** balcony
el **banco** bench, bank
la **banda** band
la **bandera** flag
el **banderillero** banderillero (bullfighter who sticks darts in bull's neck)
el **baño** bath
  el **cuarto de baño** bathroom
barato, -a cheap
el **barco** boat
bastante quite, enough
  bastante bien rather well
la **batalla** battle
beber to drink
la **bebida** drink, beverage
bellísimo, -a very beautiful
bello, -a beautiful
la **biblioteca** library
bien well
  está bien all right
bienvenido, -a welcome
el **biftec** steak
el **billete** ticket

blanco, -a white
la **blusa** blouse
la **boca** mouth
el **boleto** ticket
la **bolsa** purse
la **bondad** goodness, kindness
  tenga Vd. la bondad de please
bondadoso, -a kind
bonito, -a pretty
el **borrador** eraser
el **bosque** woods, forest
la **botella** bottle
el **brazalete** bracelet
el **brazo** arm
buen good
bueno, -a good, well
el **burro** burro, donkey
buscar to look for

C

el **caballo** horse
  a caballo on horseback
  montar a caballo to go horseback-riding
la **cabeza** head
el **cacao** cacao (bean from which chocolate is made)
cada each, every
caer to fall
el **café** coffee
  color café brown
la **caja** box
los **calcetines** socks
caliente hot, warm
el **calor** heat, warmth
  hacer calor to be warm (weather)
  tener calor to be warm (person)
la **calle** street
la **cama** bed
la **camarera** chambermaid, stewardess
cambiar to change, exchange
el **cambio** change
  en cambio on the other hand
el **camello** camel
el **camino** road
la **camisa** shirt
la **campana** bell
el **campesino** farmer
el **campo** field, country
  campo de recreo playground
la **canasta** basket
la **canción** song
la **canoa** canoe
el **cañón** cannon
cansado, -a tired
cantar to sing
la **cantidad** quantity
la **capa** cape, cloak
la **capital** capital
capturar to capture
la **carne** meat
caro, -a dear, expensive
la **carretera** highway
la **carta** letter
la **cartera** wallet
la **casa** house
casi almost, nearly
el **castillo** castle
la **catedral** cathedral
catorce fourteen
a causa de because of
la **cebolla** onion
celebrar to celebrate
la **cena** supper
el **centavo** cent
el **centro** center
  en el centro in town
  ir al centro to go downtown
Centro América Central America
cerca de near
la **ceremonia** ceremony
cero zero
cerrar (ie) to close
  se cierra is closed
el **cerro** hill
la **cesta** basket
el **cesto** basket, waste basket
cien hundred

la **ciencia** science
ciento hundred
cinco five
cincuenta fifty
el **cine** movies
el **circo** circus
la **ciudad** city
la **civilización** civilization
¡claro! of course!
la **clase** class, kind
el **clavel** carnation
el **cliente** client, customer
el **clima** climate
el **cobre** copper
el **cocido** stew
la **cocina** kitchen
el **coche** car
coger to gather, pick up
la **colección** collection
la **colina** hill
la **colonia** colony
el **color** color
  color café brown
  ¿de qué color es? what color is it?
el **collar** necklace
el **combate** combat, fight, struggle
la **comedia** comedy
el **comedor** dining room
comenzar (ie) to commence, begin
comer to eat
el **comerciante** merchant
el **comercio** commerce, trade
los **comestibles** groceries, food
  tienda de comestibles grocery store
cómico, -a comic, comical, funny
la **comida** dinner, meal, food
como like, as
¿cómo? how?
  ¿cómo se llama Vd.? what is your name?
  ¿cómo es . . . ? what is . . . like?
cómodo, -a comfortable
el **compañero** companion
la **compañía** company
completo, -a complete
la **compra** purchase
  ir de compras to go shopping
el **comprador** buyer
comprar to buy
comprender to understand
con with
el **concierto** concert
conducir to conduct, lead
conmigo with me
conocer to know, meet, be acquainted with
  mucho gusto en conocerle very glad to meet you
la **conquista** conquest
conservar to help, preserve
consistir (en) to consist (of)
constar (de) to consist (of)
la **construcción** construction
construir to build, construct
el **consuelo** consolation
contar (ue) to count, tell, relate
contemplar to contemplate, look at
contento, -a glad, happy, contented
contestar to answer
contigo with you
el **continente** continent
contra against
el **contraste** contrast
la **copia** copy
el **corazón** heart
la **corbata** necktie
correr to run
la **corrida de toros** bullfight
la **cortesía** courtesy, politeness
la **cortina** curtain
la **cosa** thing
la **costa** coast
costar (ue) to cost
la **costumbre** custom, habit
crear to create
crecer to grow
creer to believe
la **crema** cream

la **criada** maid
el **cristal** glass
cruzar to cross
el **cuaderno** notebook
la **cuadra** block
el **cuadro** picture
¿cuál? which? what?
cuando when
  ¿cuándo? when?
¿cuánto, -a? how much?
  ¿cuántos, -as? how many?
  ¡cuántos! what a lot!
  ¿a cuántos estamos? what is the date?
cuarenta forty
cuarto quarter
el **cuarto** room
  el **cuarto de baño** bathroom
cuatro four
cubano, -a Cuban
cubrir to cover
  cubierto, -a de covered with
la **cuchara** spoon
el **cuchillo** knife
el **cuerpo** body
cuidar to take care of
cultivar to cultivate, grow, raise
  se cultiva is grown
culto, -a cultured
la **cultura** culture
el **cumpleaños** birthday
el **cura** priest
curar to cure

CH

la **chaqueta** jacket
charlar to chat
el **charro** Mexican horseman
el **cheque** check
el **chicle** chewing gum
la **chirimoya** cherimoya (tropical fruit)

D

la **dama** lady
dar to give
  dar a to face
  dar un paseo to take a walk
de of, from, in, about, with, by, (before number) than
dé give (*from* **dar** to give)
deber must, ought to, should
decidir to decide
decir to say, tell
declarar to declare
dedicado, -a devoted, dedicated
dedicar to dedicate, devote
defender (ie) to defend
del (de + el) of the, from the
delante de in front of
delicioso, -a delicious
los **demás** the rest, others
demasiado too much
déme Vd. give me
dentro de within
depender de to depend on
la **dependienta** saleslady
el **dependiente** clerk
el **deporte** sport
derecho, -a right, straight
  a la derecha to the right
el **desayuno** breakfast
el **descendiente** descendant
desde from, since
desear to wish, desire, want
el **desfile** parade
el **deseo** desire, wish
el **desierto** desert
despedirse (i) de to take leave of, say goodby to
después (de) after
destruído destroyed
destruir to destroy
detrás de behind, in back of
devorar to devour
dí I gave; **dió** he, she, you gave; **dimos** we gave; **dieron** they gave (*from* **dar** to give)
el **día** day
  buenos días good morning

al día siguiente on the following day
hoy día nowadays
el **dialecto** dialect
diario, -a daily
el **diciembre** December
el **dictador** dictator
dicho said, told
diez ten
la **diferencia** difference
diferente different
difícil difficult
la **dificultad** difficulty
diga tell, say (*from* **decir** to tell, say)
dije I said; **dijo** he, she, you said; **dijimos** we said; **dijeron** they said (*from* **decir** to say)
el **dinero** money
el **dios** god; **Dios** God
la **dirección** address
el **director,** la **directora** principal
dirigir to direct, conduct
el **disco** record
el **discurso** speech
la **disposición:**
a la disposición de Vd(s). at your disposal
la **distancia** distance
¿á qué distancia . . .? how far . . .?
distinguirse to distinguish oneself
distinto, -a different
divertirse (ie, i) to have a good time, enjoy oneself
divinamente divinely
divino, -a divine
doce twelve
la **docena** dozen
el **doctor** doctor
el **dólar** dollar
el **dolor** pain, grief
dolor de cabeza headache
doméstico, -a domestic
dominado, -a dominated
el **domingo** Sunday
don Don (title used before the given name of men)
donde where
¿dónde? where?
¿a dónde? where?
doña Doña (title used before the given name of women)
dormido -a, sleeping
dormir (ue, u) to sleep
dormir la siesta to take a nap
dos two
el **drama** drama
la **duda** doubt
sin duda undoubtedly
dulce sweet
los **dulces** candy
durante during
durar to last
duro, -a hard

E

e and (*before* i *or* hi)
el **ecuador** equator
el **edificio** building
la **educación** education
el **ejemplo** example
por ejemplo for example
el **ejercicio** exercise
el **ejército** army
el the
él he
eléctrico, -a electric
el **elefante** elephant
elegante elegant
elegido, -a elected
elemental elementary
ella she, her
ellos, -as they, them
embargo:
sin embargo nevertheless, however
el **emblema** emblem
emocionante exciting
el **emperador** emperor
empezar (ie) to begin

el **empleado** attendant, employee
en in, into, on, at
enamorado, -a de in love with
encantado, -a delighted
el **encanto** enchantment, charm
encima (de) above, on top of
encontrar (ue) to find, meet
  encontrarse con to meet
la **enchilada** enchilada (a rolled tortilla filled with meat, cheese, etc.)
el **enemigo** enemy
el **enero** January
enfermo, -a sick, ill
enfrente de in front of, facing
enfurecer to infuriate, enrage
enorme enormous
la **ensalada** salad
enseñar to teach, show
entender (ie) to understand
entonces then
la **entrada** entrance
entrar (en) to enter, go into
entre between, among
enviar to send
la **época** period, time
el **equipaje** baggage, luggage
el **equipo** team
era I, he, she was; **éramos** we were; **eran** they were (*from* **ser** to be)
es is; he, she, it is (*from* **ser** to be)
el **escalón** step
el **escenario** stage
esconder to hide
escribir to write
escrito written
el **escritorio** desk
escuchar to listen (to)
la **escuela** school
  la **escuela superior** high school
la **escultura** sculpture
ese, esa that
la **esmeralda** emerald
esos, esas those
la **espalda** back, shoulder
español, española Spanish
  el **español** Spanish, Spaniard
el **espárrago** asparagus
la **especie** kind
el **espectáculo** spectacle, show
el **espejo** mirror
la **esperanza** hope
esperar to wait for, hope, expect
las **espinacas** spinach
el **esposo** husband
  la **esposa** wife
la **esquina** corner
está is; he, she, it is (*from* **estar** to be)
  está bien all right
establecerse to be established
la **estación** season, station
el **estado** state
los **Estados Unidos** United States
el **estante** bookcase
el **estaño** tin
estar to be
  ¿a cuántos estamos? what is the date?
este, esta this
el **este** east
el **estilo** type, style
esto this
estos, estas these
estrecho, -a narrow
el **estuco** stucco
el **estudiante** the student
estudiar to study
la **estufa** stove
estuve I was; **estuvo** he, she was; **estuvimos** we were; **estuvieron** they were (*from* **estar** to be)
eterno, -a eternal
europeo, -a European
evidente evident
el **examen** examination
examinar to examine
excelente excellent
la **exhibición** exhibit
existir to exist

el **experimento** experiment
explicar to explain
exportar to export
extender (ie) to extend
  se extiende it extends
extinguir to extinguish, put out
extranjero, -a foreign

F

la **fábrica** factory
fácil easy
la **falda** skirt
falso, -a false
la **falta,** lack, mistake
la **familia** family
famoso, -a famous
el **favor** favor
  por favor please
  haga Vd. el favor de please
favorito, -a favorite
el **febrero** February
la **fecha** date
feliz happy
  Feliz Navidad Merry Christmas
feroz ferocious
el **ferrocarril** railroad
fértil fertile
la **fiesta** fiesta, party
fijo, -a fixed
  precio fijo one (set) price
el **fin** end
  fin de semana weekend
  al fin finally, at last
la **finca** farm
fino, -a fine
la **flor** flower
flotante floating
la **forma** form
formar to form
la **fotografía** photograph
fragante fragrant
francés, francesa French
  el francés French, Frenchman
la **frase** phrase, sentence
la **frecuencia** frequency
  con frecuencia frequently, often
frente a in front of, facing
la **fresa** strawberry
fresco, -a fresh
  hace fresco it is cool
los **frijoles** beans
el **frío** cold
  hacer frío to be cold (weather)
  tener frío to be cold (person)
frito, -a fried
la **frontera** border
la **fruta** fruit
fué he, she went; he, she, it was (*from* **ir** to go *or* **ser** to be)
el **fuego** fire
  fuegos artificiales fireworks
la **fuente** fountain
fueron they went; they were (*from* **ir** to go *or* **ser** to be)
fuerte strong
la **fuerza** force, power
fuí I went; I was
  fuimos we went, we were (*from* **ir** to go *or* **ser** to be)
el **fútbol** football, soccer
el **futuro** future

G

la **ganadería** cattle
ganar to earn, win
  ganarse la vida to earn one's living
el **gancho** hanger
la **ganga** bargain
la **gardenia** gardenia
el **gato** cat
el **gaucho** gaucho (cowboy of the South American pampas)
el **general** general
  en general generally
generalmente generally
generoso, -a generous
la **gente** people
el **gigante** giant

el **gimnasio** gymnasium
la **gloria** glory
el **gobernador** governor
gobernar (ie) to govern
el **gobierno** government
la **goma** (pencil) eraser
  goma de mascar chewing gum
gozar (de) to enjoy
gracias thanks, thank you
  muchas gracias thank you very much
gran great
grande big, large, great
gris gray
gritar to shout, cry out
el **grito** shout
  a gritos shouting
el **grupo** group
la **gruta** cavern, grotto
los **guantes** gloves
guardar to keep, guard
  guardar silencio to keep silent
la **guerra** war
el **guerrero** warrior
el **guía** guide
los **guisantes** peas
la **guitarra** guitar
gustar to be pleasing, like
  me gusta(n) I like
  le gusta(n) he or she likes, you like
el **gusto** pleasure
  con mucho gusto gladly
  mucho gusto glad to meet you, how do you do?

H

ha he, she has; **han** they have (*from* **haber** to have)
haber to have
había there was, there were; had (*from* **haber** to have)
la **habilidad** ability, skill
el **habitante** inhabitant
hablar to speak, talk
  se habla is spoken
hacer to make, to do
  hacer un viaje to take a trip
  hacer calor (frío) to be warm (cold)
  hacer buen (mal) tiempo to be good (bad) weather
  hace (dos días) (two days) ago
hacia toward
la **hacienda** country estate, large farm
haga do, make (*from* **hacer** to do, make)
  haga usted el favor de, please
hallar to find
  se halla is found
el **hambre** (*f.*) hunger
  tener (mucha) hambre to be (very) hungry
hasta until, to, as far as
  hasta luego see you later
  hasta mañana see you tomorrow
  hasta la vista goodby until I see you again
hay there is, there are
  ¿hay? is there? are there?
he I have (*from* **haber** to have)
hecho made
el **helado** ice cream
hemos we have (*from* **haber** to have)
el **hermano** brother
  la **hermana** sister
  los **hermanos** brothers, brother(s) and sister(s)
hermoso, -a beautiful
el **héroe** hero
heroico, -a heroic
el **heroísmo** heroism
hice I did, made; **hizo** he, she, you did, made; **hicimos** we did, made; **hicieron** they did, made (*from* **hacer** to do, make)
el **hierro** iron
el **hijo** son
  la **hija** daughter
  los **hijos** children, son(s) and daughter(s)

hispanoamericano, -a Spanish American
la **historia** history, story
histórico, -a historic
hizo he, she, you did, made (*from* **hacer** to do, make)
¡hola! hello!
el **hombre** man
el **honor** honor
la **hora** hour, time
¿qué hora es? what time is it?
hoy today
hoy día nowadays
los **huaraches** leather sandals (Mexico)
el **huevo** egg
humano, -a human
húmedo, -a damp, humid
humilde humble
el **humor** humor

I

iba I, he, she, was going; **íbamos** we were going; **iban** they were going (*from* **ir** to go)
el **idioma** language
la **iglesia** church
ignorante ignorant
iluminado, -a illuminated
la **imagen** image
imaginarse to imagine
la **imitación** imitation
el **imperio** empire
la **importancia** importance
importante important
importar to import
se importa is imported
no importa it doesn't matter
impresionante impressive
la **independencia** independence
indígena native
el **indio** Indian
la **industria** industry
la **influencia** influence
el **informe** information
el **ingeniero** engineer
inglés, inglesa English
el **inglés** English, Englishman
la **injusticia** injustice
inmenso, -a immense, huge
la **inmigración** immigration
el **inmigrante** immigrant
la **inspección** inspection
la **inspiración** inspiration
el **instante** instant, moment
inteligente intelligent
el **interés** interest
interesante interesting
interesar to interest
interesarse por to be interested in
invadir to invade
la **invención** invention
el **invierno** winter
la **invitación** invitation
invitar to invite
ir to go
la **isla** island
el **italiano** Italian
izquierdo, -a left
a la izquierda to the left

J

el **jabón** soap
jai alai jai alai (game resembling handball)
la **jalea** jelly
jamás never
el **jamón** ham
el **jardín** garden
jardín zoológico zoo
la **jaula** cage
el **jefe** chief
joven young
el (la) **joven** young man (woman)
la **joya** jewel
el **juego** game
el **jueves** Thursday
el **jugador** player
jugar (ue) to play
el **jugo** juice

el **juguete** toy
el **julio** July
el **junio** June
juntos, -as together

L

la the; her, you, it
el **lado** side
el **lago** lake
el **lamento** lament
la **lámpara** lamp
la **lana** wool
  de lana woolen
la **lancha** boat, launch
la **lanza** lance
lanzar to throw
el **lápiz** pencil
largo, -a long
las the; them, you
la **lástima** pity, compassion
  ¡qué lástima! what a pity!
la **lata** (tin) can
el **latín** Latin
latino, -a Latin
latinoamericano, -a Latin American
lavar to wash
le him, you, to him, to her, to you
la **lección** lesson
la **leche** milk
la **lechuga** lettuce
leer to read
la **legumbre** vegetable
lejos far
  a lo lejos in the distance
la **lengua** language
el **león** lion
les them, you, to them, to you
levantar to raise
  levantarse to get up, stand up
la **ley** law
la **leyenda** legend
liberar to liberate, free
la **libertad** freedom, liberty
la **libra** pound
libre free
el **libro** book
la **liga** league
limpiar to clean
limpio, -a clean
lindo, -a pretty
la **lista:**
  pasar lista to call the roll
listo, -a ready
lo it
  lo que what
loco, -a crazy
los the; them, you
la **lucha** struggle, fight
luchar to struggle, fight
luego then
  hasta luego see you later
el **lugar** place
la **luna** moon
el **lunes** Monday
la **luz** light

LL

llamar to call
  llamar a la puerta to knock on the door
  llamar por teléfono to telephone
  llamarse to be called or named
  se llama his (her) name is
la **llanta** tire
la **llave** key
la **llegada** arrival
llegar to arrive
  llegar a ser to become
llenar to fill
  se llena de is filled with
lleno, -a full
llevar to take, wear, carry
llover (ue) to rain

M

la **madera** wood
la **madre** mother
magnífico, -a magnificent

Magos:
los Reyes Magos the Three Wise Men, Three Kings, Magi
el **maíz** corn (Indian)
majestuoso, -a majestic
mal bad, badly
la **maleta** suitcase
malo, -a bad
mandar to send, order
la **manera** manner, way
de esta manera in this way
el **mango** mango (tropical fruit)
la **mano** hand
a mano by hand
el **mantel** tablecloth
la **mantequilla** butter
la **manzana** apple
mañana tomorrow
la **mañana** morning
por la mañana in the morning
de la mañana in the morning, A.M.
el **mapa** map
el (la) **mar** sea
maravilloso, -a marvelous
el **mariachi** strolling Mexican musician
el **marido** husband
la **mariposa** butterfly
el **mármol** marble
el **martes** Tuesday
el **marzo** March
más, more, most
¿qué más? what else?
el **matador** matador (bullfighter who kills bull)
matar to kill
las **matemáticas** mathematics
el **mayo** May
mayor older, oldest
la **mayoría** majority
me me, to me, myself
la **medianoche** midnight
las **medias** stockings
el **médico** doctor
medio, -a half
y media half past
el **mediodía** noon
mejor better, best
mejorar to improve
el **melón** melon
la **memoria** memory
menor younger, youngest
menos less, least, minus
el **menú** menu
el **mercado** market
la **mercancía** merchandise
el **mes** month
la **mesa** table
el **mestizo** mestizo (a person of mixed blood)
la **metrópoli** metropolis (chief city of a country)
mexicano, -a Mexican
mi, mis my
mí me
el **miembro** member
mientras while
el **miércoles** Wednesday
mil (a) thousand
el **milagro** miracle
militar military
millares thousands
el **millón** million
la **mina** mine
el **mineral** mineral
mío, -a mine
mirar to look at
la **misa** Mass
la **miseria** misery, poverty
la **misión** mission
mismo, -a same
la **mitad** half, middle
la **moda** fashion, style
el **modelo** model
moderno, -a modern
un **momentito** just a moment
monótono, -a monotonous
la **montaña** mountain
montar to mount, ride

el **montón** pile, heap
el **monumento** monument
moreno, -a dark, brunette, brown
morir (ue, u) to die
mostrar (ue) to show
el **movimiento** movement
el **mozo** porter, waiter
el **muchacho** boy; la **muchacha** girl
mucho, -a much, a great deal; **muchos, -as** many
los **muebles** furniture
¡muera! down with!
la **muerte** death
  dar la muerte to kill
muerto dead, died
la **mujer** woman, wife
la **mula** mule
la **multitud** multitude, crowd
el **mundo** world
  todo el mundo everybody, everyone
mural mural
el **museo** museum
la **música** music
el **músico** musician
muy very

N

nacer to be born
el **nacimiento** nativity scene, birth
la **nación** nation
nacional national
nada nothing
  de nada you're welcome
nadar to swim
nadie no one, nobody
la **naranja** orange
naturalmente naturally
la **Navidad** Christmas
necesario necessary
necesitar to need
  se necesita is needed
el **negocio** business
negro, -a black
nevar (ie) to snow
ni neither, nor
  ni . . . ni neither . . . nor
  ni yo tampoco neither do I
la **nieve** snow
el **nilón** nylon
el **niño** little boy, child
  la **niña** little girl, child
  los **niños** children
no no, not
la **noche** night, evening
  esta noche tonight
  de la noche in the evening, at night, P.M.
  por la noche in the evening, at night
  buenas noches good evening, good night
la **Nochebuena** Christmas Eve
nombrar to name
el **nombre** name
el **norte** north
el **norteamericano** North American, American (from United States)
nos us, to us, ourselves
nosotros, -as we; us
la **nota** mark, grade
notar to note, notice
novecientos, -as nine hundred
la **novedad** novelty
  tienda de novedades novelty shop
noventa ninety
el **noviembre** November
el **novio** sweetheart, boy friend; la **novia** sweetheart, girl friend
la **nube** cloud
nuestro, -a our
nueve nine
nuevo, -a new
el **número** number
numeroso, -a numerous
nunca never

O

o or
el **obispo** bishop

el **objeto** object, purpose
obligado, -a obliged, obligated
la **obra** work
  obra dramática play
observar to observe
obtener to obtain, get
el **océano** ocean
el **octubre** October
ocupado, -a busy, occupied
ocupar to occupy
ochenta eighty
ocho eight
el **oeste** west
oficial official
la **oficina** office
ofrecer to offer
ofrecerse to offer oneself, to volunteer
oír to hear
  se oye is heard
el **ojo** eye
¡olé! bravo!
olvidar to forget
omitir to omit
once eleven
la **operación** operation
opuesto, -a opposite
la **orden** order
  a sus órdenes at your service
organizar to organize
el **orgullo** pride
el **origen** origin
el **oro** gold
la **orquesta** orchestra
la **orquídea** orchid
el **otoño** autumn, fall
otro, -a other, another
  otra vez again
oye he, she hears; you hear; **oyen** they hear (*from* **oír** to hear)

P

el **padre** father
  los **padres** parents
pagar to pay
el **país** country
el **paisaje** landscape
la **paja** straw
el **pájaro** bird
la **palabra** word
el **palacio** palace
la **palma** palm
las **pampas** pampas (grassy plains in South America)
el **pan** bread
  pan tostado toast
  pan dulce sweet roll
panamericano, -a Pan American
el **panecillo** roll
el **panorama** view, panorama
los **pantalones** trousers, pants
el **pañuelo** handkerchief
la **papaya** papaya (tropical fruit)
el **papel** paper
el **paquete** package
el **par** pair
para to, for, in order to
parecer to seem
  parecerse a to resemble, look like
la **pared** wall
el **parque** park
la **parte** part
  por todas partes everywhere
particular private
el **partido** game, match
partir to depart
pasado, -a past
  (el año) pasado last (year)
el **pasado** past
el **pasajero** passenger
el **pasaporte** passport
pasar to pass, spend (time), happen
  pasar lista to call the roll
pase Vd. come in
pasearse to take a walk
el **paseo** walk, boulevard, drive
  dar un paseo to take a walk
el **pastel** pie, cake
la **patata** potato

la **patria** country
el **patriota** patriot
el **patrón** la **patrona,** patron
santo patrón (santa patrona) patron saint
la **paz** peace
pedir (i) to ask for
la **película** film
el **pelo** hair
la **pelota** ball
la **peluquería** barber shop
pena:
vale la pena it's worthwhile, worth the trouble
el **pendiente** earring
pensar (ie) to think, intend to
peor worse, worst
pequeño, -a small
la **pera** pear
perder (ie) to lose
perezoso, -a lazy
el **periódico** newspaper
el **permiso** permission
permitir to permit
pero but
el **perro** dog
la **persona** person
pesar to weigh
el **pescado** fish
el **peso** weight
el **petate** straw mat
el **petróleo** gasoline
el **pez** fish
el **picador** picador (mounted bullfighter who pierces bull with long lance)
el **pie** foot
a pie on foot
de pie standing
la **piedra** stone
pintar to paint
el **pintor** painter
pintoresco, -a picturesque
la **pintura,** painting, picture
la **piña** pineapple
la **piñata** decorated clay jug filled with candy, nuts, toys, etc.
la **pirámide** pyramid
la **piscina** swimming pool
el **piso** floor, story
la **pizarra** blackboard
la **planta** plant
la **plata** silver
el **plátano** banana
el **platino** platinum
el **plato** plate
la **playa** beach
la **plaza** plaza, public square
la **pluma** pen
pobre poor
pobrecito, -a poor little one
poco, -a little; **pocos, -as** few
poco a poco little by little
poder to be able, can
se puede one can
político, -a political
el **político** politician
el **pollo** chicken
el **poncho** (a blanket which has a slit in the middle for the head and serves as a cloak)
poner to put, place, set
ponerse to become
ponga put (*from* **poner** to put)
por for, by, through, in, at
por favor please
por fin finally, at last
por supuesto of course
¿por qué? why?
porque because
el **portugués** Portuguese
las posadas Christmas celebrations which last nine days
el **postre** dessert
el **precio** price
precioso, -a precious, lovely
predominar to predominate
preferir (ie, i) to prefer
preguntar to ask

el **prejuicio** prejudice
el **premio** prize
premio gordo first prize
el **prendedor** pin
preparar to prepare
se prepara is prepared
el **preparativo** preparation
la **presencia** presence
presentar to present, introduce
presente present
el **presidente** president
el **pretexto** pretext
la **primavera** spring
primer first
primero, -a first
primitivo, -a primitive
el **primo,** la **prima** cousin
el **príncipe** prince
el **principio** beginning
al principio at first
la **prisa** hurry, rush
tener prisa to be in a hurry
el **prisionero** prisoner
el **problema** problem
la **producción** production
producir to produce
se produce is produced
el **producto** product
la **profesión** profession
el **profesor,** la **profesora** teacher, professor
profundo, -a deep, profound
el **programa** program
progresivo, -a progressive
prohibir to forbid, prohibit
prometer to promise
pronunciar to pronounce, to make (a speech)
el **propietario** proprietor, owner
la **propina** tip
propio, -a own
a propósito by the way
la **prosperidad** prosperity
proteger to protect
próximo, -a next
público, -a public
pude I was able; **pudo,** he, she was able; **pudimos** we were able; **pudieron** they were able (*from* **poder** to be able)
el **pueblo** (small) town, village, people
la **puerta** door
el **puerto** port
el **puertorriqueño** Puerto Rican
pues then, well
pues bien well then
puesto put, placed, set
el **puesto** stand, stall, booth
el **punto** point, period
en punto sharp (time), on the dot
el **pupitre** desk
puse I put; **puso** he, she, you put; **pusimos** we put; **pusieron** they put (*from* **poner** to put)

Q

que who, whom, which, that
lo que what
¿qué? what?
¿qué tal? how are you?
¡qué bueno! how nice!
quedar(se) to remain, stay
quemar to burn
querer to wish, want, love
querer decir to mean
querido, -a dear
el **queso** cheese
¿quién? who?
quince fifteen
quinientos, -as five hundred
quise I wanted; **quiso** he, she, you wanted; **quisimos** we wanted; **quisieron** they wanted (*from* **querer** to want)

R

el (la) **radio** radio
el **ramo** bouquet

el **rancho** ranch
el **rascacielo** skyscraper
la **rata** rat
la **raza** race
  el **Día de la Raza** Columbus Day
la **razón** reason
  tener razón to be right
  no tener razón to be wrong
el **rebozo** shawl
recibir to receive
recoger to gather, pick up
recordar (ue) to remember
el **recreo** recreation
  campo de recreo playground
los **recuerdos** regards
el **refrán** proverb, saying
el **refresco** refreshment, soft drink
el **refrigerador** refrigerator
el **regalo** gift, present
regatear to bargain
la **región** region
el **regreso** return
el **reino** kingdom
la **reja** iron grille (over windows)
la **relación** relation
el **reloj** watch, clock
remar to row
rendirse (i) to surrender
reorganizar to reorganize
repartir to distribute
repente:
  de repente suddenly
repetir (i) to repeat
el **representante** representative
representar to represent
la **república** republic
reservado, -a reserved
la **residencia** residence, house
resistir to resist
respetar to respect
responder to answer, reply
restablecerse to be re-established
el **restaurante** restaurant
resultar to result
la **reunión** gathering, meeting
reunirse to gather, meet
revelar to reveal
la **revista** magazine
el **rey** king
  los Reyes Magos the Three Wise Men, Three Kings, Magi
rico, -a rich
el **río** river
robar to steal
rodeado, -a de surrounded by
rodear to surround
rojo, -a red
romper to break
la **ropa** clothes, clothing
la **rosa** rose
rubio, -a blond
el **ruido** noise
las **ruinas** ruins

S

el **sábado** Saturday
saber to know, know how
sacar to take out
el **sacerdote** priest
el **saco** coat, jacket
el **sacrificio** sacrifice
sagrado, -a sacred
la **sal** salt
la **sala** living room, parlor
salir to go out, leave
el **salón** salon, hall
  salón de belleza beauty parlor
saltar to jump
saludar to greet
los **saludos** regards, greetings
salvaje savage, wild
salvar to save
san saint
el **santo** la **santa,** saint
el **santuario** sanctuary
el **sarape** serape (Mexican blanket)
se himself, herself, yourself, themselves

sé I know (*from* **saber** to know)
la **sección** section
secundario, -a secondary
la **sed** thirst
tener sed to be thirsty
la **seda** silk
seguido, -a, de followed by
en seguida at once, immediately
seguir (i) to follow, go on, continue
según according to
segundo, -a second
seguro, -a sure, certain
seis six
la **selva** forest
la **semana** week
sencillo, -a simple
la **senda** path
sentarse (ie) to sit down
sentir (ie, i) to feel, to be sorry
lo siento mucho I am very sorry
el **señor** sir, Mr., gentleman
la **señora** Mrs., madam
la **señorita** Miss, young lady
separar to separate
el **septiembre** September
ser to be
la **serenata** serenade
dar serenata to serenade
la **serpiente** serpent
servidor, servidora present (in answer to roll call)
la servilleta napkin
servir (i) to serve
servir de to serve as
se sirve is served
sesenta sixty
setecientos, -as seven hundred
setenta seventy
si if
sí yes
siempre always
la **siesta** afternoon nap
siete seven
el **siglo** century
significar to mean, signify
siguiente following
al día siguiente on the following day
la **silla** chair
el **sillón** armchair
simbolizar to symbolize
simpático, -a nice, charming
sin without
sin embargo nevertheless, however
sinfónico, -a symphonic
orquesta sinfónica symphony orchestra
el **sirviente** servant
el **sitio** place, siege
situado, -a situated
sobre on, upon, above
sobre todo especially, above all
el **sofá** sofa, couch
el **sol** sun
solamente only
el **soldado** soldier
solo, -a alone
sólo only
el **sombrero** hat
son are (*from* **ser** to be)
sonar (ue) to sound, ring
la **sopa** soup
sorprenderse to be surprised
la **sorpresa** surprise
su, sus his, her, its, your, their
subir to go up, come up, climb
suceder to happen
Sud América South America
el **sudoeste** southwest
la **suerte** luck
el **suéter** sweater
sufrir to suffer
supe I knew; **supo** he, she, knew; **supimos** we knew; **supieron** they knew (*from* **saber** to know)
supuesto supposed
por supuesto of course
el **sur** south

T

el **tabaco** tobacco
el **tablero** bulletin board
el **taco** taco (toasted tortilla filled with chopped meat, lettuce, peppers, etc.)
tal such, such a
  tal vez perhaps
  ¿qué tal? how are you?
el **tamaño** size
también also, too
tampoco neither
  ni yo tampoco neither do I
tan so
el **tanque** tank
tanto, -a so much, as much
  tanto como as much as
  tantos, -as so many, as many
tarde late
la **tarde** afternoon
  buenas tardes good afternoon
  por la tarde in the afternoon
  de la tarde in the afternoon, P.M.
la **tarjeta** card
la **taza** cup
te you (fam.)
el **té** tea
el **teatro** theater
el **techo** ceiling, roof
la **teja** tile
el **tejado** roof
el **teléfono** telephone
el **telegrama** telegram
el **telón** curtain
el **tema** theme
el **templo** temple
temprano early
el **tenedor** fork
tener to have
  tener . . . años to be . . . years old
  tener apetito to be hungry
  tener calor to be warm
  tener hambre to be hungry
  tener prisa to be in a hurry
  tener que to have to, must
  tener razón to be right
  no tener razón to be wrong
  tener sed to be thirsty
tenga have (*from* **tener** to have)
  tenga Vd. la bondad de please
tercer third
tercero, -a third
terminar to end, terminate
la **terraza** terrace
el **tesoro** treasure
ti you (fam.)
la **tía** aunt
el tiempo time, weather
  a tiempo on time
  ¿cuánto tiempo? how long?
  ¿qué tiempo hace? how is the weather?
la **tienda** store, shop
la **tierra** earth, land
el **tigre** tiger
la **tinta** ink
el **tío** uncle
el **tíovivo** merry-go-round
típico, -a typical
el **tipo** type
la **tiza** chalk
la **toalla** towel
el **tocador** dresser
tocar to touch, play (instrument)
el **tocino** bacon
todavía still, yet
  todavía no not yet
todo everything
  todo, -a all, every
  sobre todo especially, above all
tomar to take, have
el **tomate** tomato
el **torero** bullfighter
el **tormento** torment, torture
el **toro** bull
  la corrida de toros bullfight
la **tortilla** tortilla (cornmeal pancake)

torturar to torture
tostado, -a toasted
  pan tostado toast
totalmente totally
trabajador, -a hard-working
trabajar to work
la **tradición** tradition
tradicional traditional
traer to bring
el **tráfico** traffic
la **tragedia** tragedy
traiga bring (*from* **traer** to bring)
  tráigame Vd. bring me
el **traje** suit, costume
traje I brought; **trajo,** he, she, you brought; **trajimos** we brought; **trajeron** they brought (*from* **traer** to bring)
tranquilo, -a calm, quiet
el **tranvía** streetcar
tratar de to try to
trece thirteen
treinta thirty
el **tren** train
tres three
la **tribu** tribe
el **trigo** wheat
triste sad
el **trono** throne
tu your (fam.)
tú you (fam.)
el **turista** tourist
tuve I had; **tuvo** he, she, you had; **tuvimos** we had; **tuvieron** they had (*from* **tener** to have)

U

último, -a last, latest
  por último finally
un, una a, an, one
el **uniforme** uniform
unir to unite
la **universidad** university
uno one
unos, -as some
usar to use, wear
  se usa is used
el **uso** use
usted, ustedes you
útil useful
la **uva** grape

V

va he, she goes; you go; **van** they go (*from* **ir** to go)
las **vacaciones** vacation
la **vainilla** vanilla
valer to be worth
  ¿cuánto vale? how much does it cost?
  vale la pena it is worthwhile
valiente brave
el **valor** courage
el **valle** valley
vamos let's go, we go (*from* **ir** to go)
la **variedad** variety
varios, -as various, several
el **vaso** glass
vaya go (*from* **ir** to go)
las **veces** times (plural of **vez**)
el **vecino** la **vecina,** neighbor
veinte twenty
vencer to conquer, defeat
el **vendedor** vendor
vender to sell
  se vende is sold
venga Vd. come (*from* **venir** to come)
venir to come
la **venta** sale
la **ventana** window
ver to see
  se ve is seen
el **verano** summer
la **verdad** truth
  ¿verdad? isn't that so? isn't it true? aren't you? didn't you? etc.
verdadero, -a true, real

verde green
la **verdura** (green) vegetable
el **verso** verse
el **vestido** dress
la **vez** time
  a veces at times
  algunas veces sometimes
  dos veces twice
  en vez de instead of
  muchas veces often
  otra vez again
  tal vez perhaps
  una vez once
viajar to travel
el **viaje** trip
  hacer un viaje to take a trip
el **viajero** traveler
la **victoria** victory
la **vida** life
el **vidrio** glass
viejo, -a old
el **viento** wind
  hacer viento to be windy
el **viernes** Friday
vine I came; **vino** he, she, you came; **vinimos** we came; **vinieron** they came (*from* **venir** to come)
la **violencia** violence
la **violeta** violet
el **violín** violin
la **Virgen** Virgin
la **visita** visit
  estar de visita to be visiting
visitar to visit
la **vista** view, look, glance
visto seen
¡viva! long live!
vivir to live
vivo, -a bright
volar (ue) to fly
el **volcán** volcano
volver (ue) to return
  volver a (to do) again
vosotros, -as you (fam. plural)
voy, I go (*from* **ir** to go)
la **voz** voice
vuelto returned
vuestro, -a your (fam. plural)

Y

y and, plus
  son las cuatro y veinte it is twenty after four
ya now, already
  ¡ya lo creo! yes indeed! I should say so!
  ya no no longer
yerba mate South American tea
yo I

Z

el **zapato** shoe

English-Spanish Vocabulary

A

a, un, una
able:
  to be able, poder
about, de; (approximately), unos, -as
absent, ausente
according to, según
actor, el actor
actress, la actriz
address, la dirección
to **admire,** admirar
adobe, el adobe
  an adobe house, una casa de adobe
after, después de
  it is ten after five, son las cinco y diez
afternoon, la tarde
  good afternoon, buenas tardes
  in the afternoon, por la tarde; (when hour is given), de la tarde
  (Saturday) afternoon, (el sábado) por la tarde
afterwards, después
again, otra vez
  to do something again, volver (ue) a + inf.
against, contra
ago:
  (a week) ago, hace (una semana)
airplane, el avión, el aeroplano
airport, el aeropuerto
all, todo, -a
  all right! ¡está bien! ¡bueno!
almost, casi
already, ya
also, también
although, aunque
altitude, la altura
always, siempre
A.M., de la mañana
America, la América
  Spanish America, Hispanoamérica
  Latin America, La América latina
  North America, Norte América, la América del Norte
  South America, Sud América, la América del Sur
  Central America, Centro América, la América Central
American, americano, -a; norteamericano, -a
  Spanish American, hispanoamericano, -a
  Latin American, latinoamericano, -a
among, entre
an, un, una
and, y; (*before* i *or* hi), e
animal, el animal
another, otro, -a
to **answer,** contestar, responder
any:
  do you have any ink? ¿tiene Vd. tinta?
anything, algo
  anything else, algo más
  I do not want anything, no quiero nada
apartment, el apartamento
  apartment house, la casa de apartamentos
to **appear,** aparecer, parecer
apple, la manzana
to **approach,** acercarse a
architecture, la arquitectura
are:
  there are, hay
  how are you? ¿cómo está Vd.?
arm, el brazo

All irregular verbs are indicated by underscoring and their conjugations may be found in the verb section.

army, el ejército
around, alrededor de
to **arrive,** llegar
art, el arte
  art exhibit, la exposición de arte
artist, el (la) artista
as, como
to **ask** (a question), preguntar
  to ask for (something), pedir (i)
at, a, en
  at home, en casa
to **attend,** asistir a
attraction, el atractivo
August, agosto
aunt, la tía
  aunt(s) and uncle(s), los tíos
automobile, el automóvil
autumn, el otoño
avenue, la avenida

B

bacon, el tocino
  bacon and eggs, huevos con tocino
bad, malo, -a; (before masc. sing. noun), mal
  that's too bad! ¡qué lástima!
baggage, el equipaje
balcony, el balcón
ball, la pelota
banana, la banana, el plátano
band, la banda
bank, el banco
barber, el peluquero
  barber shop, la peluquería
baseball, el béisbol
bath, el baño
bathroom, el cuarto de baño
to **be,** ser, estar
beach, la playa
beans, los frijoles
beautiful, hermoso, -a, bello, -a
beauty parlor, el salón de belleza
because, porque
bed, la cama
  to go to bed, acostarse (ue)
bedroom, la alcoba
before (time), antes de; (place), delante de
to **begin,** comenzar (ie), empezar (ie)
behind, detrás de
to **believe,** creer
  I believe so, creo que sí
bench, el banco
best, mejor
better, mejor
between, entre
beverage, la bebida
big, grande, enorme
bird, el pájaro
birthday, el cumpleaños
black, negro, -a
blackboard, la pizarra
block, la cuadra
blond, rubio, -a
blouse, la blusa
blue, azul
boat, el barco
book, el libro
to be **born,** nacer
bottle, la botella
box, la caja
boy, el muchacho, el niño
  boy(s) and girl(s), los muchachos
  boy friend, el novio
bracelet, el brazalete
brave, valiente
bread, el pan
breakfast, el desayuno
  to have breakfast, tomar el desayuno
to **bring,** traer
brother, el hermano
  brother(s) and sister(s), los hermanos
brown, color café, pardo, -a
brunette, moreno, -a
to **build,** construir
building, el edificio
bull, el toro

bull ring, la plaza de toros
bullfight, la corrida de toros
bullfighter, el torero
bus, el autobús
busy, ocupado, -a
but, pero
butter, la mantequilla
to **buy,** comprar
by, por, en

C

cafeteria, la cafetería
cake, el pastel, la torta
to **call,** llamar
to call the roll, pasar lista
to call on the phone, llamar por teléfono
camera, la cámara
can (tin can), la lata; (to be able), poder
what can I do for you? ¿en qué puedo servirle?
candy, los dulces
capital, la capital
car, el coche, el automóvil
card, la tarjeta
carnation, el clavel
to **carry,** llevar
cat, el gato
to **celebrate,** celebrar
cent, el centavo
central, central
Central America, Centro América, la América Central
century, el siglo
cereal, el cereal
chair, la silla
chalk, la tiza
charming, simpático, -a
cheap, barato, -a
cheese, el queso
chicken, el pollo
child, el niño, la niña; (son), el hijo; (daughter), la hija
children, los niños; (sons and daughters), los hijos
chocolate, el chocolate
chocolate ice cream, helado de chocolate
Christmas, la Navidad
Christmas Eve, la Nochebuena
Merry Christmas, Feliz Navidad
church, la iglesia
to church, a la iglesia
city, la ciudad
class, la clase
classroom, la clase
clerk, el dependiente
to **climb,** subir
clock, el reloj
it is five o'clock, son las cinco
to **close,** cerrar (ie)
clothes, la ropa
sport clothes, traje de sport
clothing, la ropa
cloud, la nube
coat (overcoat), el abrigo; (jacket), el saco
coffee, el café
cold, el frío
to be cold (weather), hacer frío; (person), tener frío
color, el color
what is the color of? ¿de qué color es?
to **come,** venir
come in! ¡pase Vd.! ¡adelante!
to come by, pasar por
comfortable, cómodo, -a
composition, la composición
concert, el concierto
conductor (of an orchestra), el director
to **conquer,** vencer
continent, el continente
contrast, el contraste
cool, fresco, -a
it is cool, hace fresco
corner, la esquina

to **cost,** costar (ue)
costume, el traje
cotton, el algodón
to **count,** contar (ue)
country (nation), el país; (as contrasted with city), el campo
courage, el valor
course:
  of course! ¡por supuesto! ¡claro!
cousin, el primo, la prima
covered with, cubierto, -a de
cream, la crema
  ice cream, el helado
to **cross,** cruzar
cup, la taza
curtain, la cortina
custom, la costumbre
customer, el cliente

D

dance, el baile
to **dance,** bailar
dark (complexion), moreno, -a
date (calendar), la fecha; (appointment), la cita
  what is the date today? ¿cuál es la fecha de hoy?
daughter, la hija
day, el día
  every day, todos los días
dear, querido, -a; (expensive), caro, -a
death, la muerte
December, diciembre
to **defeat,** vencer
delicious, delicioso, -a
to **depend on,** depender de
desert, el desierto
desk, el escritorio; (student's desk), el pupitre
dessert, el postre
to **destroy,** destruir
dialect, el dialecto
dictator, el dictador
to **die,** morir (ue, u)
different, diferente
difficult, difícil
dining room, el comedor
dinner, la comida
  to have dinner, comer
dish, el plato
disposal:
  at your disposal, a la disposición de Vd(s).
to **do,** hacer
  do, does, did (not translated when part of another verb)
  what can I do for you? ¿en qué puedo servirle?
  doesn't he? don't you? etc. ¿verdad?
doctor, el doctor, el médico
dog, el perro
dollar, el dólar
donkey, el burro
door, la puerta
dot:
  on the dot, en punto
down:
  to go down, bajar
downstairs, abajo
downtown, el centro
  to go downtown, ir al centro
dozen, la docena
dress, el vestido
  to dress, vestir (i)
to **drink,** beber
during, durante

E

each, cada
early, temprano
to **earn,** ganar
east, el este
easy, fácil
to **eat,** comer
  to eat breakfast, tomar el desayuno
  to eat lunch, almorzar (ue)
  to eat dinner, comer
egg, el huevo

eight, ocho
eighteen, diez y ocho, dieciocho
eighty, ochenta
eleven, once
else:
  anything else, algo más
enemy, el enemigo
English, inglés, inglesa; (language), el inglés
to **enjoy oneself,** divertirse (ie, i)
to **enter,** entrar (en)
eraser (blackboard), el borrador; (pencil), la goma
especially, sobre todo, especialmente
even, aún
evening, la noche
  in the evening, por la noche; (when hour is given), de la noche
  good evening, buenas noches
every, todos los, todas las
  every day, todos los días
everybody, todo el mundo
everyone, todo el mundo
everywhere, por todas partes
examination, el examen
example:
  for example, por ejemplo
to **exchange,** cambiar
exercise, el ejercicio
exhibit:
  art exhibit, la exposición de arte
to **exist,** existir
expensive, caro, -a
to **explain,** explicar
to **export,** exportar
eye, el ojo

F

face, la cara
  to face, dar a
factory, la fábrica
fall (season), el otoño
to **fall,** caer
family, la familia
famous, famoso, -a
fan, el aficionado, la aficionada
far, lejos (de)
  how far is . . .? ¿a qué distancia está . . . ?
father, el padre
favorite, favorito, -a
February, febrero
to **feel,** sentir (ie)
  to feel sorry, sentir (ie, i)
few, pocos, -as
fiesta, la fiesta
fifteen, quince
fifty, cincuenta
film, la película
finally, por fin, al fin, finalmente
to **find,** hallar, encontrar (ue)
fine, fino, -a
  fine, thank you, bien, gracias
  the weather is fine, hace buen tiempo
first, primero, -a; (before masc. sing. noun), primer
fish, el pescado
five, cinco
five hundred, quinientos, -as
flag, la bandera
floor (story), el piso
flower, la flor
to **fly,** volar (ue)
following, siguiente
  on the following day, al día siguiente
food, la comida
foot, el pie
  on foot, a pie
football, el fútbol
for, para, por
force, la fuerza
foreign, extranjero, -a
fork, el tenedor
forty, cuarenta
four, cuatro
fourteen, catorce
free, libre

French, francés, francesa; (language), el francés
fresh, fresco, -a
Friday, el viernes
fried, frito, -a
friend, el amigo, la amiga
to **frighten,** asustar
from, de, desde
  from . . . to, desde . . . hasta
front:
  in front of (facing), enfrente de, frente a; (ahead of), delante de
fruit, la fruta
full, lleno, -a
furniture, los muebles

G

game, el juego; (match), el partido
garden, el jardín
gardenia, la gardenia
to **gather,** recoger
German, alemán, alemana; (language), el alemán
to **get up,** levantarse
gift, el regalo
girl, la muchacha
  girl friend, la novia
to **give,** dar
glad, contento, -a, alegre
  glad to meet you, mucho gusto
gladly, con mucho gusto
glass, el vaso
glove, el guante
to **go,** ir, andar
  to go out, salir
  to go up, subir
  to go down, bajar
  to go to bed, acostarse (ue)
gold, el oro
good, bueno, -a; (before masc. sing. noun), buen
goodby, adiós
government, el gobierno
grade, la nota
grandfather, el abuelo
grandmother, la abuela
grandparents, los abuelos
great, grande; (before a sing. noun), gran
green, verde
to **greet,** saludar
grocery store, la tienda de comestibles
to **grow,** crecer, cultivar
guitar, la guitarra
gum, el chicle
gym, el gimnasio

H

hair, el pelo
half, medio, -a
  half past, y media
ham, el jamón
  ham and eggs, huevos con jamón
hand, la mano
  by hand, a mano
handkerchief, el pañuelo
happy, alegre, feliz, contento, -a
hard, duro, -a; (difficult), difícil
harmony, la armonía
hat, el sombrero
to **have,** tener
  (helping verb) haber
  to have to, tener que
  to have (food, drink), tomar
  to have just, acabar de + inf.
  to have a good time, divertirse (ie, i)
he, él
head, la cabeza
headache, el dolor de cabeza
to **hear,** oír
heart, el corazón
hello, hola; (over telephone), ¡diga! ¡bueno! ¡aló!
to **help,** ayudar
her:
  her (book), su (libro)
  (for) her, (para) ella
  (I see) her, la (veo)
  (I speak) to her, le (hablo)

here, aquí
herself, se
high, alto, -a
highway, la carretera
him:
  (for) him, (para) él
  (I see) him, le (veo)
  (I speak) to him, le (hablo)
himself, se
his, su, sus
holiday, la fiesta, el día de fiesta
home, la casa
  at home, en casa
  (he goes) home, (va) a casa
to **hope,** esperar
horse, el caballo
horseback:
  on horseback, a caballo
  to go horseback-riding, montar a caballo
hot, caliente
  to be hot (weather), hacer calor; (person), tener calor
hotel, el hotel
hour, la hora
house, la casa
  apartment house, casa de apartamentos
how? ¿cómo?
  how are you? ¿cómo está Vd.? ¿qué tal?
  how do you do? mucho gusto
  how old are you? ¿cuántos años tiene Vd.?
  how nice! ¡qué bueno!
  how long (time)? ¿cuánto tiempo?
  how much? ¿cuánto, -a?
  how many? ¿cuántos, -as?
however, sin embargo
hundred, ciento; (before a noun, mil *or* millones), cien
hungry:
  to be hungry, tener hambre, tener apetito
hurry:
  to be in a hurry, tener prisa
husband, el esposo

I

I, yo
ice, hielo
  ice cream, el helado
idea, la idea
if, si
ill, enfermo, -a
immediately, en seguida
important, importante
in, en; (after a superlative), de
indeed:
  yes, indeed! ¡ya lo creo!
independence, la independencia
independent, independiente
Indian, indio, -a
industrious, aplicado, -a
industry, la industria
influence, la influencia
inhabitant, el habitante
ink, la tinta
instead of, en vez de
intelligent, inteligente
to **intend,** pensar (ie)
interesting, interesante
to **introduce,** presentar
to **invite,** invitar
is, see verb to be
  isn't it true? ¿verdad?
  there is, hay
it (object of verb), lo, la; (subject of verb), not translated
  it is, es, está
its, su, sus

J

jacket, el saco, la chaqueta
January, enero
jelly, la jalea
juice, el jugo
July, julio

June, Junio
just:
  to have just, acabar de + inf.
  just a moment, un momentito

K

to **keep,** guardar
  to keep silent, guardar silencio
kind, amable, bondadoso, -a
  what kind of . . .? ¿qué clase de . . .?
king, el rey
kitchen, la cocina
knife, el cuchillo
to **knock,** llamar a la puerta
to **know** (a fact), saber; (a person), conocer
  to know how to, saber

L

lady, la señora
  young lady, la señorita
lake, el lago
lamp, la lámpara
land, la tierra
language, la lengua, el idioma
large, grande
last, último, -a
  last night, anoche
  last (week), (la semana) pasada
to **last,** durar
late, tarde
later, más tarde
  see you later, hasta luego
latest, último, -a
Latin, el latín
  Latin America, la América latina
  Latin American, latinoamericano, -a
lawyer, el abogado
lazy, perezoso, -a
leader, el jefe
to **learn,** aprender
to **leave,** salir
left:
  to the left, a la izquierda

lemon, el limón
less, menos
lesson, la lección
let:
  let's see, vamos a ver
  let's go, vamos
letter, la carta
lettuce, la lechuga
library, la biblioteca
life, la vida
light, la luz
like, como
to **like,** gustar
  (I) like, (me) gusta(n)
to **listen** (to), escuchar
little (quantity), poco; (size), pequeño, -a
  little by little, poco a poco
to **live,** vivir
living room, la sala
long, largo, -a
  how long? (time), ¿cuánto tiempo?
longer, más largo, -a
  no longer, ya no
to **look at,** mirar
  to look for, buscar
  to look like, parecerse a
to **lose,** perder (ie)
lot:
  a lot (of), mucho, -a
love, el amor
  to be in love with, estar enamorado, -a de
  to love, amar, querer
luck, la suerte
  good luck, buena suerte
lunch, el almuerzo
  to eat (have) lunch, almorzar (ue)

M

magazine, la revista
magnificent, magnífico, -a
maid, la criada
main, principal

to **make**, hacer
man, el hombre
many, muchos, -as
how many? ¿cuántos, -as?
map, el mapa
March, marzo
mark, la nota
market, el mercado
matter:
it doesn't matter, no importa
May, mayo
me, me
(for) me, (para) mí
with me, conmigo
meal, la comida
to **mean,** querer decir, significar
meat, la carne
to **meet,** encontrar (ue)
very glad to meet you, mucho gusto
melon, el melón
merchant, el comerciante
Mexican, mexicano, -a
Mexico, México
midnight, la medianoche
mile, la milla
military, militar
milk, la leche
million, el millón
mine, mío, -a
minus, menos
minute, el minuto
it is ten minutes after one, es la una y diez
Miss, la señorita
mistake, la falta, el error
model, el modelo
modern, moderno, -a
moment, el momento
just a moment, un momentito
Monday, el lunes
money, el dinero
month, el mes
monument, el monumento
moon, la luna
more, más
morning, la mañana
good morning, buenos días
in the morning, por la mañana; (when hour is given), de la mañana
most, más
mother, la madre
mountain, la montaña
movies, el cine
moving picture, la película
Mr., el señor
Mr. and Mrs., los señores
Mrs., la señora
much, mucho, -a
how much? ¿cuánto, -a?
very much, muchísimo
thank you very much, muchas gracias
too much, demasiado
museum, el museo
music, la música
musician, el músico
must, tener que + inf.
my, mi, mis

N

name, el nombre
my name is, me llamo
his, her, its name is, se llama
what is your name? ¿cómo se llama Vd.?
napkin, la servilleta
narrow, estrecho, -a
nation, la nación
national, nacional
near, cerca de
necessary, necesario, -a
necklace, el collar
necktie, la corbata
to **need,** necesitar
neighbor, el vecino, la vecina
neither, ni
neither do I, ni yo tampoco

never, nunca
nevertheless, sin embargo
new, nuevo, -a
newspaper, el periódico
next, próximo, -a
  next (year), (el año) próximo
nice, simpático, -a
  how nice! ¡qué bueno!
night, la noche
  good night, buenas noches
  (Saturday) night, (el sábado) por la noche
  last night, anoche
nine, nueve
nine hundred, novecientos, -as
nineteen, diez y nueve, diecinueve
ninety, noventa
no, no
  no one, nadie
nobody, nadie
noise, el ruido
noon, el mediodía
north, el norte
  North America, Norte América, la América del Norte
not, no
notebook, el cuaderno
nothing, nada
to **notice,** notar
November, noviembre
now, ahora, ya
number, el número
nylon, el nilón

O

ocean, el océano
o'clock:
  it is one o'clock, es la una
  it is two o'clock, son las dos
October, octubre
of, de
to **offer,** ofrecer
office, la oficina
often, muchas veces
old, viejo, -a
  how old are you? ¿cuántos años tiene Vd.?
older, mayor
oldest, mayor
on, en, sobre
  on Monday, el lunes
  on Mondays, los lunes
  on arriving, al llegar
once, una vez
  at once, en seguida
one, uno, un, una
  no one, nadie
only, sólo, solamente
to **open,** abrir
or, o
orange, la naranja
  orange juice, jugo de naranja
orchestra, la orquesta
orchid, la orquídea
order, la orden
  in order to, para
other, otro, -a
our, nuestro, -a
ourselves, nos
overcoat, el abrigo

P

package, el paquete
pair, el par
pants, los pantalones
paper, el papel
parents, los padres
park, el parque
party, la fiesta
to **pass,** pasar
passenger, el pasajero
past:
  half past, y media
to **pay,** pagar
pear, la pera
peas, los guisantes
pen, la pluma
pencil, el lápiz

people, la gente, las personas
perhaps, tal vez
person, la persona
to **phone,** llamar por teléfono
photograph, la fotografía
to **pick** (to gather), recoger
picture, el cuadro
  moving picture, la película
picturesque, pintoresco, -a
pie, el pastel
  apple pie, pastel de manzana
pineapple, la piña
pity:
  what a pity! ¡qué lástima!
place, el lugar, el sitio
plane, el avión
plant, la planta
plate, el plato
to **play** (instrument), tocar; (game), jugar (ue) a
pleasant, agradable, simpático, -a
please, por favor
  please (write), haga Vd. el favor de (escribir), tenga Vd. la bondad de (escribir)
pleasure:
  the pleasure is mine, el gusto es mío
plus, y
P.M., de la tarde, de la noche
pool:
  swimming pool, la piscina
poor, pobre
popular, popular
port, el puerto
Portuguese, el portugués
potato, la patata; (South America), la papa
pound, la libra
to **prefer,** preferir (ie, i)
to **prepare,** preparar
present, presente; (roll call), servidor, -a
present (gift), el regalo
president, el presidente
pretty, bonito, -a, lindo, -a
price, el precio
princess, la princesa
principal, principal; (of a school), el director, la directora
prisoner, el prisionero
professor, el profesor, la profesora
program, el programa
to **promise,** prometer
public, público, -a
pupil, el alumno, la alumna
purse, la bolsa
to **put,** poner

Q

quarter, cuarto
quite, bastante

R

radio, el (la) radio
to **rain,** llover (ue)
ranch, el rancho
to **read,** leer
ready, listo, -a
to **receive,** recibir
record, el disco
red, rojo, -a
refreshment, el refresco
regards, recuerdos, saludos
to **relate,** contar (ue)
to **remain,** quedarse
to **remember,** recordar (ue)
to **repeat,** repetir (i)
to **reply,** contestar, responder
republic, la república
to **resemble,** parecerse a
rest:
  the rest, los demás
restaurant, el restaurante
to **return,** volver (ue)
rice, el arroz
rich, rico, -a
right:
  all right, está bien

to **be right,** tener razón
to **the right,** a la derecha
ring, el anillo
river, el río
road, el camino
roll, el panecillo
to **call the roll,** pasar lista
roof, el techo, el tejado
room, el cuarto
living room, la sala
dining room, el comedor
rose, la rosa
to **run,** correr

S

sad, triste
Saint, Santo, -a, San
salad, la ensalada
salt, la sal
same, mismo, -a
sandwich, el sandwich
Saturday, el sábado
to **say,** decir
school, la escuela
to **school,** a la escuela
season, la estación
seat, el asiento
to **see,** ver
see you later, hasta luego
see you tomorrow, hasta mañana
see you again, hasta la vista
to **sell,** vender
to **send,** mandar, enviar
September, septiembre
to **serve,** servir (i)
service:
at your service, a sus órdenes
to **set,** poner
seven, siete
seven hundred, setecientos, -as
seventeen, diez y siete, diecisiete
seventy, setenta
several, varios, -as
sharp (time), en punto
she, ella
shirt, la camisa
shoe, el zapato
shopping:
to **go shopping,** ir de compras
to **shout,** gritar
to **show,** enseñar, mostrar (ue)
sick, enfermo, -a
silent:
to **keep silent,** guardar silencio
silk, la seda
silk tie, corbata de seda
silver, la plata
to **sing,** cantar
sir, señor
sister, la hermana
sister(s) and brother(s), los hermanos
to **sit down,** sentarse (ie)
six, seis
sixteen, diez y seis, dieciséis
sixty, sesenta
skirt, la falda
to **sleep,** dormir (ue, u)
small, pequeño, -a
snow, la nieve
to **snow,** nevar (ie)
so, tan
I believe so, creo que sí
socks, los calcetines
soldier, el soldado
some, alguno, -a; (before masc. sing. noun), algún; unos, -as
someone, alguien
something, algo
sometimes, algunas veces
son, el hijo
song, la canción
sorry:
to **be sorry,** sentir (ie, i)
I am very sorry, lo siento mucho
soup, la sopa
south, el sur
South America, Sud América, la América del Sur

Spain, España
Spanish, español, española; (language), el español
a Spanish teacher, un profesor de español
Spanish America, Hispanoamérica
Spanish American, hispanoamericano, -a
to **speak,** hablar
Tom speaking (telephone), habla Tomás
to **spend** (time), pasar
spoon, la cuchara
sport, el deporte
spot (place), el sitio
spring, la primavera
stand, el puesto
to **stand up,** levantarse
state, el estado
United States, los Estados Unidos
to **stay,** quedarse
steak, el biftec
still, todavía
stockings, las medias
stone, la piedra
store, la tienda
grocery store, la tienda de comestibles
strawberry, la fresa
street, la calle
streetcar, el tranvía
strong, fuerte
student, el alumno, la alumna, el estudiante
to **study,** estudiar
suddenly, de repente
to **suffer,** sufrir
sugar, el azúcar
suit, el traje
suitcase, la maleta
summer, el verano
sun, el sol
Sunday, el domingo
surprise, la sorpresa
to be surprised, sorprenderse
sweater, el suéter
sweet, dulce
sweetheart, el novio, la novia
to **swim,** nadar
swimming pool, la piscina
symphony, la sinfonía
symphony orchestra, la orquesta sinfónica

T

table, la mesa
to **take,** tomar; (to take someone, to carry), llevar
to take a trip, hacer un viaje
to take a walk, dar un paseo
to **talk,** hablar
tall, alto, -a
tea, el té
to **teach,** enseñar
teacher, el profesor, la profesora
team, el equipo
telephone, el teléfono
what is your telephone number? ¿cuál es el número de su teléfono?
to **telephone,** llamar por teléfono
to **tell,** decir, contar (ue)
ten, diez
tennis, el tenis
than, que; (before a number), de
thank:
thank you, gracias
thank you very much, muchas gracias
that, ese, esa; aquel, aquella
that's too bad! ¡qué lástima!
the, el, la, los, las
theater, el teatro
their, su, sus
them:
(for) them, (para) ellos, -as
(I see) them, los, las (veo)
(I write) to them, les (escribo)

themselves, se
then, entonces, luego
  well then, pues bien
there, allí, allá
  there is (are), hay
these, estos, -as
they, ellos, -as
thing, la cosa
to **think,** pensar (ie)
  to think about, pensar en
  I think so, creo que sí
third, tercero, -a; (before masc. sing. noun), tercer
thirsty:
  to be thirsty, tener sed
thirteen, trece
thirty, treinta
this, este, -a; esto
those, esos, -as, aquellos, -as
thousand, mil
three, tres
  the Three Wise Men, los Reyes Magos
to **throw,** arrojar
Thursday, el jueves
ticket, el billete, el boleto
tie, la corbata
tiger, el tigre
time, el tiempo, la vez, la hora
  many times, muchas veces
  what time is it? ¿qué hora es?
  to have a good time, divertirse (ie, i)
tired, cansado, -a
to, a, hasta
  it is five minutes to three, son las tres menos cinco
toast, el pan tostado
today, hoy
tomato, el tomate
tomorrow, mañana
tonight, esta noche
too, también
  too much, demasiado
top:
  on top of, encima de
tourist, el turista, la turista
towel, la toalla
town, el pueblo
  in town, en el centro
train, el tren
to **travel,** viajar
traveler, el viajero
tree, el árbol
trip, el viaje
  to take a trip, hacer un viaje
  have a nice trip, feliz viaje
tropical, tropical
trousers, los pantalones
true:
  that's true, es verdad
  isn't it true? ¿verdad?
to **try to,** tratar de
Tuesday, el martes
twelve, doce
twenty, veinte
twice, dos veces
two, dos

U

uncle, el tío
to **understand,** comprender, entender (ie)
undoubtedly, sin duda
United States, los Estados Unidos
university, la universidad
until, hasta
upon, sobre, en
  upon (leaving), al (salir)
us, nos
  (for) us, (para) nosotros, -as
to **use,** usar

V

vacation, las vacaciones
vegetable, la legumbre
  (green vegetable), la verdura
very, muy
  I am very cold, tengo mucho frío
  thank you very much, muchas gracias

view (look, glance), la vista
violet, la violeta
to **visit,** visitar
voice, la voz
volcano, el volcán

W

to **wait (for),** esperar
walk, el paseo
  to take a walk, dar un paseo, pasearse
to **walk,** andar
wall, la pared
to **want,** desear, querer
war, la guerra
warm, caliente
  to be warm (weather), hacer calor; (person), tener calor
to **wash,** lavar
watch, el reloj
water, el agua (*f.*)
way:
  this way, por aquí
we, nosotros, -as
to **wear,** llevar, usar, vestir (i)
weather, el tiempo
  how is the weather? ¿qué tiempo hace?
  the weather is bad, hace mal tiempo
  the weather is nice (fine), hace buen tiempo
Wednesday, el miércoles
week, la semana
welcome:
  you're welcome, de nada
  welcome to, bienvenido, -a, a
well, bien, pues
  well then, pues bien
west, el oeste
what? ¿qué? ¿cuál?
  what is your name? ¿cómo se llama Vd.?
when, cuando
  when? ¿cuándo?
where, donde
  where? ¿dónde?
  where are you going? ¿a dónde va Vd.?
which, que
  which? ¿cuál? ¿qué?
while, mientras
white, blanco, -a
who, que
  who? ¿quién?
whole, todo el, toda la
why? ¿por qué?
wide, ancho, -a
wife, la esposa
to **win,** ganar
window, la ventana
windy:
  it is windy, hace viento
winter, el invierno
to **wish,** desear, querer
with, con
  with me, conmigo
within, dentro de
without, sin
woman, la mujer
wooden, de madera
woolen, de lana
word, la palabra
work, el trabajo
to **work,** trabajar
world, el mundo
worse, peor
worst, peor
to **write,** escribir
wrong:
  to be wrong, no tener razón

Y

year, el año
  I am ten years old, tengo diez años
yellow, amarillo, -a
yes, sí
yesterday, ayer
yet, todavía

you, usted, ustedes; (fam.) tú, vosotros, -as

(for) you, (para) Vd(s).; (fam.), ti

(I know) you, le, la, los, las (conozco); (fam.), te (conozco)

(I speak) to you, le, les (hablo); (fam.), te (hablo)

young, joven

younger, menor

youngest, menor

your, su, sus

yourself, se

Z

zero, cero

zoo, el jardín zoológico

INDEX

A

B

C

D

E

F

G

O

P

Q

R

S

T

U

V

W

X

Y

Z

Descriptions of Full-Page Illustrations

Page 19

Allen C. Reed

Bridge crossing Río Rosario north of Escuinapa in Sinaloa, along the western coast of Mexico. There is no heavy traffic disturbing the beauty of the countryside at this spot.

Page 34

Shostal

The Santa Barbara Mission in California was established in 1786 by Father Junípero Serra, a Franciscan missionary who had come from Spain to Mexico City in 1753. Later he traveled northwest and founded many missions in the present state of California.

Page 70

Allen C. Reed

The Basilica of Zapopan, a few miles north of Guadalajara, is the home of the Virgin of Zapopan, Mexico's oldest and one of her most beloved saints. Friendly gatherings around ice cream and refreshment stands in front of the Basilica are a usual Sunday or holiday feature.

Page 75

Shostal

Overlooking the lake and town of Chapala in Jalisco, Mexico. Many small homes in the hills are almost hidden by the greenery and the tall cacti.

Page 78

Barnell from Shostal

A clothing stand, part of the market in Ayacucho, Peru. Beautiful handwork and brilliant colors blend with the hustle of bargaining, buying, and selling to make the local market one of the most interesting and lively places in a Latin American town.

Page 115

Forbert from Shostal

Mexican students enjoy studying or just relaxing in the patio of the University of San Nicolás de Hidalgo in Morelia. The patio, bright with flowers and plants, is a feature of many Latin American schools and colleges as well as homes and other buildings.

Page 164

de Palma from FPG

The flower festival at Xochimilco, near Mexico City. The abundance of flowers, fresh fruit, sunlight, and gaily dressed, spirited young people makes this fiesta unique.

Page 221

FPG

Loading a ship in Vera Cruz, Mexico's chief seaport. Once a link between the New World and Spain, today this city is an important center for imports and exports, as well as a large industrial center.

Page 340

Done from FPG

Xochimilco, the "Venice of Mexico." At Xochimilco are small islands separated by canals. On these islands the Indians grow a great variety of fruits and vegetables which they sell in the markets in Mexico City. Often family groups or tourists rent one of the gaily decorated boats found in the main canal and go for an outing around the "floating gardens."

List of Photographs

70 71 72 73 ST 9 8

a father
b soft
c
ch
d soft (th)
e bed
f
g
h silent
i beet
j h
k (same doesn't occur)
l
ll tortilla
m
n
ñ canyon
tilde

o
p
q
r
rr ratta-tat-tat rrrrrr
s
t soft (th)
u boot
v soft
w (same doesn't occur)
x
y e or same igriega
z s
cañon